EL ARTE DE LA ORATORIA

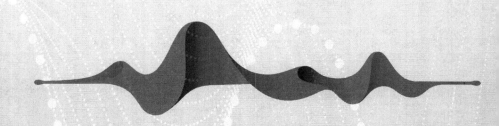

Dale Carnegie

El arte de la oratoria
Por Dale Carnegie

ISBN: 978-1-64142-095-2

Publicado por Editorial RENUEVO
www.EditorialRenuevo.com
info@EditorialRenuevo.com

Cosas para pensar primero:
Un prólogo

La eficacia de un libro es como la de un hombre, en un aspecto importante: su actitud hacia el tema es la primera fuente de su poder. Un libro puede estar lleno de buenas ideas bien expresadas, pero si su escritor ve su tema desde el ángulo equivocado, aun su excelente consejo puede resultar ineficaz.

Este libro se sostiene o cae según la actitud del autor hacia su tema. Si la mejor manera de enseñarse a sí mismo o a otros a hablar efectivamente en público es llenar la mente con reglas y establecer normas para la interpretación del pensamiento, la expresión del lenguaje, la realización de gestos y todo lo demás, entonces el valor de este libro será limitado a esas ideas aleatorias en todas sus páginas que puedan resultar útiles para el lector. Como esfuerzo por imponer un grupo de principios, debe considerarse un fracaso, porque entonces está demostrando que no es cierto.

Por lo tanto, es importante que aquellos que abordan este volumen con la mente abierta entiendan claramente desde el comienzo cuál es el pensamiento que subyace y se construye a través de esta estructura. En palabras sencillas, es esto:

La capacitación para la oratoria no es principalmente una cuestión de elementos externos; no es fundamentalmente una cuestión de imitación; no es una cuestión de conformidad con los estándares, en lo absoluto. La oratoria es el enunciado público, la emisión pública, del hombre mismo; por lo tanto, lo primero y lo más importante es que el hombre debe ser y pensar y sentir cosas que son dignas de ser compartidas. A menos que haya algo de valor en su interior, ningún truco de entrenamiento puede hacer que el hablante sea algo más que una máquina—si bien sea una máquina altamente perfeccionada—para la entrega de los bienes de otros hombres. Entonces, el autodesarrollo es fundamental para nuestro plan.

El segundo principio se encuentra cerca del primero: El hombre debe entronar a su voluntad para que esta gobierne sobre su pensamiento, sus sentimientos y todos sus poderes físicos, de modo que el yo externo pueda dar una expresión perfecta y libre al interior. Afirmamos que es inútil establecer sistemas de reglas para el cultivo de la voz, la entonación, el gesto, etcétera, a menos que estos dos principios de tener algo que decir y entregarle soberanía a la voluntad por lo menos hayan comenzado a hacerse sentir en la vida.

El tercer principio, suponemos, no despertará ninguna disputa: Nadie puede aprender a hablar sin primero hablar lo mejor que puede. Esta declaración puede parecer un círculo vicioso, pero podrá soportar el interrogatorio.

Muchos maestros han comenzado con el cómo. ¡Es un esfuerzo vano! La idea que aprendemos a hacer haciendo es una perogrullada antigua. Lo primero que el principiante a la oratoria debe hacer es hablar—no estudiar la voz, los gestos y lo demás. Una vez que ha hablado, puede mejorarse a sí mismo mediante la autoobservación o según las críticas de quienes le escuchan.

Pero ¿cómo podrá él criticarse a sí mismo? Simplemente descubriendo tres cosas: Cuáles son las cualidades que, según el consenso común, constituyen un orador efectivo; de qué manera se pueden adquirir al menos algunas de estas cualidades; y cuáles son los malos hábitos de expresión en sí mismo que están trabajando en contra de su adquisición y uso de las cualidades que él considera ser buenas.

La experiencia, entonces, no es solo la mejor maestra, sino la primera y la última. Pero la experiencia debe ser doble: La experiencia de los demás debe usarse para complementar, corregir y justificar nuestra propia experiencia. De esta manera nos convertiremos en nuestros mejores críticos solo después de habernos entrenado en el autoconocimiento, el conocimiento de lo que otras mentes piensan y en la capacidad de juzgarnos a nosotros mismos según las normas que hemos llegado a creer que son correctas. «Si debo hacerlo», dijo Kant, «puedo hacerlo».

Un examen de los contenidos de este volumen mostrará cuán consistentemente se han declarado, expuesto e ilustrado estos artículos de fe. Se le pide al estudiante que comience a hablar de inmediato de lo que sabe. Luego se le dan sugerencias simples para el dominio propio, con un énfasis gradualmente creciente sobre el poder del hombre interno sobre el externo. Luego, se señala el camino hacia los ricos depósitos de material. Y finalmente, todo el tiempo se lo exhorta a hablar, hablar, *hablar* mientras aplica a sus propios métodos, a su manera personal, los principios que ha acumulado de su propia experiencia y observación y las experiencias registradas de otros.

Así que ahora, antes que todo, que quede tan claro como la luz que los métodos son asuntos secundarios; que la mente llena, el corazón cálido, la voluntad dominante son lo primero—y no solo vienen primero, sino que son primordiales; porque a menos que sea un ser pleno el que use los métodos, será como vestir un maniquí de madera con ropa de hombre.

—J. Berg Esenwein
Narberth, Pennsylvania
Enero 1, 1915

Contenido

Capítulo 1

Adquiriendo confianza ante un público

Hay una extraña sensación que a menudo se siente ante la presencia de un público. Puede proceder de la mirada de los muchos ojos que caen sobre el que habla, especialmente si él se permite devolver firmemente esa mirada. La mayoría de los oradores han percibido esto mediante una emoción sin nombre, algo real, que impregna la atmósfera y es tangible, evanescente e indescriptible. Todos los escritores han dado testimonio del poder del ojo de un orador para impresionar a la audiencia. Esta influencia que ahora estamos considerando es la inversa de esa imagen: el poder que sus ojos pueden ejercer sobre él, especialmente antes de que comience a hablar: después de que los fuegos internos de la oratoria se avivan en llamas, los ojos de la audiencia pierden todo terror.

—William Pittenger, *Extempore Speech*
(Oratoria extemporánea)

Los estudiantes de la oratoria continuamente preguntan: «¿Cómo puedo superar la vergüenza y el miedo que me paraliza ante una audiencia?».

¿Alguna vez has notado al mirar por la ventanilla de un tren que algunos caballos se alimentan cerca de la vía y ni siquiera se detienen para mirar los atronadores vagones, mientras que justo delante del próximo cruce de ferrocarril, la esposa de un granjero tratará de aquietar a su caballo asustado mientras pasa el tren?

¿Cómo curarías un caballo que le tiene miedo a los autos? ¿Lo harías pastar en un bosque remoto donde nunca vería trenes o automóviles, o lo llevarías o lo pastarías donde frecuentemente vería las máquinas?

Aplica esa misma sensatez para librarte de la vergüenza y el miedo: Párate delante de una audiencia con la mayor frecuencia posible y pronto dejarás de sentir timidez. Nunca podrás lograr liberarte del miedo escénico leyendo un tratado. Un libro puede brindarte excelentes sugerencias sobre cómo manejarte mejor en el agua, pero tarde o temprano tienes que mojarte, tal vez incluso casi ahogarte y «morirte de miedo». Hay muchos trajes de baño secos que se usan en la orilla del mar, pero nadie aprende a nadar en ellos. Zambullirse es la única forma.

Practicar, practicar, *practicar* hablar ante una audiencia suele eliminar todo miedo a las audiencias, al igual que el practicar natación generará confianza y habilidad en el agua. Debes aprender a hablar hablando.

El apóstol Pablo nos dice que cada hombre debe llevar a cabo su propia salvación. *(Filipenses 2:12)* Lo único que podemos hacer aquí es ofrecerte sugerencias sobre la mejor forma de prepararte para dar tu salto. Ese salto real nadie puede tomarlo por ti. Un médico puede recetarte algo, pero tú debes tomar el medicamento.

No te desalientes si al principio sufres de miedo escénico. Dan Patch era más susceptible al sufrimiento que cualquier caballo de tiro jubilado. A un tonto nunca le duele aparecer ante un público, ya que su capacidad no es una capacidad de sentir. Un golpe que mataría a un hombre civilizado pronto curará a un salvaje. Cuanto más alto vamos en la escala de la vida, mayor es la capacidad de sufrimiento.

Por una razón u otra, algunos oradores eruditos nunca superan por completo el miedo escénico, pero a ti te convendrá no escatimar esfuerzos para conquistarlo. Daniel Webster falló en su primera aparición y tuvo que tomar su asiento sin terminar su discurso porque estaba nervioso. Gladstone a menudo sufría de vergüenza al comenzar un discurso. Beecher siempre estaba perturbado antes de hablar en público.

Los herreros a veces tuercen una cuerda alrededor de la nariz de un caballo y, al infligir así un poco de dolor, distraen su atención del proceso de herrar. Una forma de sacar el aire de un vaso es verter agua.

Absórbete en tu tema

Aplica el principio hogareño del herrero cuando estés hablando. Si sientes una profunda convicción acerca de tu tema, no podrás pensar en otra cosa. La concentración consiste en distraerse de los asuntos menos importantes. Una vez que estás en la plataforma, ya es demasiado tarde para pensar en el corte de tu abrigo, así que centra tu interés en lo que estás a punto de decir. Llena tu mente con el material de tu discurso y como el agua que va llenando el vaso, el material irá expulsando tus miedos insustanciales.

Tener vergüenza es la conciencia indebida del yo y, cuando se trata de presentar un discurso, el yo es secundario al tema, no solo en la opinión de la audiencia, sino—si eres sabio—en la tuya. Mantener cualquier otro punto de vista es considerarte un artículo de exhibición en lugar de un mensajero con un mensaje que vale la pena entregar. ¿Recuerdas el tremendo ensayo de Elbert Hubbard, *Un mensaje a García?* El joven se subordinó al mensaje que llevaba. Eso debes hacer tú, con toda la determinación que puedas concitar.

Es puro egoísmo llenar tu mente con pensamientos de uno mismo cuando hay algo más importante: la **verdad**. Dite esto con severidad y avergüenza a tus complejos de vergüenza hasta aquietarlos. Si un teatro se incendiara, podrías correr al escenario y gritarle instrucciones a la audiencia sin ninguna vergüenza, ya que la importancia de lo que estarías diciendo alejaría todo pensamiento de miedo de tu mente.

13

Mucho peor que la vergüenza debida al miedo del mal rendimiento es la consciencia de uno mismo causada al suponer que uno está rindiendo bien.

El primer signo de grandeza es cuando un hombre no intenta lucir y actuar como un gran hombre. Antes de que puedas llamarte a ti mismo un hombre, Kipling nos asegura que no debes «dártelas de muy bueno ni de muy sabio».

Nada se anuncia tan completamente como la presunción. Uno puede estar tan lleno de sí mismo como para estar vacío. Voltaire dijo: «Debemos ocultar el amor propio». Pero eso no puede hacerse. Tú sabes que esto es cierto, ya que has notado el amor propio desmedido en los demás. Si lo tienes, otros lo están viendo en ti.

Hay cosas en este mundo más grandes que uno mismo, y al trabajar para ellas, el yo será olvidado, o aun mejor, será recordado solo para ayudarnos a avanzar hacia cosas más nobles.

Ten algo que decir

El problema con muchos oradores es que van ante una audiencia con sus mentes en blanco. No es de extrañar que la naturaleza, aborreciendo el vacío, los llene con la cosa más cercana a mano, que por lo general suele ser: «¡Me pregunto si estoy haciendo esto bien! ¿Cómo se ve mi cabello? Sé que fallaré». Seguramente sus almas proféticas tendrán razón.

No basta con ser absorbido por el sujeto; para adquirir confianza en ti mismo, debes tener algo en lo cual tener confianza. Si te presentas ante una audiencia sin ninguna preparación o conocimiento previo de tu tema, debes estar consciente de ti mismo; deberías sentir vergüenza por robarle el tiempo a tu audiencia. Prepárate. Tienes que saber de qué vas a hablar y, en general, cómo lo vas a decir. Ten las primeras oraciones totalmente preparadas para que no tengas problemas encontrando palabras al principio. Conoce tu tema mejor que tus oyentes y no tienes nada que temer.

Después de prepararte para el éxito, espéralo

Deja que tu porte sea modestamente confiado, pero por encima de todo, ten una confianza modesta en tu interior. El exceso de confianza es malo, pero tolerar premoniciones de fracaso es peor, porque un hombre audaz puede ganarse la atención por su propio porte, mientras que un cobarde con corazón de conejo invita al desastre.

La humildad no es un descuento personal que debemos ofrecer en presencia de los demás; se ha generado una reacción moderna muy saludable contra esta vieja interpretación. Cualquier hombre que se conozca a sí mismo debe sentir verdadera humildad; pero no es una humildad que asume una mansedumbre de gusano. Es más bien una oración fuerte y vibrante por un mayor poder de servicio, una oración que Uriah Heep nunca podría haber pronunciado.

Washington Irving presentó una vez a Charles Dickens en una cena ofrecida en honor de este último. En medio de su discurso, Irving vaciló, se avergonzó y se sentó torpemente. Girando hacia un amigo que estaba junto a él, le dijo: «Mira, te dije que iba a fallar, y lo hice».

Si crees que fallarás, no hay esperanza para ti—fallarás.

Libérate de esta idea de «yo soy un gusano humilde en el polvo». Eres un dios, con infinitas capacidades. «Todas las cosas están listas si la mente lo es». El águila mira al sol sin nubes en la cara.

Asume maestría sobre tu audiencia

En el discurso público, como en la electricidad, hay una fuerza positiva y una negativa. O tú o tu audiencia va a poseer el factor positivo. Si lo asumes, casi invariablemente puedes hacerlo tuyo. Si asumes lo negativo, seguramente serás negativo. Asumir una virtud o un vicio lo vitaliza. Invoca todo tu poder de autodirección y recuerda que, aunque tu audiencia es infinitamente más importante que tú, la verdad es más importante que ambos, porque es eterna.

Si tu mente flaquea en su liderazgo, la espada caerá de tus manos. Asumir que puedes instruir, dirigir o inspirar a una multitud o incluso a un pequeño grupo de personas tal vez te parezca una idea totalmente insolente—como de hecho puede ser; pero una vez que intentas hablar, sé valiente. *Sé* valiente— está dentro de ti ser lo que quieras. *Hazte* estar tranquilo y seguro.

Recuerda que tu público no te lastimará. Si Beecher en Liverpool hubiera hablado detrás de una pantalla de alambre, habría invitado a la audiencia a tirar los misiles maduros que estaban portando; pero él fue un hombre. Confrontó a sus oyentes hostiles sin miedo—y los conquistó.

Al enfrentar a tu público, haz una pausa y échales un vistazo; te aseguro que casi todos quieren que triunfes, porque ¿qué clase de hombre es tan tonto como para gastar su tiempo, y tal vez su dinero, con la esperanza de que tú desperdicies su inversión con un discurso aburrido?

Consejos finales

No te apresures por comenzar; la prisa muestra una falta de control.

No te disculpes. No debería ser necesario, y si lo es, no ayudará. Sigue adelante.

Respira profundo, relájate y comienza con un tono de conversación tranquilo, como si estuvieses hablando con un gran amigo. Descubrirás que no es tan malo como lo imaginabas. En realidad, es como zambullirse en agua fría: una vez que estás dentro, el agua está bien. De hecho, después de haber hablado algunas veces, incluso anticiparás la zambullida con entusiasmo.

El estar frente a una audiencia y hacer que sigan tus pasos y piensen tus pensamientos es uno de los mayores placeres que puedes conocer. En lugar de temerlo, deberías estar tan ansioso como los sabuesos que se esfuerzan en sus correas, o los caballos de carreras tirando de sus riendas.

Así que descarta el miedo, porque el miedo es de cobardes—cuando no se domina. Los más valientes conocen el miedo, pero no se someten a él. Enfréntate a tu audiencia con valentía—si te tiemblan las rodillas, *haz* que se detengan. En tu audiencia te espera una victoria para ti y para la causa que representas. Ve a ganarla.

Supongamos que Charles Martell hubiera tenido miedo de atacar a los sarracenos en Tours; supongamos que Colón hubiera temido aventurarse en el Occidente desconocido; supongamos que nuestros antepasados hubieran sido demasiado tímidos para oponerse a la tiranía de Jorge III; supongamos que cualquier hombre que haya hecho algo que valga la pena hubiera sido un cobarde.

El mundo debe su progreso a personas que se han atrevido, y debes atreverte a hablar la palabra efectiva que está en tu corazón para ser hablada—porque a menudo se requiere valor para decir una sola oración. Pero recuerda que la gente no construye monumentos ni teje laureles para aquellos que temen hacer lo que pueden.

Es todo esto poco compasivo, ¿dirás tú? Te aseguro que lo que necesitas no es compasión, sino un empujón. Nadie duda de que el temperamento, los nervios, la enfermedad, e incluso la modestia digna de elogio pueden—ya sea individualmente o en conjunto—hacer que la mejilla del orador palidezca frente a la audiencia; pero tampoco nadie puede dudar de que el mimo magnificará esta debilidad. La victoria radica en un estado mental sin miedo.

El Prof. Walter Dill Scott dice: «El éxito o el fracaso en los negocios se debe más a la actitud mental que a la capacidad mental». Echa fuera la actitud de miedo; adquiere la actitud de confianza. Y recuerda que la única forma de adquirirla es—adquirirla.

En este capítulo fundacional, hemos tratado de marcar el tono de muchas cosas que seguirán. Muchas de estas ideas serán amplificadas y reforzadas de una manera más específica; pero a lo largo de todos estos capítulos sobre un arte que Gladstone consideraba más poderosa que la prensa pública, debe sonar una y otra vez la nota de una autoconfianza justificable.

Capítulo 2

El pecado de la monotonía

Un día, la Uniformidad dio a luz al Aburrimiento.

—Motte

Nuestro idioma ha cambiado con los años, por lo que muchas palabras ahora connotan más de lo que originalmente lo hicieron. Esto es cierto de la palabra «monótona». De «tener un solo tono», ha llegado a significar, en términos más generales, «falta de variación».

El hablante monótono no solo procede con el mismo volumen y tono, sino que usa siempre el mismo énfasis, el mismo ritmo, los mismos pensamientos—o prescinde por completo del pensamiento.

La monotonía, el pecado cardinal y más común del orador público, no es una transgresión; es más bien un pecado de omisión, ya que cumple con la confesión del Libro de Oración: «Hemos dejado de hacer esas cosas que debíamos haber hecho».

Emerson dice: «La virtud del arte radica en el desapego, en separar un objeto de la vergonzosa variedad». Eso es exactamente lo que el hablante monótono no logra hacer: no separa un pensamiento o frase de otro. Todos son expresados de la misma manera.

Decirte que tu discurso es monótono puede significar muy poco para ti, así que echemos un vistazo a la naturaleza—y la maldición—de la monotonía en otras esferas de la vida. Así apreciaremos más completamente cómo esta arruinará un discurso que de otro modo sería bueno.

Si el tocadiscos en el apartamento contiguo solo repite tres selecciones una y otra vez, puedes estar seguro de que tu vecino no tiene otros discos. Si un hablante usa solo algunos de sus poderes, apunta muy claramente al hecho de que el resto de sus poderes no están desarrollados. La monotonía revela nuestras limitaciones.

En su efecto sobre su víctima, la monotonía es realmente mortal: Alejará la flor de la mejilla y el brillo del ojo tan rápido como el pecado, y a menudo conduce a la perversidad. El peor castigo que el ingenio humano haya podido inventar es la monotonía extrema—el confinamiento solitario. Coloca una canica sobre la mesa y no hagas nada aparte de mover esa canica de un punto a otro y viceversa, por 18 horas cada día, y te volverás loco si lo sigues haciendo por suficiente tiempo.

Entonces, esto que acorta la vida y se usa como el más cruel de los castigos en nuestras cárceles es lo que destruirá toda la vida y la fuerza de un discurso. Evítalo como evitarías a cualquier persona pesada y aburrida. Los «ricos ociosos» pueden tener media docena de hogares, acceso a todas las variedades de alimentos recogidos de las cuatro esquinas de la tierra, y navegar por África o Alaska a su gusto, pero el hombre pobre debe caminar o tomar un tranvía—no tiene la opción de yate, auto o tren especial. Debe pasar la mayor parte de su vida trabajando y conformarse con los alimentos básicos del mercado.

La monotonía es pobreza, ya sea en el habla o en la vida. Esfuérzate por aumentar la variedad de tu habla como un empresario trabaja para aumentar su riqueza.

Las canciones de aves, las cañadas de los bosques y las montañas no son monótonas; son las largas hileras de frentes de piedra marrón y los kilómetros de calles pavimentadas que son tan terriblemente iguales. La naturaleza en su riqueza nos brinda una variedad infinita; el hombre con sus limitaciones a menudo es monótono. Regrese a la naturaleza en sus métodos de expresión oral.

El poder de la variedad radica en su calidad placentera. Las grandes verdades del mundo a menudo se han expresado en historias fascinantes: *Los miserables*, por ejemplo. Si deseas enseñar o influenciar a las personas, debes complacerlas, primero o último. Golpea la misma nota en el piano una y otra vez. Esto te dará una idea del efecto chirriante y desagradable que la monotonía tiene en el oído.

El diccionario define «monótono» como sinónimo de «fastidioso». Eso lo dice suavemente. Es enloquecedor. El músico contratado por una tienda de ropa no disgusta al público tocando solo una canción que dice: «¡Ven a comprar mi mercancía!». Da recitales con un órgano de $125.000, y la gente complacida naturalmente entra en un estado de ánimo de compra.

Cómo conquistar la monotonía

Nosotros obviamos la monotonía en el vestir reponiendo nuestros armarios. Evitamos la monotonía en el habla multiplicando nuestros poderes de habla. Multiplicamos nuestros poderes de expresión al aumentar nuestras herramientas.

El carpintero tiene implementos especiales para construir las diversas partes de un edificio. El organista tiene ciertas teclas y registros que manipula para producir sus armonías y efectos. De la misma manera, el hablante tiene ciertos instrumentos y herramientas a su disposición mediante los cuales construye su argumento, juega con los sentimientos y guía las creencias de su audiencia. Él propósito de los siguientes capítulos es poder darte una idea de estos instrumentos y ofrecerte ayuda práctica para aprender a usarlos.

¿Por qué los Hijos de Israel no recorrieron el desierto en limusinas, y por qué Noé no tuvo películas y tocadiscos en el Arca? Las leyes que nos permiten operar un automóvil, producir películas o música en un tocadiscos habrían funcionado tan bien en aquel entonces como lo hacen hoy. Fue la ignorancia de la ley lo que durante siglos privó a la humanidad de nuestras comodidades modernas.

Muchos oradores todavía usan métodos de carro de bueyes en su discurso en lugar de emplear métodos de automóvil o de transporte terrestre. Son ignorantes en cuanto a las leyes que generan eficacia al hablar. Solo en la medida en que tomas en cuenta las leyes que vamos a examinar y aprendes a usarlas, tendrás eficacia y fuerza en tu discurso; y solo en la medida en que los ignores, tu discurso será débil e ineficaz. No podemos recalcar demasiado sobre ti la necesidad de obtener un verdadero dominio práctico de estos principios. Ellos son los cimientos de la oratoria exitosa. «Pon tus principios en orden», dijo Napoleón, «y el resto es una cuestión de detalles».

Es inútil herrar a un caballo muerto, y todos los principios firmes de la cristiandad nunca convertirán un discurso muerto en uno vivo. Entonces, debe entenderse que hablar en público no es una cuestión de dominar unas pocas reglas muertas; la ley más importante del discurso público es la necesidad de verdad, fuerza, sentimiento y vida. Olvida todo lo demás, pero esto no.

Cuando hayas dominado la mecánica del discurso que se describe en los siguientes capítulos, ya no tendrás problemas con la monotonía. El conocimiento completo de estos principios y la capacidad para aplicarlos te dará una gran variedad en sus poderes de expresión. Pero no se pueden dominar y aplicar pensando o leyendo sobre ellos; debes practicar, *practicar*, ***practicar***. Si nadie más te escuchará, escúchate a ti mismo. Siempre debes ser tu mejor crítico, y el más severo de todos.

Los principios técnicos que establecemos en los siguientes capítulos no son creaciones arbitrarias y propias.

Todos ellos se basan en las prácticas que los buenos oradores y actores adoptan—ya sea de forma natural e inconsciente o por instrucción—para obtener sus efectos.

Es inútil advertir al alumno que debe ser natural. Ser natural posiblemente es ser monótono. La pequeña fresa en el árctico con algunas semillas pequeñas y un sabor ácido es una baya natural, pero no se puede comparar con la variedad mejorada que disfrutamos aquí. El roble enano en la ladera rocosa es natural, pero es pobre en comparación con el hermoso árbol que se encuentra en las tierras ricas y húmedas del valle. Sé natural, pero mejora tus dones naturales hasta que te hayas acercado al ideal, ya que debemos luchar por la naturaleza idealizada, ya sea en la fruta, el árbol o el habla.

Capítulo 3

Eficacia a través del énfasis y la subordinación

En una palabra, el principio del énfasis ... se sigue mejor, no al recordar reglas particulares, sino al estar lleno de un sentimiento particular.
—C.S. Baldwin, *Escribiendo y hablando*

La escopeta que dispersa sus perdigones demasiado no caza las aves. El mismo principio se aplica al habla. El hablante que dispara su fuerza y énfasis al azar en una oración no obtendrá resultados. No todas las palabras tienen una importancia especial; por lo tanto, solo ciertas palabras exigen énfasis.

Uno dice MassaCHUsetts y MinneÁPolis; no se enfatiza cada sílaba de igual manera, sino que uno pronuncia la sílaba acentuada con más fuerza y se apura con las menos importantes. Ahora, ¿por qué no aplicas este principio al pronunciar una oración? Hasta cierto punto, lo haces en el habla ordinaria; pero ¿lo haces en el discurso público? Es allí donde la monotonía causada por la falta de énfasis es tan dolorosamente evidente.

Con respecto al énfasis, puedes considerar la oración común como una sola palabra grande, con la palabra importante representando la sílaba acentuada. Ten en cuenta lo siguiente:

«El destino no es una cuestión de suerte. Es una cuestión de elección.»

Podrías haber dicho MASS-A-CHU-SETTS, enfatizando cada sílaba igualmente, como para poner el mismo énfasis en cada palabra en las oraciones anteriores.

Háblalo en voz alta y verás. Por supuesto, querrás enfatizar «*destino*», ya que es la idea principal en tu declaración, y pondrás énfasis en la palabra «*no*», porque si no, tus oyentes podrían pensar que estás afirmando que el destino es una cuestión de suerte. Por supuesto, debes enfatizar «*suerte*», ya que es una de las dos grandes ideas en la declaración.

Otra razón por la cual «*suerte*» toma énfasis es que se contrasta con «*elección*» en la siguiente oración. Obviamente, el autor ha contrastado estas ideas deliberadamente, para que sean más enfáticas, y aquí vemos que el contraste es uno de los primeros métodos de obtener énfasis.

Como orador puedes ayudar a este énfasis de contraste con tu voz. Si dices: «Mi caballo no es *negro*», ¿qué color te viene inmediatamente a la cabeza? El blanco, naturalmente, porque eso es lo opuesto al negro. Si deseas plantear la idea de que el destino es una cuestión de elección, puedes hacerlo de manera más efectiva diciendo primero que: «El DESTINO NO es una cuestión de SUERTE». ¿No queda recalcado más enfáticamente el color del caballo cuando dices: «Mi caballo NO ES NEGRO, es BLANCO», que si simplemente afirmas que tu caballo es blanco?

En la segunda oración de la declaración, solo hay una palabra importante—*elección*. Es la única palabra que define positivamente la calidad del tema que se discute, y el autor de esas líneas deseaba expresarlo enfáticamente, como lo ha demostrado al contrastarlo con otra idea. Estas líneas, entonces, se leerían así:

«El DESTINO NO es una cuestión de SUERTE. Es una cuestión de ELECCIÓN.»

Ahora lee esto, golpeando las palabras en mayúsculas con mucha fuerza.

En casi cada oración hay unas cuantas palabras parecidas a *picos de montaña* que representan las ideas grandes e importantes. Cuando lees el periódico, puedes ver a simple vista cuáles son los artículos importantes. Gracias al editor, él no relata un «atraco» en Hong Kong con la misma tipografía que usa para informar sobre la muerte de cinco bomberos en tu ciudad natal. El tamaño de la tipografía es su método para mostrar énfasis en relieve. A veces él incluso enfatiza las noticias impactantes del día con los titulares rojos.

Sería una bendición para la pronunciación de discursos si los oradores conservaran la atención de sus audiencias de la misma manera y enfatizaran solo las palabras que representan las ideas importantes. El hablante ordinario pronunciaría la oración anterior sobre el destino con aproximadamente la misma cantidad de énfasis en cada palabra. En lugar de decir: «Es una cuestión de ELECCIÓN», él diría: «Es una cuestión de elección», o «ES UNA CUESTIÓN DE ELECCIÓN»—ambas siendo igualmente malas.

Charles Dana, el famoso editor de *The New York Sun*, le dijo a uno de sus periodistas que, si iba por la calle y veía a un perro morder a un hombre, no le prestara atención. *The Sun* no podía permitirse perder el tiempo y la atención de sus lectores en acontecimientos tan insignificantes. «Pero», dijo el Sr. Dana, «si ves a un hombre morder a un perro, apresúrate a regresar a la oficina y escribe la historia». Por supuesto, eso es noticia; eso es inusual.

Ahora, el orador que dice: «ES UNA CUESTIÓN DE ELECCIÓN» está poniendo demasiado énfasis en cosas que no tienen más importancia para los lectores metropolitanos que una mordida de perro, y cuando no enfatiza «elección», es como el periodista que «pasa por alto» el hombre que está mordiendo a un perro.

El orador ideal hace que sus grandes palabras se destaquen como picos de montañas; sus palabras insignificantes quedan sumergidas como lechos de arroyos. Sus grandes pensamientos se destacan como enormes robles; sus ideas sin cualquier valor especial son meramente como la hierba alrededor del árbol.

De todo esto podemos deducir este importante principio:

El ÉNFASIS es una cuestión de CONTRASTE y COMPARACIÓN.

Recientemente, el *New York American* presentó un editorial de Arthur Brisbane. Ten en cuenta lo siguiente, impreso en la misma tipografía que figura aquí.

No sabemos qué PENSÓ el presidente cuando recibió ese mensaje, o qué piensa el elefante cuando ve el ratón, pero sí sabemos lo que el presidente HIZO.

Las palabras PENSÓ e HIZO llaman inmediatamente la atención del lector porque son diferentes de las demás, no porque son más grandes. Si el resto de las palabras en esta oración se fueran diez veces más grandes que son, e HIZO y PENSÓ se mantuvieran en su tamaño actual, aún serían enfáticas, porque son diferentes.

Toma como ejemplo el siguiente extracto de la novela de Robert Chambers, *The Business of Life*. Las palabras *tú, hubiera,* y *sería* son todas enfáticas, porque se han hecho diferentes.

*Él la miró con enojado asombro. «Bueno, ¿cómo lo llamas **TÚ** si no es cobardía—escabullirte y casarte con una chica indefensa como esa!» «¿Esperaste que te diera la oportunidad de destruirme y envenenar la mente de Jacqueline? Si yo **HUBIERA** sido culpable de la cosa con la que me acusas, lo que he hecho **SERÍA** cobarde. De lo contrario, está justificado».*

Un autobús de la Quinta Avenida llamaría la atención en Minisink Ford, New York, mientras que uno de los equipos de bueyes que suelen pasar allí llamaría la atención en la Quinta Avenida. Para enfatizar una palabra, pronúnciala de forma diferente de la manera que pronuncias las palabras que la rodean. Si has estado hablando en voz alta, pronuncie la palabra enfática en un susurro concentrado, y tendrá un énfasis intenso. Si has estado hablando rápidamente, vaya muy lento con la palabra enfática. Si has estado hablando en un tono bajo, salta a uno alto en la palabra enfática. Si has estado hablando en un tono alto, toma uno bajo en tus ideas enfáticas. Lee los capítulos sobre «Inflexión», «Sentimiento», «Pausa», «Cambio de tono» y «Cambio de tempo». Cada uno de estos te explicará en detalle cómo obtener énfasis mediante el uso de cierto principio.

En este capítulo, sin embargo, estamos considerando solo una forma de énfasis: la de aplicar fuerza a la palabra importante y subordinar las palabras sin importancia. No lo olvides: Este es uno de los métodos principales que debes emplear continuamente para obtener tus efectos.

No confundamos la sonoridad con énfasis. Gritar no es un signo de seriedad, inteligencia o sentimiento. La clase de fuerza que queremos aplicar a la palabra enfática no es completamente física. Es cierto que la palabra enfática se puede hablar en voz más alta, o se puede hablar más suavemente, pero la verdadera calidad deseada es la intensidad, la seriedad. Debe venir desde adentro, hacia afuera.

Anoche, un orador dijo: «La maldición de este país no es la falta de educación. Es la política». Él enfatizó las palabras *maldición, falta, educación* y *política*. Las otras palabras se dijeron apresuradas y, por lo tanto, no tuvieron ninguna importancia comparativa. La palabra *política* estalló con gran sentimiento cuando él golpeó sus manos indignado. Su énfasis fue correcto y poderoso. Concentró toda nuestra atención en las palabras que significaban algo, en lugar de atascarlo en palabras como *esta, la, de,* y *es*.

¿Qué pensarías de un guía que accedió a mostrarle New York a un extraño y luego le ocupó su tiempo visitando las lavanderías chinas y los «salones lustrabotas» en las calles menores? Solo hay una excusa para que un orador solicite la atención de su audiencia: Debe tener verdad o entretenimiento para ellos. Si él agota su atención con pequeñeces, no les quedará ni la vivacidad ni el deseo cuando llegue a las palabras con la importancia de Wall Street y los rascacielos. No piensas en estas pequeñas palabras en tu conversación diaria, porque no aburres al conversar. Aplica el método correcto de habla cotidiana a la plataforma. Como hemos señalado en otra parte, hablar en público es muy parecido a una conversación ampliada.

A veces, para lograr un gran énfasis, es aconsejable poner énfasis en cada sílaba de una palabra, como en el caso de «absoluto» en la siguiente oración:

Me niego por ab-so-lu-to a aceptar su demanda.

De vez en cuando, este principio debe aplicarse a una oración enfática haciendo hincapié en cada palabra. Es un buen método para excitar una atención especial y proporciona una variedad agradable. El punto culminante notable de Patrick Henry podría ser pronunciado de esa forma de manera muy efectiva: «Dame-libertad-o-dame-muerte». La parte en cursiva del siguiente extracto también podría ser dicha con este énfasis de cada palabra. Por supuesto, hay muchas formas de pronunciarlo; esta es solo una de varias buenas interpretaciones por las cuales uno podría optar.

«Sabiendo el precio que debemos pagar, el sacrificio que debemos hacer, las cargas que debemos llevar, los asaltos que debemos soportar, sabiendo muy bien el costo, todavía nos alistamos y nos alistamos para la guerra. Porque conocemos la justicia de nuestra causa, y también sabemos que su triunfo es seguro».
—De «Pass Prosperity Around» (Reparte la prosperidad), de Albert J. Beveridge, ante la Convención Nacional del Partido Progresista de Chicago

Enfatizar fuertemente una sola palabra suele sugerir su antítesis. Observa cómo cambia el significado al simplemente poner énfasis en diferentes palabras en la siguiente oración. Las expresiones parentéticas realmente no serían necesarias para complementar las palabras enfáticas.

- Tenía la intención de comprar una casa esta primavera (incluso si no lo hiciste).

- TENÍA la intención de comprar una casa esta primavera (pero algo lo impidió).

- Tenía la intención de COMPRAR una casa esta primavera (en lugar de alquilarla como hasta ahora).

- Tenía la intención de comprar una CASA esta primavera (y no un automóvil).

- Tenía la intención de comprar una casa ESTA primavera (en lugar de la próxima primavera).

- Tenía la intención de comprar una casa esta PRIMAVERA (en lugar de en el otoño).

Cuando se informa de una gran batalla en los periódicos, no siguen enfatizando los mismos hechos una y otra vez. Intentan obtener nueva información, o un «nuevo ángulo». Las noticias que ocupan un lugar importante en la edición matutina serán relegadas a un pequeño espacio en la edición de la tarde. Estamos interesados en nuevas ideas y nuevos hechos. Este principio tiene un peso muy importante en la determinación de tu énfasis. No enfatices la misma idea una y otra vez, a menos que desees hacer un hincapié adicional sobre ella. Como regla general, sin embargo, la nueva idea—el «nuevo ángulo»—ya sea en un informe periodístico de una batalla o en la enunciación de sus ideas por parte de un orador, es enfática.

En la primera línea de la siguiente selección, «más grande» es enfático, ya que es la nueva idea. Todos los hombres tienen ojos, pero este hombre pide un ojo MÁS GRANDE. Este hombre con el ojo más grande dice que descubrirá, no ríos ni artefactos de seguridad o aviones, sino NUEVAS ESTRELLAS y SOLES. «Nuevas estrellas y soles» no son tan enfáticos como la palabra «más grande». ¿Por qué? Porque esperamos que un astrónomo descubra cuerpos celestes en lugar de recetas de cocina.

Las palabras «República» y «necesitan» en la siguiente oración son enfáticas; ellas introducen una idea nueva e importante. Las repúblicas siempre han necesitado hombres, pero el autor dice que necesitan NUEVOS hombres. «Nuevos» es enfático porque introduce una nueva idea. De la misma manera, «suelo», «granos», «herramientas» también son enfáticas.

Las palabras más enfáticas están en cursiva en esta selección. ¿Hay otras que destacarías? ¿Por qué?

El viejo astrónomo dijo: *«Dame un ojo más grande, y descubriré nuevas estrellas y soles»*. Eso es lo que la *república necesita* hoy en día—*nuevos hombres*— hombres *sabios* hacia el *suelo*, hacia los *granos*, hacia las *herramientas*. Si Dios tan solo levantara para la gente dos o tres hombres como *Watt, Fulton y McCormick,* valdrían más para el *Estado* que esa *caja del tesoro* llamada *California o México.* Y la *verdadera supremacía* del hombre se basa en su *capacidad* de *educación.* El hombre es *único* en la *duración* de su *infancia,* lo que significa el *período* de *plasticidad* y *educación.* La infancia de una *polilla,* la distancia que se encuentra entre la eclosión del *petirrojo* y su *madurez,* representa unas *pocas horas* o unas *pocas semanas,* pero veinte años para crecimiento separan la cuna y la ciudadanía del hombre. Esta infancia prolongada hace posible entregarle al niño toda la *provisión acumulada lograda* por *razas* y *civilizaciones* durante *miles* de *años.*

—Anónimo

Debes comprender que no hay reglas sobre el énfasis grabadas en acero. No siempre es posible designar cuál palabra debe o no debe enfatizarse. Un orador colocará una interpretación en un discurso, otro orador usará un énfasis diferente para sacar una interpretación diferente. Nadie puede decir que una interpretación es correcta y la otra es incorrecta. Este principio debe tenerse en cuenta en todos nuestros ejercicios marcados. Aquí tu propia inteligencia debe guiarte—y en gran medida—a tu ganancia.

Capítulo 4

Eficacia a través del cambio de tono

El habla es simplemente una forma modificada de canto:
La diferencia principal está en el hecho de que, al cantar,
los sonidos vocálicos son prolongados y los intervalos
son cortos, mientras que en el habla las palabras se
pronuncian en lo que se puede llamar tonos «staccato»;
las vocales no siendo especialmente prolongadas y los
intervalos entre las palabras son más distintos. El hecho
de que al cantar tengamos una gama más amplia de tonos
no lo distingue adecuadamente del habla ordinario. En el
habla también tenemos una variación de tonos, e incluso
en las conversaciones ordinarias hay una diferencia
de tres a seis semitonos, como he descubierto en mis
investigaciones, y en algunas personas el rango es tan
alto como una octava.

—William Scheppegrell, *Popular Science Monthly (revista*
Ciencia Popular)

Por tono, como todos saben, nos referimos a la posición relativa de un tono vocal, como alto, medio, bajo o cualquier variación entre ellos. En el discurso público lo aplicamos no solo a un solo enunciado, como una exclamación o un monosílabo (*¡Oh!* o *el*), sino a cualquier grupo de sílabas, palabras e incluso oraciones que pueden ser pronunciadas en un solo tono.

Es importante tener en cuenta esta distinción, ya que el

hablante eficaz no solo cambia el tono de las sílabas sucesivas (véase el Capítulo 7, «Eficacia a través de la inflexión»), sino que da un tono diferente a las diferentes partes o grupos de palabras de las sucesivas frases. Esta es la fase del tema que estamos considerando en este capítulo.

Cada cambio en el pensamiento exige un cambio en el tono de voz

Ya sea que el hablante siga la regla de manera consciente, inconsciente o subconsciente, esta es la base lógica sobre la cual se realiza toda variación de buena voz; sin embargo, esta ley es violada con más frecuencia que cualquier otra por parte de oradores *públicos*. Un delincuente puede ignorar una ley del estado sin detección y castigo, pero el orador que viola este reglamento sufre su pena de inmediato en su pérdida de eficacia, mientras que sus oyentes inocentes deben soportar la monotonía—ya que la monotonía no es solo un pecado del perpetrador, como hemos demostrado, sino también una plaga para las víctimas.

El cambio de tono es un obstáculo para casi todos los principiantes, y para muchos oradores experimentados también. Esto es especialmente cierto cuando las palabras del discurso han sido memorizadas.

Si deseas escuchar cómo suena la monotonía de tono, toca la misma nota en el piano una y otra vez. Tú tienes en tu voz un rango de tono de alto a bajo, con muchos tonos entre los extremos. Con todas estas notas a tu disposición, no hay excusa para ofender los oídos y el gusto de tu público al usar continuamente una nota. Es cierto que la reiteración del mismo tono en la música—como en el pedal de una composición de órgano—puede ser el fundamento de la belleza, ya que la armonía que se produce alrededor de ese tono básico produce una cualidad consistente e insistente que no se siente en la pura variedad de acordes. De la misma manera, la voz entonadora de un ritual puede—aunque rara vez lo haga—poseer una belleza solemne. Pero el orador público debería evitar el monótono como lo haría con una peste.

El cambio continuo de tono es el método más elevado de la naturaleza

En nuestra búsqueda de los principios de eficacia, debemos regresar continuamente a la naturaleza. Escucha—realmente escucha—a los pájaros cantar. ¿Cuáles de estas tribus emplumadas son más agradables en sus esfuerzos vocales: Aquellos cuyas voces, aunque dulces, tienen poco o ningún rango, o aquellos que, como el canario, la alondra y el ruiseñor, no solo poseen un rango considerable, sino que expresan sus notas en una variedad continua de combinaciones? Incluso un suave chirrido, cuando se reitera sin cambios, puede volverse enloquecedor para el oyente forzado.

El niño pequeño rara vez habla en un tono monótono. Observa las conversaciones de personas pequeñas que escuchas en la calle o en el hogar, y observa los continuos cambios de tono.

El discurso inconsciente de la mayoría de los adultos también está lleno de variaciones agradables.

Imagina a alguien hablando lo siguiente, y considera si el efecto no sería exactamente el indicado. Recuerda, no estamos discutiendo la inflexión de palabras individuales, sino el tono general con el cual se pronuncian las frases.

(Tono alto) «Me gustaría irme de vacaciones mañana, (más bajo) aún así, tengo mucho que hacer. (Más alto) Sin embargo, supongo que, si espero hasta que tenga tiempo, nunca me iré».

Repite esto, primero en los tonos indicados, y luego en un solo tono, como lo harían muchos hablantes. Observa la diferencia en la naturalidad del efecto.

El siguiente ejercicio debe ser hablado en un tono puramente coloquial, con numerosos cambios de tono.

Practícalo hasta que tu presentación de él cause que una persona extraña en la habitación contigua piense que estuvieses hablando de un incidente real con un amigo, en vez de entregar un monólogo memorizado. Si tienes dudas sobre el efecto que has logrado, repíteselo a un amigo y pregúntale si le suenan como palabras memorizadas. Si es así, está mal.

Un caso similar

Jack, he oído que ya lo has hecho.
Sí, lo sé; la mayoría de los hombres lo harán;
Yo mismo lo intenté una vez, señor,
aunque ves que todavía estoy soltero.
¿Y la conociste—me dijiste—
en Newport, en julio pasado,
Y decidiste hacerle la pregunta
en una velada? Yo también.
Supongo que dejaste la sala de baile,
con su música y su luz;
Porque dicen que la llama del amor es más brillante
en la oscuridad de la noche.
Bueno, caminaron juntos,
bajo el cielo estrellado;
Y te apuesto—viejo, confiésalo—
que estabas asustado. Yo también.
Así que paseaste por la terraza,
viste la luz de la luna veranera derramando
Todo su resplandor sobre las aguas,
mientras estas ondulaban en la orilla,
Hasta que finalmente reuniste valor,
cuando viste que ninguno estaba cerca—
¿La acercaste y le dijiste
que la amabas? Yo también.
Bueno, no necesito preguntarte más,
y estoy seguro de que te deseo alegría.
Creo que vagaré y te veré
cuando estás casado, ¿eh, muchacho?
Cuando la luna de miel termine
y estás establecido, intentaremos—
¿Qué? ¿Qué me dices! Rechazado—
¿te rechazó? A mí también.

—Anónimo

La necesidad de cambiar el tono es tan evidente que debe captarse y aplicarse inmediatamente. Sin embargo, se requiere un entrenamiento paciente para liberarte de la monotonía del tono.

En una conversación natural, primero piensas en una idea y luego encuentras palabras para expresarla.

En los discursos memorizados, es probable que pronuncies las palabras y luego pienses qué significan—y muchos oradores parecen tener pocos problemas incluso sobre eso. ¿Es de extrañar que invertir el proceso revierte el resultado? Regresa a la naturaleza en tus métodos de expresión.

Lee la siguiente selección de una manera indiferente, sin detenerte nunca a pensar qué significan realmente las palabras.

Inténtalo de nuevo, estudiando cuidadosamente el pensamiento que has asimilado. Cree en la idea, ten el deseo de expresarla de manera efectiva e imagina una audiencia frente a ti. Míralos seriamente a la cara y repite esta verdad.

Si sigues las instrucciones, notarás que has realizado muchos cambios de tono después de varias lecturas.

No es el trabajo lo que mata a los hombres; es la preocupación. El trabajo es saludable; es casi imposible poner más sobre un hombre de lo que él puede soportar. La preocupación es óxido en la cuchilla. No es la revolución la que destruye la maquinaria, sino la fricción.
—Henry Ward Beecher

El cambio de tono produce énfasis

Esta es una declaración muy importante.

La variedad en el tono mantiene el interés del oyente, pero una de las formas más seguras de atraer la atención—para garantizar un énfasis inusual—es cambiar el tono de tu voz de forma repentina y en un grado marcado.

Un gran contraste siempre despierta la atención. El blanco luce más blanco contra el negro; un cañón ruge más fuerte en el silencio del Sahara que en el barullo de Chicago. Estas son simples ilustraciones del poder del contraste.

«¿Qué va a hacer el Congreso ahora?

(Tono alto)

No sé.»

(Tono bajo)

Mediante tal cambio brusco de tono durante un sermón, el Dr. Newell Dwight Hillis recientemente logró gran énfasis y sugirió la gravedad de la pregunta que había planteado.

El orden anterior de cambio de tono podría revertirse con un efecto igualmente bueno, aunque con un ligero cambio en la seriedad: Cualquiera de los métodos produce énfasis cuando se usa inteligentemente. Es decir, con una apreciación de sentido común del tipo de énfasis que se quiere alcanzar.

Al intentar estos contrastes de tono, es importante evitar extremos desagradables. La mayoría de los oradores utilizan tonos de voz demasiado altos.

Uno de los secretos de la elocuencia del Sr. Bryan es su voz baja, como de campana. Shakespeare dijo que una voz suave, apacible y baja era «una cosa excelente en la mujer». Lo mismo es cierto en el hombre, porque una voz no tiene que ser descarada para ser poderosa—y no debe serlo, para ser agradable.

Para terminar, enfaticemos nuevamente la importancia de usar variedad de tono. Cuando cantas, tú subes y bajas por la escala, primero tocando una nota y luego otra por encima o debajo de ella. Haz lo mismo al hablar.

El pensamiento y el gusto individual generalmente deben ser tu guía en cuanto a dónde usar un tono bajo, moderado o alto.

Capítulo 5

Eficacia a través del cambio
de ritmo

Escucha cómo él clarifica los puntos de la fe
¡Con traqueteo y golpes!
Ahora con mansa tranquilidad, ahora salvaje en ira,
Él anda pisoteando y saltando.
—Robert Burns, Holy Fair (Feria Santa)

El latín nos ha legado una palabra que no necesita un equivalente en nuestra lengua; por lo tanto, la hemos aceptado sin cambiarla. Es la palabra *tempo*, y significa *ritmo de una acción*, medido por el tiempo consumido en la ejecución de ese movimiento.

Hasta ahora, su uso se ha limitado en gran medida a las artes vocales y musicales, pero no sería sorprendente escuchar el concepto de tempo o ritmo aplicado a cuestiones más concretas, ya que ilustra perfectamente el verdadero significado de la palabra para decir que un carro de bueyes se mueve a un tempo (o ritmo) lento, un tren veloz a un tempo (o ritmo) rápido. Nuestras armas, que disparan 600 veces por minuto, disparan a un tempo (ritmo) rápido; el viejo mosquete de avancarga, que requería tres minutos para cargar, disparaba a un tempo (ritmo) lento. Cada músico entiende este principio: Se requiere más tiempo para cantar una media nota que una octava nota.

Ahora, el *tempo* es un elemento tremendamente importante en el buen trabajo sobre la plataforma, ya que cuando un orador pronuncia un discurso completo casi a la misma velocidad, se está privando de uno de sus principales medios de énfasis y poder. El lanzador de béisbol, el jugador de bolos en cricket, el servidor de tenis, todos saben el valor del cambio de ritmo—del cambio de tempo—cuando se trata de lanzar la bola, y así debe el orador público observar su poder.

El cambio de tempo le da naturalidad a la presentación oral

La naturalidad, o al menos la aparente naturalidad, como se explicó en el capítulo sobre «Monotonía», es muy deseable, y un cambio continuo de tempo contribuirá en gran medida a establecerla. El Sr. Howard Lindsay, director de escena de la señorita Margaret Anglin, le dijo recientemente al escritor que el cambio de ritmo era una de las herramientas más efectivas del actor. Si bien debe admitirse que el diálogo afectado de muchos actores indica que sus espejos están un tanto nublados, el orador público sin embargo haría bien en estudiar el uso del tempo por parte del actor.

Hay, sin embargo, una fuente más fundamental y efectiva para estudiar la naturalidad, un rasgo que, una vez perdido, es difícil de recuperar: Esa fuente es la conversación común de cualquier círculo bien educado. Este es el estándar que buscamos alcanzar tanto en el escenario como en la plataforma—con ciertas diferencias, por supuesto, que aparecerán a medida que avanzamos. Si el orador y el actor reprodujeran con absoluta fidelidad cada variación del enunciado—cada murmullo, gruñido, pausa, silencio y explosión—de la conversación, tal como lo encontramos normalmente en la vida cotidiana, las expresiones públicas perderían gran parte de su interés. La naturalidad en el discurso público es algo más que reproducción fiel de la naturaleza: Es la reproducción de esas partes típicas del trabajo de la naturaleza que son verdaderamente representativas del todo.

El escritor de historias realista entiende esto al escribir diálogo, y debemos tenerlo en cuenta en la búsqueda de la naturalidad a través del cambio de tempo.

Supongamos que tú hablas la primera de las siguientes oraciones con un tempo lento, y la segunda más rápidamente, observando cuán natural es el efecto. Luego di ambas con la misma rapidez y nota la diferencia.

No recuerdo qué hice con mi cuchillo.
Oh, ahora recuerdo que se lo di a María.

Vemos aquí que a menudo ocurre un cambio de tempo en la misma oración, ya que el tempo se aplica no solo a palabras sueltas, grupos de palabras y grupos de oraciones, sino también a las partes principales de un discurso público.

Capítulo 6

Pausa y poder

El verdadero trabajo del artista literario es trenzar o tejer su significado, involucrándolo consigo mismo; para que cada oración, mediante frases sucesivas, primero llegue a ser una especie de nudo, y luego, después de un momento de significado suspendido, se resuelve y aclare.
—George Saintsbury, hablando sobre la Prosa inglesa en
Miscellaneous Essays (Ensayos misceláneos)

... la pausa ... tiene un valor distintivo, expresado en silencio; en otras palabras, mientras la voz espera, la música del movimiento continúa ... Administrarla, con sus delicadezas y compensaciones, requiere la misma finura de oído de la que debemos depender para todo el ritmo irreprochable de la prosa. Cuando no hay compensación, cuando la pausa es inadvertida ... hay una sensación de sacudida y carencia, como si se hubiera caído un alfiler o un botón.
—John Franklin Genung, The Working Principles of Rhetoric
(Los principios de funcionamiento de la retórica)

La pausa, en un discurso público, no es un mero silencio; es un silencio diseñado de forma elocuente.

Cuando un hombre dice: «Es... eh... es con un profundo... eh... placer... eh... que se me ha permitido hablar con ustedes esta noche y... eh... eh... debería decir... eh», eso no es hacer una pausa; eso es tropezar. Es concebible que un orador pueda ser eficaz a pesar de tropezar—pero nunca a causa de ello.

Por otro lado, uno de los medios más importantes para desarrollar el poder de la oratoria es hacer una pausa antes o después, o antes y después, de una palabra o frase importante. Ningún orador enérgico puede darse el lujo de descuidar este principio—uno de los más significativos que se haya inferido al escuchar a grandes oradores. Estudia este recurso potencial hasta que lo hayas absorbido y asimilado.

Parecería que este principio de la pausa retórica debería ser fácil de comprender y aplicar, pero una larga experiencia en el entrenamiento de hombres universitarios y oradores maduros ha demostrado que este recurso no es más fácil de entender para el hombre común cuando se le explica por primera vez que si se lo explicaran en hindú. Tal vez esto se deba a que no devoramos ansiosamente el fruto de la experiencia cuando se nos presenta impresionantemente en el plato de la autoridad; nos gusta recoger la fruta nosotros mismos; no solo sabe mejor, ¡sino que nunca olvidamos ese árbol! Afortunadamente, esta no es una tarea difícil en este caso, ya que los árboles se amontonan a nuestro alrededor.

Un hombre está suplicando la causa de otro: «Este hombre, amigos míos, ha hecho este maravilloso sacrificio—por ustedes y por mí».

¿Acaso la pausa no aumentó sorprendentemente el poder de esta declaración? Nota cómo fue acumulando fuerza de reserva e impacto para pronunciar las palabras «por ustedes y por mí». Repite este pasaje sin hacer una pausa. ¿Perdió algo de su eficacia?

Naturalmente, durante una pausa premeditada de este tipo, la mente del hablante se concentra en el pensamiento al que está a punto de expresar. No se atreverá a permitir que sus pensamientos divaguen por un instante; más bien centrará supremamente su pensamiento y su emoción en el sacrificio cuyo servicio, dulzura y divinidad está reforzando por su llamamiento.

Por lo tanto, la *concentración* es la gran palabra aquí—sin ella, ninguna pausa puede dar en el blanco perfectamente.

La pausa eficiente logra uno o todos de estos cuatro resultados:

1. La pausa permite que la mente del orador recobre sus fuerzas antes de entregar la última descarga

Precipitarse en la batalla sin detenerse para prepararse o esperar reclutas suele ser peligroso. Considera la masacre de Custer como una instancia.

Puedes encender un fósforo sosteniéndolo debajo de una lente y concentrando los rayos del sol. No esperarías encender la cerilla moviendo la lente hacia adelante y hacia atrás rápidamente. Pausa, y la lente focaliza el calor. Tus pensamientos no encenderán un fuego en las mentes de tus oyentes a menos que te detengas para focalizar la fuerza que viene a través de uno o dos segundos de concentración. Los arces y los pozos de gas raramente se explotan continuamente; cuando se desea un flujo más fuerte, se hace una pausa. La naturaleza tiene tiempo para reunir sus fuerzas de reserva, y cuando el árbol o el pozo se vuelven a abrir, el resultado es un flujo más fuerte.

Usa el mismo sentido común con tu mente. Si deseas que un pensamiento sea particularmente efectivo, haz una pausa justo antes de compartirlo; concentra tus energías mentales y luego exprésalo con un vigor renovado.

Carlyle tenía razón: «Te suplico apasionadamente que no hables hasta que tu pensamiento haya madurado silenciosamente. Desde el silencio viene tu fuerza. El habla es de plata, el silencio es dorado; el habla es humano, el silencio es divino».

El silencio ha sido llamado el padre del habla. Así debería ser. Demasiados de nuestros discursos públicos no tienen padres. Se pasean sin pausa ni descanso. Como el arroyo de Tennyson, corren para siempre. Escucha a los niños pequeños, al policía en la esquina, a la conversación familiar alrededor de la mesa, y nota cuántas pausas usan de forma natural—aunque están inconscientes de los efectos. Cuando nos presentamos

ante una audiencia, echamos al viento la mayoría de nuestros métodos naturales de expresión y nos esforzamos por obtener efectos artificiales.

Regresa a los métodos de la naturaleza—y haz una pausa.

2. La pausa prepara la mente del oyente para recibir tu mensaje

Herbert Spencer dijo que todo el universo está en movimiento. Así es—y todo movimiento perfecto es ritmo.

Parte del ritmo es el descanso. El descanso sigue a la actividad a través de la naturaleza. Por ejemplo: día y noche; primavera–verano–otoño–invierno; un período de descanso entre respiraciones; un instante de descanso completo entre los latidos del corazón. Haz una pausa y bríndale un descanso a los poderes de atención de tu audiencia. Lo que digas después de ese silencio tendrá mucho más efecto.

Cuando tus primos del campo vienen a la ciudad, el ruido de un automóvil que pasa los despertará, aunque eso rara vez afecta a un habitante que lleva tiempo viviendo en la ciudad. Por el continuo paso de los automóviles, su poder para prestar atención se ha disminuido. En alguien que visita la ciudad pocas veces, el valor de la atención es insistente. Para él, el ruido llega después de una larga pausa; de ahí su poder. Para ti, que vives en la ciudad, no hay pausa; de ahí que no te llama la atención. Después de viajar en un tren durante varias horas, te acostumbrarás tanto a su rugido que perderá su valor de atención, a menos que el tren se detenga por un tiempo y comience de nuevo. Si intentas escuchar el tic de un reloj que está tan lejos que apenas puedes oírlo, encontrarás que a veces no puedes distinguirlo, pero en unos pocos momentos el sonido se vuelve a distinguir. Tu mente se detendrá para descansar, aunque quieras o no.

La atención de tu público actuará de la misma manera. Debes reconocer esta ley y prepararte—haciendo una pausa. Reitero: El pensamiento que sigue a una pausa es mucho más dinámico que si no hubiera ocurrido ninguna pausa. Lo que te dicen de noche no tendrá el mismo efecto en tu mente como si te lo hubieran dicho por la mañana, cuando tu atención había sido recientemente refrescada por la pausa del sueño.

En la primera página de la Biblia se nos dice que incluso la Energía Creadora de Dios descansó en el «séptimo día». Puedes estar seguro, entonces, de que la mente frágil y finita de tu audiencia también demandará descanso. Observa la naturaleza, estudia sus leyes y obedécelas al hablar.

3. La pausa crea un suspenso efectivo

El suspenso es responsable de una gran parte de nuestro interés en la vida; lo mismo será cierto con tu discurso. Una obra de teatro o una novela a menudo pierde gran parte de su interés si uno conoce la trama de antemano. Nos gusta seguir adivinando el resultado.

La capacidad de crear suspenso es parte del poder de la mujer para retener al sexo opuesto. El acróbata de circo emplea este principio cuando falla deliberadamente en varios intentos de realizar una hazaña, y luego lo logra. Incluso la forma deliberada en que organiza los preliminares aumenta nuestra expectativa—nos gusta que nos tengan esperando.

En el último acto de la obra *Polly: La chica del circo*, hay una escena del circo en la cual un perrito hace una voltereta sobre la espalda de un poni que va corriendo. Una noche, cuando él vaciló y tuvo que ser persuadido y trabajado durante mucho tiempo antes de realizar su hazaña, recibió muchos más aplausos que cuando hizo su truco de inmediato. No solo nos gusta esperar, sino que apreciamos lo que esperamos. Si los peces pican demasiado rápido, el deporte pronto deja de ser un deporte.

Es este mismo principio del suspenso el que te mantiene interesado en una historia de Sherlock Holmes: Esperas para ver cómo se resuelve el misterio, y si se resuelve demasiado pronto, dejas de leer el libro antes de terminarlo. La receta de Wilkie Collins para la escritura de ficción se aplica también al discurso público: «Hazlos reír; hazlos llorar; hazlos esperar». Sobre todo, hazlos esperar; si no lo hacen, puedes estar seguro de que no se reirán ni llorarán.

Por lo tanto, la pausa es un instrumento valioso en manos de un orador entrenado para despertar y mantener el suspenso. Una vez escuchamos al Sr. Bryan decir en un discurso: «Fue un privilegio para mí escuchar»—e hizo una pausa, mientras el público se preguntaba por un segundo a quién había escuchado—«al gran evangelista»—y se detuvo de nuevo. Sabíamos un poco más sobre el hombre que había escuchado, pero todavía nos preguntábamos a qué evangelista se refería, y luego concluyó: «Dwight L. Moody». El Sr. Bryan hizo una breve pausa y continuó: «Llegué a considerarlo»—se detuvo de nuevo y mantuvo al público en un breve momento de incertidumbre sobre cómo había considerado al Sr. Moody, y luego continuó—«como el mejor predicador de su tiempo». Deja que los guiones largos ilustren las pausas y tendremos lo siguiente:

«Fue un privilegio para mí escuchar—al gran evangelista—Dwight L. Moody.—Llegué a considerarlo—como el mejor predicador de su tiempo».

El orador inexperto hubiera hablado sin pausa ni suspenso, y las oraciones no hubieran tenido efecto alguno sobre la audiencia. Es precisamente la aplicación de estas pequeñas cosas lo que marca gran parte de la diferencia entre el orador exitoso y el no exitoso.

4. Pausar después de una idea importante le da tiempo para penetrar

Cualquier agricultor de Missouri te dirá que una lluvia que cae demasiado rápido se escapará a los arroyos y será de poco beneficio al sembrado.

Se cuenta una historia de un diácono rural que oraba por la lluvia de esta manera: «Señor, no nos envíes ningún temporal. Solo danos una buena llovizna».

Un discurso, como una lluvia, no beneficiará mucho a nadie si llega demasiado rápido como para ser absorbido. La esposa del granjero sigue este mismo principio al lavar su ropa, cuando ella pone sus prendas en el agua—y hace una pausa de varias horas para que el agua la penetre. El médico pone lidocaína en tus cornetes nasales—y hace una pausa para que tenga efecto antes de quitarlos. ¿Por qué usamos este principio en todas partes excepto en la comunicación de ideas?

Si le has dado una gran idea al público, haz una pausa por un segundo o dos y deja que mediten en ella. Observa qué efecto tiene. Después de que el humo se disipe, es posible que tengas que disparar otro proyectil de 14 pulgadas sobre el mismo sujeto antes de demoler la ciudadela de errores que intentas destruir. Toma tu tiempo.

No dejes que tu discurso se parezca a los turistas que intentan «ver» todo New York en un día. Pasan quince minutos mirando las obras maestras del Museo Metropolitano de Artes, diez minutos en el Museo de Historia Natural, echan un vistazo al Acuario, cruzan apresuradamente el puente de Brooklyn, se apresuran al Zoo y regresan por la Tumba de Grant—a eso lo llaman «ver New York». Si te apresuras con tus puntos importantes sin detenerte, tu audiencia tendrá una idea igual de apresurada de lo que has intentado transmitir.

Tómate tu tiempo; tienes tanto tiempo como nuestro multimillonario más rico. Tu audiencia te esperará. Apresurarse es una señal de pequeñez. Los grandes árboles secuoyas de California habían brotado de la tierra 500 años antes de que Sócrates bebiera su taza de veneno de cicuta, y hoy están en su apogeo. La naturaleza nos avergüenza con nuestra prisa mezquina. El silencio es una de las cosas más elocuentes del mundo. Domínalo, y úsalo a través de la pausa.

En las siguientes selecciones, se han insertado guiones largos donde las pausas se pueden usar con eficacia. Naturalmente, puedes omitir algunos de estos e insertar otros sin problema— un orador interpretaría un pasaje de una manera, otro de otra; es en gran medida una cuestión de preferencia personal. Una

51

docena de grandes actores han interpretado bien a Hamlet y, sin embargo, cada uno ha interpretado el papel de manera diferente. Cuál de ellos se ha acercado más a la perfección es una cuestión de opinión. Tendrás más éxito si te atreves a seguir tu propio camino—si eres lo suficientemente individual como para forjar un camino original.

> *Un momento de pausa—un sabor momentáneo de ser del pozo en medio de la basura—¡y he aquí! la caravana fantasma ha llegado—a la nada de la que salió ... ¡Oh, date prisa!*

> *La esperanza mundana que los hombres desean de todo corazón—se convierte en cenizas—o prospera. —Y otra vez, como la nieve sobre la faz polvorienta del desierto— resplandece por una o dos horas—y desaparece.*

> *El ave del tiempo no tiene sino una corta distancia que cubrir—y el ave ya está en vuelo.*

Notarás que los signos de puntuación no tienen nada que ver con las pausas. Puedes pasar por alto un punto final muy rápidamente y hacer una pausa larga donde no hay ningún tipo de puntuación. El pensamiento está por encima de la puntuación. Él debe guiarte en tus pausas.

> *Un libro de versos debajo de la rama,—una jarra de vino, una barra de pan—y tú a mi lado cantando en el desierto. —Oh—el desierto ahora es paraíso.*

No debes confundir la pausa usada para enfatizar con las pausas naturales que surgen al tomar aliento y fraseo. Por ejemplo, observa las pausas indicadas en esta selección de Byron:

> *¡Pero silencio!—¡escucha!—ese profundo sonido que irrumpe una vez más, ¡y cada vez más cerca!—¡más penetrante!—más cruel que antes. ¡Prepárense para la batalla!—Es—¡es el primer rugido del cañón!*

No es necesario explayarse extensamente sobre estas

distinciones obvias. Observarás que, en una conversación natural, nuestras palabras se agrupan en grupos o frases y a menudo hacemos una pausa para tomar aliento entre ellas. Entonces, en un discurso público, respira naturalmente y no hables hasta quedarte sin aliento, ni hasta que la audiencia esté igualmente jadeada.

Una palabra de advertencia seria debe ser pronunciada aquí: No abuses la pausa. Hacerlo hará que tu discurso sea pesado y forzado. Y no pienses que la pausa puede transmutar pensamientos comunes en expresiones grandes y dignas. Una actitud grandiosa combinada con ideas insignificantes es como acoplar un caballo de carrera con un asno. Tal vez recuerdas la ridícula declamación antigua, «A Midnight Murder», que avanzó de manera grandiosa hasta un clímax emocionante, y terminando con el «asesinato despiadado—¡de un mosquito!».

Esa pausa, dramáticamente manejada, siempre provocaba una risa de los oyentes tolerantes. Todo esto está muy bien en la farsa, pero ese anticlímax se vuelve doloroso cuando el orador cae de lo sublime a lo ridículo sin querer.

La pausa, para ser efectiva de otra manera que en la del boomerang, debe preceder o seguir un pensamiento que realmente valga la pena, o al menos una idea cuya relación con el resto del discurso sea importante.

William Pittenger relata en su libro *Extempore Speech* un ejemplo del uso inconscientemente ridículo de la pausa por parte de un gran estadista y orador estadounidense.

«Había visitado las cataratas del Niágara e iba a dar un discurso en Buffalo el mismo día, pero, desafortunadamente, pasó demasiado tiempo con el vino después de la cena. Cuando se levantó para hablar, el instinto oratorio sufrió dificultades al decir: «Caballeros, he visto su mag—mag—magnífica catarata, ¡de ciento—cuarenta y— siete—pies de altura! ¡Caballeros, Grecia y Roma en sus días más dulces nunca tuvieron una catarata de ciento—cuarenta—y siete—pies de altura!».

Capítulo 7

Eficacia a través de la inflexión

Qué suave es la música de las campanas de la aldea, cayendo a intervalos sobre el oído con dulce cadencia; ahora desvaneciendo, ahora repicando fuerte, y más fuerte aún, clara y sonora, ¡a medida que se acerca el vendaval! Con una fuerza fácil abre todas las celdas donde dormía la memoria.

—William Cowper, The Task (La tarea)

Herbert Spencer comentó que la «cadencia»—por lo cual él se refería a la modulación de los tonos de la voz al hablar—«es el comentario continuo de las emociones sobre las proposiciones del intelecto».

Quedará muy claro cuán cierto es esto cuando reflexionemos sobre el hecho de que los pequeños matices ascendentes y descendentes de la voz en realidad dicen más de lo que queremos decir que nuestras palabras. La expresividad del lenguaje es literalmente multiplicada por este poder sutil para matizar los tonos vocales, y este matizado de voz lo llamamos *inflexión*.

El cambio de tono *dentro* de una palabra es aún más importante, porque es más delicado que el cambio de tono de una frase a otra. De hecho, uno no puede ser practicado sin el otro. Las palabras en sí son solo unos cuantos ladrillos; la inflexión los convertirá en un pavimento, un garaje o una catedral. Es el poder de la inflexión para cambiar el significado de las palabras que le dio origen al viejo dicho: «No se trata tanto de lo que dices como de cómo lo dices».

La Sra. Jameson, una comentarista de Shakespeare, nos ha dado un ejemplo penetrante del efecto de la inflexión: «En su representación del papel de Lady Macbeth, la Sra. Siddons adoptó sucesivamente tres entonaciones diferentes al pronunciar las palabras "nosotros fallamos".

»Al principio, un rápido y despectivo interrogatorio: «¿Nosotros fallamos?».

Luego, con la nota de admiración—«Nosotros fallamos», un acento de asombro indignado que pone el énfasis principal en la palabra «nosotros»—«*nosotros* fallamos».

Finalmente, ella fijó en lo que estoy convencido es la verdadera lectura—*Nosotros fallamos*—con un punto simple, modulando la voz a un tono profundo, bajo y resuelto que resuelve el problema de inmediato como si ella hubiera dicho: «Si fallamos, entonces fallamos, y se termina todo».

Este elemento más expresivo de nuestro discurso es el último que se domina para alcanzar la naturalidad al hablar un idioma extranjero, y su uso correcto es el elemento principal en una expresión natural y flexible de nuestra lengua materna. Sin inflexiones variadas, el habla se vuelve rígida y monótona.

Hay solamente dos tipos de inflexión, la subida y la caída; sin embargo, estos dos pueden estar tan matizados o combinados que son capaces de producir tantas variedades de modulación como pueda ilustrarse por una o dos líneas, rectas o curvas, así:

VARIEDADES DE MODULACIÓN

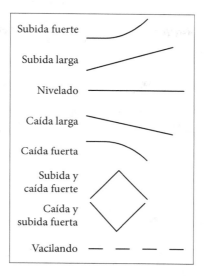

Estos pueden variarse indefinidamente, y sirven simplemente para ilustrar qué amplia variedad de combinaciones pueden ser efectuadas por estas dos simples inflexiones de la voz.

Es imposible tabular las diversas inflexiones que sirven para expresar diversos matices de pensamiento y sentimiento. Aquí se ofrecen algunas sugerencias, junto con numerosos ejercicios para la práctica, pero la única forma real de dominar la inflexión es observar, experimentar y practicar.

Por ejemplo, toma la frase común: «Oh, él está bien». Observa cómo se puede hacer una inflexión ascendente para expresar un elogio leve, una duda cortés, o una incertidumbre de opinión. Luego observa cómo las mismas palabras, pronunciadas con una inflexión generalmente descendente, pueden denotar certeza, o aprobación amable, o elogios entusiastas, y así sucesivamente.

Por lo tanto, en general descubrimos que una inclinación ascendente de la voz sugerirá duda e incertidumbre, mientras que una inflexión claramente descendiente sugerirá que estás seguro de tu posición.

A los estudiantes no les gusta que les digan que sus discursos «no son tan malos», con una inflexión ascendente. Enunciar estas palabras con una larga inflexión descendente respaldaría el discurso con bastante entusiasmo.

Despídete de una persona imaginaria a quien esperas ver de nuevo mañana; luego, de un querido amigo a quien nunca esperas volver a ver. Nota la diferencia en cuanto a la inflexión.

La frase «La pasé muy bien», dicha por una mujer frívola al final de una merienda formal, asume una inflexión completamente diferente a la de esas mismas palabras dichas entre amantes que se han divertido. Imita a los dos personajes al repetir esto y observa la diferencia.

Observa cuán leves y breves son las inflexiones en la siguiente selección breve de *Anthony the Absolute*, de Samuel Mervin.

En altamar—Marzo 28.

Esta noche le dije a Don Robert Fulano que era un tonto. Tenía razón en esto. Él lo es. Todas las noches, desde que el barco zarpó de Vancouver, él ha presidido la mesa redonda en el centro de la sala de fumadores. Allí bebe su café y su licor, y habla sobre todos los temas conocidos por la mente del hombre. Cada tema es su tema. Él es una persona mayor, con una cara mala y un párpado izquierdo caído. Me dicen que está en el Servicio Británico—es juez en alguna parte de Malasia, donde beben más de lo que les conviene.

Lee las dos selecciones siguientes con gran seriedad y observa cómo las inflexiones difieren de las anteriores. Luego, vuelve a leer estas selecciones de una manera ligera y superficial, notando que el cambio de actitud se expresa mediante un cambio de inflexión.

Cuando leo un hecho sublime en Plutarco, o una obra
desinteresada en una línea de poesía, o la emoción detrás
de alguna leyenda heroica, ya no es cuento de hadas—lo
he visto ser igualado.

—*Wendell Phillips*

El pensamiento es más profundo que todo discurso,
El sentimiento más profundo que todo pensamiento;
Las almas jamás le pueden enseñar a otras almas
lo que a ellas mismas ha sido enseñado.

—*Cranch*

Debe quedar perfectamente claro que la inflexión se trata principalmente de matices sutiles y delicadas *dentro de palabras individuales,* y de ningún modo se logra mediante un aumento o caída general de la voz al pronunciar una oración. Sin embargo, ciertas oraciones pueden ser habladas de manera efectiva con tal inflexión.

Prueba esta oración de varias maneras, sin modulación hasta que llegues a las dos últimas sílabas, como se indica:

Y, sin embargo, le dije clara-

(alto)

| mente.

| *(bajo)*
| mente.

| *(alto)*
Y, sin embargo, le dije clara- |

(bajo)

Ahora prueba esta oración cambiando la entonación de las palabras importantes para mostrar varios matices de significado. Las primeras formas, ilustradas arriba, muestran el cambio de tono dentro de una sola palabra; las formas que tú usarás deberían mostrar varias de esas inflexiones a lo largo de la oración.

Uno de los principales métodos para obtener énfasis es emplear una inflexión descendente larga en las palabras enfáticas; es decir, dejar que la voz caiga a un tono más bajo en un sonido vocal interno en una palabra. Pruébalo con las palabras «cada», «caritativo» y «destruir».

Usa inflexiones de caídas largas en las palabras en cursiva en la siguiente selección, observando su poder enfático. ¿Hay alguna otra palabra aquí que las inflexiones caídas largas ayudarían a hacer expresivo?

Discurso en el caso Dartmouth College

Esto, señor, es mi caso. No es solo el caso de esa humilde institución; es el caso de cada universidad en nuestra tierra. Es más; es el caso de cada institución caritativa a lo largo del país—de todas esas grandes organizaciones benéficas fundadas por la piedad de nuestros antepasados para aliviar la miseria humana y esparcir bendiciones a lo largo del camino de la vida. Señor, usted puede destruir esta pequeña institución—es débil; está en sus manos. Sé que es una de las luces menores en el horizonte literario de nuestro país. Puede apagarla. Pero si lo hace, deberá llevar a cabo su trabajo; ¡deberá extinguir, una tras otra, todas esas grandes luces de la ciencia que, durante más de un siglo, han lanzado su resplandor sobre nuestra tierra!

Señor, como he dicho, es una universidad pequeña y, sin embargo—¡hay gente que la ama!

Señor, no sé cómo se sentirán los demás, pero en cuanto a mí, cuando veo a mi alma máter rodeada, como César en la casa del senado, por aquellos que le propinan puñalada tras puñalada, no quisiera que ella se dirija a mí y me diga: «¡Y tú también, hijo mío!».

—Daniel Webster

Ten cuidado de no abusar de la inflexión. Demasiada modulación produce un efecto desagradable de artificialidad, como una matrona madura tratando de ser juguetona. No hay más que un pequeño paso entre la expresión genuina y lo burlesco involuntario. Analiza tus propios tonos. Toma una sola expresión como: «¡Oh, no!», «Ah, ya veo» o «De hecho», y mediante un autoexamen paciente, observa cuántos matices de significado pueden ser expresados por medio de la inflexión. Este tipo de práctica de sentido común te hará más bien que un libro de reglas. *Pero no te olvides de escuchar tu propia voz.*

Capítulo 8

Concentración en la
presentación oral

*La atención es el microscopio del ojo mental. Su poder
puede ser alto o bajo; su campo de visión puede ser
angosto o ancho. Cuando se usa alta potencia, la atención
se enfoca dentro de límites muy circunscritos, pero su
acción es extremadamente intensa y absorbente. No ve
más que algunas cosas, pero estas pocas se observan «de
principio a fin» ... La energía y la actividad mental, ya
sea de percepción o de pensamiento, así concentradas,
actúan como los rayos del sol concentrados por un espejo
ustorio. El objeto es iluminado, calentado, y encendido
en llamas. Las impresiones son tan profundas que nunca
pueden borrarse. La atención de este tipo es la condición
principal del trabajo mental más productivo.*

—Daniel Putnam, Psychology (Psicología)

Intenta frotar la parte superior de tu cabeza hacia delante y
hacia atrás mientras das palmadas a tu pecho. A menos que tus
poderes de coordinación estén bien desarrollados, te parecerá
confuso, si no imposible. El cerebro necesita un entrenamiento
especial antes de poder hacer dos o más cosas de manera
eficiente en el mismo instante. Puede parecer dividir un cabello
entre su esquina norte y noroeste, pero algunos psicólogos
sostienen que ningún cerebro puede pensar dos pensamientos
distintos, de forma absolutamente simultánea. Dicen que lo que
parece ser simultáneo es en realidad una rotación muy rápida
desde el primer pensamiento al segundo y viceversa; al igual

que en el experimento citado anteriormente, la atención debe pasar de una mano a la otra hasta que uno u otro movimiento se vuelva parcial o totalmente automático.

Cualquiera que sea la verdad psicológica de esta afirmación, es innegable que la mente pierde sentido de una idea en el momento en que la atención se proyecta decididamente hacia una segunda o tercera idea.

Una falla en los oradores públicos que es tan perjudicial como lo es común es que tratan de pensar en la siguiente oración mientras que aún están pronunciando la primera, y de esta manera su concentración se desvanece. En consecuencia, comienzan sus oraciones con fuerza y las terminan débilmente. En un discurso escrito y bien preparado, la palabra enfática generalmente aparece en un extremo de la oración. Pero una palabra enfática necesita una expresión enfática, y esto es precisamente lo que no ocurre cuando la concentración decae al anticiparse demasiado a la siguiente oración. Concentra todas tus energías mentales en la presente oración. Recuerda que la mente de tu audiencia sigue muy de cerca a la tuya, y si quitas tu atención de lo que estás diciendo y la pones en lo que vas a decir, tu audiencia también quitará la suya. Puede que no lo hagan consciente y deliberadamente, pero seguramente dejarán de darle importancia a las cosas que tú mismo desprecias. Es fatal tanto para el actor como el orador cruzar sus puentes demasiado pronto.

Por supuesto, todo esto no quiere decir que en las pausas naturales de tu discurso no debes echar una vista global rápida: Eso es tan importante como mirar hacia adelante al conducir un automóvil. La advertencia es de otro tipo: *Mientras estés pronunciando una frase, no pienses en la oración que sigue.* Deja que venga de su fuente propia—de tu interior. No puedes lanzar una andanada sin fuerza concentrada—eso es lo que produce la explosión. Al prepararte, almacenas y concentras pensamientos y sentimientos; en las pausas durante el discurso, miras hacia adelante rápidamente y te preparas para un ataque efectivo; durante los momentos del discurso mismo, *habla—no anticipes.* Si divides tu atención, dividirás tu poder.

Esta cuestión del efecto del hombre interior sobre lo externo precisa que digamos algo más aquí, particularmente con respecto a la concentración.

«¿Qué lee, mi señor?». Hamlet respondió: «Palabras. Palabras. Palabras». Ese es un problema tan viejo como el mundo. La llamada mecánica de las palabras no es expresión, por un largo tramo. ¿Alguna vez te diste cuenta de lo vago que suena un discurso memorizado? Seguramente has escuchado la cadencia mecánica de actores, abogados y predicadores ineficaces. Su problema es mental: No se concentran en pensar pensamientos que causan que las palabras sean expresadas con sinceridad y convicción, sino que simplemente enuncian mecánicamente los sonidos de las palabras. ¡Es una experiencia dolorosa tanto para el público como para el orador! Hasta un loro es igualmente elocuente.

Volvamos a dejar que Shakespeare nos instruya, esta vez con la oración insincera del Rey, el tío de Hamlet. Él se lamenta así:

Mis palabras ascienden y mis pensamientos siguen aquí abajo.
Palabras sin pensamientos nunca alcanzan el cielo.

La verdad es que, como orador, tus palabras deben nacer de nuevo cada vez que se pronuncian, y luego no sufrirán en su enunciación, aunque forzosamente sean grabadas en la memoria y repetidas 5.000 veces, como la conferencia del Dr. Russell Conwell, «*Acres of Diamonds*» (Acres de diamantes). Los discursos así no pierden nada al ser repetidos debido a la razón perfectamente manifiesta de que surgen del pensamiento y los sentimientos concentrados, y no de la simple necesidad de decir algo—lo que generalmente significa cualquier cosa, y eso, a su vez, no equivale a nada. Si el pensamiento detrás de tus palabras es cálido, fresco, espontáneo, y una parte de ti mismo, tu enunciado tendrá aliento y vida. Las palabras son solo un resultado. No intentes obtener el resultado sin estimular la causa.

¿Te preguntas cómo concentrarte? Piensa en la palabra

misma y en su hermano filológico: concéntrico. Piensa en cómo una lente reúne y concentra los rayos de luz dentro de un círculo dado. Los centra por un proceso de eliminación. Puede parecer un tanto duro, pero el hombre que no puede concentrarse es débil de voluntad, un manojo de nervios o nunca ha aprendido para qué sirve el poder de la voluntad.

Debes concentrarte retirando decididamente tu atención de todo lo demás. Si concentras tu pensamiento en un dolor que puede estar afligiéndote, ese dolor se volverá más intenso. «Cuenta tus bendiciones» y se multiplicarán. Enfoca tus pensamientos en tus golpes y tu juego de tenis mejorará gradualmente. Concentrarse es simplemente atender a una cosa, y no atender a nada más. Si descubres que no puedes hacer eso, hay algo mal—encárgate de eso primero. Elimina la causa y el síntoma desaparecerá. Lee el capítulo sobre «La fuerza de voluntad». Cultiva tu voluntad eligiendo y haciendo cosas a fuerza de voluntad, a toda costa. Concéntrate y ganarás.

Capítulo 9

Fuerza

Sin embargo, es conveniente ser cauteloso:
La indiferencia ciertamente no produce angustia;
Y el entusiasmo precipitado en la buena sociedad
No sería más que una embriaguez moral.

—Byron, Don Juan

Seguramente has asistido a obras de teatro que parecían aceptables, pero no te conmovían, no te entusiasmaban. En el lenguaje teatral, no lograron «conectar», lo cual significa que su mensaje no pasó las candilejas para llegar a la audiencia. No hubo impacto, ni golpe—no tenían fuerza. Por supuesto, todo esto presagia un desastre, en letras grandes, no solo en una producción teatral sino en cualquier esfuerzo sobre una plataforma. Cada presentación de este tipo existe únicamente para la audiencia, y si no llega a impactarla—y es expresada bien—no tiene excusa para vivir y tampoco vivirá mucho tiempo.

¿Qué es la fuerza?

Algunas de nuestras palabras más obvias revelan significados secretos bajo escrutinio, y este es uno de ellos.

Para empezar, debemos reconocer la distinción entre la fuerza interna y externa. Una es causa, la otra es efecto. Una es espiritual, la otra física. En cuanto a este punto importante en particular, la fuerza animada difiere de la fuerza inanimada. El poder del hombre, que viene de adentro y se expresa exteriormente, es de otro tipo comparado a la fuerza de la pólvora de Shimose, que requiere alguna influencia externa para explotar. Por más susceptible que sea a los estímulos externos, la verdadera fuente de poder en el hombre está dentro de él. Esto puede parecer «mera psicología», pero tiene una relevancia intensamente práctica con el hablar en público, tal como será demostrado.

No solo debemos discernir la diferencia entre la fuerza humana y la simple fuerza física, sino que no debemos confundir su esencia real con algunas de las cosas que pueden—y no pueden—acompañarla. Por ejemplo, el volumen no es fuerza, aunque la fuerza a veces puede ser atendida por el ruido. Los simples gritos nunca crearon un buen discurso, y, sin embargo, hay momentos—momentos, fíjate, no minutos—cuando se puede usar un gran poder de voz con tremendo efecto.

El movimiento violento tampoco es fuerza, pero la fuerza puede provocar un movimiento violento.

Hamlet le aconsejó a los actores:

> *Ni manotees así, acuchillando el aire: moderación en todo; puesto que aun en el torrente, la tempestad, y por mejor decir, el huracán de las pasiones, se debe conservar aquella templanza que hace suave y elegante la expresión. A mí me desazona en extremo ver a un hombre, muy cubierta la cabeza con su cabellera, que a fuerza de gritos estropea los afectos que quiere exprimir, y rompe y desgarra los oídos del vulgo rudo[1]; que solo gusta de gesticulaciones insignificantes y de estrépito. Yo mandaría azotar a un energúmeno de tal especie: Herodes de farsa, más furioso que el mismo Herodes. Evita, evita este vicio.*

> *Ni seas tampoco demasiado manso; tu misma prudencia debe guiarte. La acción debe corresponder a la palabra, y esta a la acción, cuidando siempre de no atropellar la simplicidad de la naturaleza. No hay defecto que más se*

---

[1] *Aquellos que se sentaban en los asientos más baratos.*

oponga al fin de la representación que desde el principio hasta ahora, ha sido y es: ofrecer a la naturaleza un espejo en que vea la virtud su propia forma, el vicio su propia imagen, cada nación y cada siglo sus principales caracteres. Si esta pintura se exagera o se debilita, excitará la risa de los ignorantes; pero no puede menos de disgustar a los hombres de buena razón, cuya censura debe ser para vosotros de más peso que toda la multitud que llena el teatro. Yo he visto representar a algunos cómicos, que otros aplaudían con entusiasmo, por no decir con escándalo; los cuales no tenían acento ni figura de cristianos, ni de gentiles, ni de hombres; que al verlos hincharse y bramar, no los juzgué de la especie humana, sino unos simulacros rudos de hombres, hechos por algún mal aprendiz. Tan inicuamente imitaban la naturaleza.[2]

La fuerza es tanto causa como efecto. La fuerza interna, que debe preceder a la fuerza externa, es una combinación de cuatro elementos, actuando progresivamente. Primero que nada, *la fuerza surge de la convicción.* Debes estar convencido de la verdad, la importancia, o el significado de lo que estás a punto de decir antes de poder presentarlo de manera contundente. La verdad debe apoderarse fuertemente de tus convicciones antes de que ella pueda entusiasmar a tu audiencia. La convicción convence.

La *Saturday Evening Post,* en un artículo sobre el «Teddy Roosevelt de Inglaterra»—Winston Spencer Churchill—le atribuyó gran parte del éxito de la plataforma pública de Churchill y Roosevelt a su presentación contundente. Sin importar lo que tengan por delante, estos hombres se hacen creer por el momento que esa cosa es la más importante en el mundo. Por lo tanto, hablan con sus audiencias de una manera que implica «Haz esto o MORIRÁS».

Ese tipo de discurso gana, y es esa actitud viril, extenuante y agresiva la que distingue y mantiene las carreras de oratoria de nuestros mejores líderes.

[2.] *Hamlet, Acto III, Escena 2*

Pero veamos un poco más de cerca los orígenes de la fuerza interna. ¿Cómo afecta la convicción al hombre que la siente? Hemos respondido a la pregunta en la pregunta misma: él la *siente: la convicción produce tensión emocional.* Estudia las imágenes de Theodore Roosevelt y de Billy Sunday en acción— la palabra clave es *acción*. Observa la tensión de los músculos en sus mandíbulas, las líneas tensadas de los tendones en sus cuerpos enteros al llegar al clímax de la fuerza. La fuerza moral y la fuerza física son iguales en tanto que están precedidas y acompañadas por la intensidad—tensión—tirantez de las cuerdas del poder.

Es esta tensión de la cuerda del arco, este anudamiento de los músculos, esta contracción antes del salto, lo que hace que el público *sienta*—que casi pueda ver—la reserva de poder en un orador. De alguna forma realmente maravillosa, el dinamo interno se revela más por lo que un orador *no dice* y hace. *Cualquier* cosa puede provenir de esa fuerza almacenada una vez que es liberada; y eso mantiene a la audiencia alerta, pendiente de la próxima palabra que saldrá de los labios de un orador. Después de todo, es todo una cuestión de virilidad, porque un muñeco de peluche no tiene convicciones ni tensión emocional. Si estás tapizado con serrín, mantente lejos de la plataforma, ya que tu propia habla te hundirá.

Surgiendo de esta tensión de convicción viene *la resolución de hacer que la audiencia comparta esa tensión de convicción.* La determinación es la columna vertebral de la fuerza; sin él, el habla es flácida; puede brillar, pero es la iridiscencia de la medusa invertebrada. Debes aferrarte a tu resolución si quisieras aferrarte a tu audiencia.

Finalmente, todo esta convicción, tensión y determinación esta sin vida e inútil a menos que resulte en *propulsión*. Recuerda que Young en su maravillosa obra *Night Thoughts* (Pensamientos Nocturnos) describe al hombre que:

Impulsa su propósito prudente para resolver,
Resuelve y vuelve a resolver, e igual muere.

No dejes que tu fuerza «muera al nacer»—llévala a la plenitud de vida en su convicción, tensión emocional, determinación y poder de propulsión.

¿Se puede adquirir la fuerza?

Sí, si el adquirente tiene alguna de las capacidades que acabamos de describir. Cómo se adquiere este factor vital es algo que se sugiere al analizarlo: Vive con tu tema hasta que estés convencido de su importancia.

Si tu mensaje en sí no te provoca tensión, *ármate* de coraje. Cuando un hombre enfrenta la necesidad de saltar por encima de una grieta, no espera la inspiración—usa su *voluntad* para inducir tensión en sus músculos para dar el salto. Luego resuelve hacerlo—y deja que todo culmine en un *golpe* real.

Vale la pena reiterar esta verdad: El hombre interior es el factor final. Él debe suministrar el combustible. El público, o incluso el propio hombre, puede aportar el fósforo—poco importa quién lo aporta, solo que haya fuego. Sin importar cuán hábilmente esté construido tu motor, sin importar cuán bien funcione, no tendrá fuerza si el fuego debajo de la caldera se ha apagado. Poco importa cuán bien domines el aplomo, la pausa, la modulación y el tempo; si tu discurso carece de fuego, está muerto. Ni un motor muerto ni un discurso muerto moverá a nadie.

Hay cuatro factores de fuerza que están notablemente bajo tu control, y como tal, pueden adquirirse: *ideas, sentimientos sobre el tema, redacción y presentación.* Cada uno de estos es más o menos ampliamente discutido en este volumen, excepto la redacción, que realmente requiere un estudio retórico más completo de lo que aquí se puede *aventurar.*

Sin embargo, es sumamente importante que tú sepas exactamente cómo la redacción afecta la contundencia en una oración. Estudia *The Working Principles of Rhetoric*, de John Franklin Genung, o los tratados retóricos de Adams Sherman Hill, de Charles Sears Baldwin, o cualquier otro personaje cuyos nombres se puedan aprender fácilmente de cualquier maestro.

Aquí hay algunas sugerencias sobre el uso de palabras para obtener fuerza en el habla:

Selección de palabras

Las palabras *sencillas* son más contundentes que las palabras menos utilizadas: *hacer malabarismos* tiene más vigor que prestidigitar.

Las palabras *cortas* son más fuertes que las palabras largas: *final* es más directa que *terminación*.

Las palabras *comunes* suelen ser más contundentes que las palabras académicas: para obtener fuerza en el habla, usa *servir* en lugar de *militar*.

Las palabras *específicas* son más fuertes que las palabras generales: *Tipógrafo* es más definido que *impresor*.

Las palabras *connotativas*, aquellas que sugieren más de lo que dicen, tienen más poder que las palabras comunes: «Se *dejó* casar» expresa más que «Se casó».

Los *epítetos*, palabras figurativamente descriptivas, son más efectivos que los nombres directos: «Ve a decirle a ese *viejo zorro*», tiene más impacto que «Ve a decirle a ese *tipo astuto*».

Las palabras *onomatopéyicas*, palabras que transmiten el sentido por el sonido, son más poderosas que otras palabras: *choque* es más efectivo que *cataclismo*.

Disposición de palabras

- Elimina los modificadores. Elimina los conectores.

- Comienza con palabras que exigen atención.

- «Termina con palabras que merecen una distinción», dice el profesor Barrett Wendell.

- Coloca las ideas fuertes frente a las más débiles, para ganar fuerza por medio del contraste.

- Evita la estructura complicada en las oraciones: Las oraciones cortas son más fuertes que las largas.

- Recorta cada palabra inútil, para dar prominencia a las realmente importantes.

- Deja que cada oración sea un ariete condensado, impulsándose hacia su golpe final contra la atención.

- Una expresión familiar y conocida, si no ha quedado manida por mucho uso, es más efectiva que una expresión muy formal y académica.

- Considera bien el valor relativo de las diferentes posiciones en la oración para que puedas darle un lugar prominente a las ideas que desees enfatizar.

«Pero», alguien dirá, «¿no es más honesto depender del interés inherente en un tema, su innata verdad, claridad y sinceridad de presentación, y la belleza del enunciado, para ganar a tu público? ¿Por qué no encantar a la gente en lugar de capturarlos por medio de un asalto?».

¿Por qué usar la fuerza?

Hay mucha verdad en ese punto de vista, pero no toda la verdad. La claridad, la persuasión, la belleza, y la simple declaración de la verdad son esenciales; de hecho, son todas partes definidas de cualquier presentación contundente de un tema, sin ser las únicas partes. La carne fuerte tal vez no sea tan atractiva como los helados, pero todo depende del apetito y la fase de la comida.

No puedes presentar un mensaje agresivo con caricias pequeñas. ¡No! Da la punzada con golpes duros y rápidos al plexo solar. No puedes generar fuego con un pedernal o en una audiencia con toquecitos suaves. Si dices: «Me parece que el teatro está en llamas» de manera descuidada en un teatro abarrotado, tu anuncio puede ser recibido con risas. Si gritas las palabras: «¡El teatro está en llamas!», la gente se aplastará mutuamente para llegar a las salidas.

El espíritu y el lenguaje contundentes son definitivos con convicción. Ningún discurso inmortal de la literatura contiene expresiones como «me parece», «a mi juicio», «en mi opinión», «supongo», y «tal vez sea verdad». Los discursos que perdurarán han sido presentados por hombres que ardían con el coraje de sus convicciones, que hablaron sus palabras como verdad eterna. De Jesús se dijo que «la gente común lo escuchó con gusto». ¿Por qué? «Él les enseñó como alguien que tiene AUTORIDAD». Una audiencia nunca se conmoverá por lo que a ti «te parece» que es verdad o lo que en tu «humilde opinión» puede serlo. Si puedes hacerlo honestamente, afirma tus convicciones como conclusiones. Asegúrate de estar en lo cierto antes de pronunciar tu discurso; luego declara tus pensamientos como si fueran un peñón de Gibraltar de verdad intachable. Libéralos con la mano de hierro y la confianza de un Cromwell. Afírmalos con el fuego de la autoridad. Pronúncialos como un *ultimátum*. Si no puedes hablar con convicción, no hables.

¿Qué clase de contundencia tenía el joven ministro que, temiendo ser demasiado dogmático, exhortaba así a sus oyentes: «Mis amigos, como supongo que lo son, parece ser mi deber decirle que, si no se arrepienten, por así decirlo, y abandonan sus pecados, por así decirlo, y vuelven a la justicia, si puedo expresarlo así, estarán perdidos, en cierta medida»?

El habla efectiva debe reflejar la era. Esta no es una era de agua de rosas, y un discurso tibio y poco entusiasta no va a ganar. Este es el siglo de los martinetes, de trenes de alta velocidad que viajan debajo de las ciudades y a través de túneles de montaña, y debes inculcar este espíritu en tu discurso si deseas mover a una audiencia popular. Desde un asiento de primera fila, escucha una compañía teatral de primera clase presentar un drama moderno de Broadway—no una comedia, sino un drama apasionante y emocionante. No te dejes distraer por la trama; reserva toda tu atención para la técnica y la fuerza de la actuación. Hay tanto golpes y patadas como también una intensidad infinitamente sutil en los grandes discursos culminantes que sugieren esta lección: La misma fuerza bien calculada, moderada y delicadamente matizada simplemente grabará tus ideas en la mente de tu audiencia. Un rifle de aire comprimido rebotará perdigones contra el cristal de una ventana; se necesita un fusil verdadero para disparar una bala a través de un cristal y penetrar las paredes de roble que hay detrás de él.

Cuándo usar la fuerza

Una audiencia es diferente del reino de los cielos—los violentos no siempre la conquistan por la fuerza. Hay momentos en los cuales la belleza y la serenidad deberían ser las únicas campanas en tu carillón.

La fuerza es solo uno de los grandes extremos del contraste— no uses ni las expresiones fuertes ni las suaves a la exclusión de otros tonos: Sé variado, y en la variedad encontrarás aún más de la que podrías alcanzar al intentar usarla constantemente. Si estás leyendo un ensayo sobre las bellezas del alba, hablando sobre el delicado florecimiento de una madreselva, o explicando el mecanismo de un motor a gas, un estilo de presentación contundente está completamente fuera de lugar. Pero cuando estás apelando a las voluntades y las conciencias de la gente para obtener una acción inmediata, la presentación contundente gana. En tales casos, considera las mentes de tu audiencia como tantas cajas fuertes que han sido cerradas y cuyas llaves se han perdido. No trates de descubrir las combinaciones. Vierte un poco de nitroglicerina entre las grietas y enciende la mecha. Mientras escribo estas líneas, un contratista en la calle está despejando rocas con dinamita para preparar la fundación de un gran edificio. Cuando deseas obtener acción, no tengas miedo de usar dinamita.

El argumento final en favor de la efectividad de la fuerza en el discurso público es el hecho de que todo debe ampliarse a los fines de la plataforma; es por eso que muy pocos discursos se leen bien en los informes de la mañana siguiente. Las declaraciones parecen burdas y exageradas porque no están acompañadas por la presentación contundente de un orador entusiasmado hablando ante una audiencia caldeada al punto de mostrar un entusiasmo atento. Por lo tanto, al preparar tu discurso, no debes pecar por exceso de suavidad en tu afirmación; tu audiencia inevitablemente atenuará el tono de tus palabras en el frío gris de la reflexión más tarde.

Cuando Fidias fue criticado por los contornos ásperos y audaces de una figura que había presentado en una competencia, sonrió y pidió que su estatua y la forjada por su rival fueran colocadas en la columna a la que estaba destinada la escultura. Cuando esto se hizo, todas las exageraciones y crudezas, atenuadas por las distancias, confluyeron en una exquisita gracia de línea y forma. Cada discurso debe ser un estudio especial en idoneidad y proporción.

Omite el trueno en tu presentación, si quieres, pero como Wendell Phillips, pon «rayos silenciosos» en tu discurso. Haz que sus pensamientos respiren y tus palabras ardan. Birrell dijo: «Emerson escribe como un gato eléctrico que emite chispas y descargas en cada frase». Ve y habla de la misma manera. Obtén el "gran bastón" en tu presentación—sé contundente.

Capítulo 10

Sentimiento y entusiasmo

El entusiasmo es ese espíritu secreto y armonioso que se cierne sobre la producción de genio.
—Isaac Disraeli, *Literary Character (Carácter literaria)*

Si estás dirigiéndote a un grupo de científicos sobre un tema como las venas en las alas de una mariposa, o en la estructura de una carretera, naturalmente tu tema no despertará mucho sentimiento ni en ti ni en tu público. Estos son temas puramente mentales.

Pero si quieres que la gente vote por una medida que abolirá el trabajo infantil, o si quieres inspirarla a tomar armas por la libertad, debes apuntar directamente a sus sentimientos. Nos acostamos en camas mullidas, nos sentamos cerca del calentador en un día frío, comemos pastel de cereza y le dedicamos nuestra atención a alguien del sexo opuesto, no porque hayamos razonado que es lo correcto, sino porque se siente bien. Nadie aparte de un dispéptico elige su dieta de una tabla. Nuestros sentimientos dictan qué comeremos y, en general, cómo actuaremos. El hombre es un animal de sentimientos, por lo tanto, la capacidad del orador público para conmover la gente a actuar depende casi por completo de su capacidad para tocar sus emociones.

Las madres afroamericanas en la subasta, viendo a sus hijos vendidos como esclavos, lanzaron algunos de los discursos más conmovedores de los Estados Unidos. Es cierto que las madres no tenían ningún conocimiento de la técnica de hablar, pero tenían algo que supera toda técnica, algo más eficaz que la razón: el sentimiento. Los grandes discursos del mundo no se han pronunciado sobre reducciones arancelarias o asignaciones de correos. Los discursos que perdurarán han estado cargados con fuerza emocional. La prosperidad y la paz son pobres desarrolladores de la elocuencia. Cuando hay grandes errores que corregir, cuando el corazón público arde con pasión, esa es la ocasión para hablar de forma memorable. Patrick Henry hizo un discurso inmortal, ya que, en una crisis de época, él suplicó por la libertad. Se había entusiasmado hasta el punto en que podía exclamar honesta y apasionadamente: «Dadme la libertad o dadme la muerte». Su fama habría sido diferente si hubiera vivido hoy y hubiera abogado por el retiro de los jueces.

El poder del entusiasmo

Los partidos políticos contratan bandas y compran aplausos; ellos argumentan que, para conseguir votos, estimular el entusiasmo es más efectivo que el razonamiento. Hasta dónde tienen razón depende de los oyentes, pero no puede haber ninguna duda sobre la naturaleza contagiosa del entusiasmo. Un fabricante de relojes en New York probó dos series de anuncios de relojes. Uno proclamó la superioridad de su construcción, acabado, durabilidad y la garantía ofrecida con el reloj; el otro estaba titulado: «Un reloj del cual sentirse orgulloso», y se enfocó en el placer y orgullo de la propiedad. La última serie vendió dos veces más que la primera. Un vendedor de locomotoras le informó al escritor que, al vender máquinas de ferrocarril, la atracción emocional era más fuerte que un argumento basado en la excelencia mecánica.

Un sin número de ilustraciones podrían citarse para mostrar que en todas nuestras acciones somos seres emocionales. El orador que desea hablar eficazmente debe desarrollar el poder para despertar sentimientos.

Webster, siendo un gran polemista, sabía que el verdadero secreto del poder de un hablante era emocional. Él habla sobre la elocuencia elocuentemente, diciendo:

La pasión artificial, la expresión intensa, la pompa de la declamación, todas pueden aspirar a ella; ellas no pueden alcanzarla. Viene, si es que llega, como el estallido de un manantial de la tierra, o la explosión de incendios volcánicos, con una fuerza nativa, espontánea y original. Las gracias enseñadas en las escuelas, los adornos costosos y las artimañas estudiadas de los discursos conmocionan y disgustan a los hombres, cuando sus propias vidas y el destino de sus esposas, sus hijos y su país dependen de la decisión de la hora. Entonces las palabras han perdido su poder, la retórica es en vano, y toda oratoria elaborada es despreciable. Incluso el genio mismo se siente reprendido y apagado, como en presencia de cualidades superiores. Entonces el patriotismo es elocuente, entonces la devoción es elocuente.

La clara concepción que sobrepasa las deducciones de la lógica, el alto propósito, la firme determinación, el espíritu intrépido, hablando en la lengua, irradiando desde el ojo, informando cada rasgo e impulsando al hombre completo hacia adelante, hacia su tema—esto, esto es elocuencia; o más bien, es algo más grande y superior a toda elocuencia—es una acción noble, sublime, divina.

Cuando viajaba por el noroeste hace algún tiempo, uno de los escritores actuales se paseó por la calle de un pueblo después de la cena y notó a una multitud escuchando a un «impostor» hablando en una esquina, parado sobre una caja de artículos.

Recordando el consejo de Emerson de aprender algo de cada persona con quien nos encontramos, el observador se detuvo para escuchar el discurso de este orador.

Estaba vendiendo un tónico capilar, que afirmó haber descubierto en Arizona. Se quitó el sombrero para mostrar lo que este remedio le había hecho; se lavó la cara para demostrar que era tan inofensivo como el agua, y habló sobre sus méritos con tanto entusiasmo que lo empezaron a inundar con una lluvia de monedas de medio dólar, como un aluvión de plata.

Tras proveerle tónico capilar a la audiencia, les preguntó por qué una mayor proporción de hombres que de mujeres era calva. Nadie sabía. Él les explicó que era porque las mujeres usaban zapatos de suela más fina, y por lo tanto tenían una buena conexión eléctrica con la madre tierra, mientras que los hombres usaban zapatos gruesos de suela seca que no transmitían la electricidad de la tierra al cuerpo. El cabello de los hombres, al no tener la cantidad adecuada de comida eléctrica, se moría y se caía. Por supuesto que tenía un remedio—una pequeña placa de cobre que debía clavarse en la suela del zapato. Visualizó en términos entusiastas y vívidos la conveniencia de escapar de la calvicie—y rindió homenajes a sus planchas de cobre. Por más extraño que pueda parecer cuando la historia es contada en forma impresa, el entusiasmo del orador había arrastrado a su audiencia con él, ¡y se amontonaron alrededor de él con moneda en mando en su ansiedad por poseer esas placas mágicas!

La sugerencia de Emerson había sido bien tomada—¡el observador había vuelto a ver el maravilloso y persuasivo poder del entusiasmo!

El entusiasmo envió a millones de cruzados a la Tierra Santa para redimirla de los sarracenos. El entusiasmo sumió a Europa en una guerra de treinta años por la religión. El entusiasmo mandó tres pequeños barcos a navegar el mar desconocido hacia las costas de un nuevo mundo. Cuando el ejército de Napoleón se cansó y desanimó en su ascenso a los Alpes, el Pequeño Cabo los detuvo y les ordenó a las bandas que tocaran la Marsellesa. Bajo sus notas alucinantes, los Alpes dejaron de existir.

¡Escucha! Emerson dijo: «Nada grande se logró sin entusiasmo». Carlyle declaró que «Todo gran movimiento en los anales de la historia ha sido un triunfo del entusiasmo». Es tan contagioso como el sarampión. La elocuencia es mitad inspiración. Arrasa a tu audiencia con una pulsación de entusiasmo. Déjate llevar. «Un hombre», dijo Oliver Cromwell, «nunca se eleva tanto como cuando no sabe a dónde va».

¿Cómo debemos adquirir y desarrollar entusiasmo?

No es algo que se puede poner como una chaqueta o un esmoquin. No te lo puede proporcionar un libro. Es un crecimiento—un efecto. ¿Pero un efecto de qué? Déjanos ver.

Emerson escribió: «Un pintor me dijo que nadie podía dibujar un árbol sin de alguna manera convertirse en un árbol; o dibujar un niño al simplemente estudiar los contornos de su forma. Al contrario, al observar por un momento su movimiento y sus juegos, el pintor entra en su naturaleza y luego puede dibujarlo a voluntad en cada postura. Es así como Roos «accedió a la naturaleza más íntima de sus ovejas». Conocí a un dibujante empleado en una medición pública que descubrió que no podía dibujar las rocas sin que primero le explicaran su estructura geológica.

Cuando Sarah Bernhardt interpreta un papel difícil, suele no hablar con nadie desde las cuatro de la tarde hasta después de la actuación. Desde las cuatro, vive su personaje. Se dice que Booth no permitía que nadie le hablara entre los actos de Shakespeare, porque en ese momento, él era Macbeth—no Booth. Dante, exiliado de su querida Florencia y condenado a muerte, vivía en cuevas, medio muerto de hambre; fue entonces que Dante le dio letra a su corazón en su *Divina comedia*. Bunyan se sumergió tan profundamente en el espíritu de su obra *El progreso del peregrino* que cayó al suelo de la cárcel de Bedford y lloró de alegría. Turner, que vivía en una buhardilla, se levantó antes del amanecer y caminó nueve millas sobre colinas para ver salir el sol en el océano, para poder captar el espíritu de su maravillosa belleza. Las oraciones de Wendell Phillips estaban llenas de «rayos silenciosos» porque llevaba en su corazón el dolor de cinco millones de esclavos.

Hay una sola forma de introducir sentimiento en tu discurso—y lo que sea que olvides, no olvides esto: Tienes que METERTE de hecho en el personaje que estás representando, la causa que estás abogando, el caso que defiendes—entrar en él tan profundamente que te viste, te cautiva, te posee por completo. Es entonces que estás, en el verdadero significado de

81

la palabra, en sintonía con tu sujeto, porque su sentimiento es tu sentimiento, «sientes» con él y, por lo tanto, tu entusiasmo es genuino y contagioso. El Carpintero que habló como «nunca habló el hombre» dijo palabras nacidas de una pasión de amor por la humanidad—había entrado en la humanidad y así se hizo Hombre.

Pero no debemos considerar las palabras anteriores como una prescripción fácil para extraer un sentimiento que luego puede ser servido a una audiencia complaciente en cantidades que se adapten a la necesidad del momento. El sentimiento auténtico en un discurso es la carne y hueso del habla en sí y no algo que se le pueda agregar o restar a voluntad. En un discurso ideal, el tema, el orador y el público se convierten en uno, fusionados por la emoción y el pensamiento de la hora.

La necesidad de comprensión por la humanidad

Es imposible enfatizar demasiado la necesidad de que el orador tenga una ternura amplia y profunda por la naturaleza humana. Uno de los biógrafos de Víctor Hugo atribuye su poder como orador y escritor a sus amplias comprensiones y profundos sentimientos religiosos.

Recientemente escuchamos al editor de *Collier's Weekly* hablar sobre la escritura de cuentos cortos, y él enfatizó tanto la necesidad de este gran amor por la humanidad, este sentimiento verdaderamente religioso, que se disculpó dos veces por pronunciar un sermón.

Pocos, si es que hubo alguno, de los discursos inmortales fueron hechos por una causa egoísta o estrecha; nacieron de un deseo apasionado de ayudar a la humanidad. Como ejemplo tenemos el discurso de Pablo a los atenienses en el Areópago, el discurso de Lincoln en Gettysburg, el Sermón del Monte, el discurso de Henry ante la Convención de Delegados de Virginia.

El sello y la seña de la grandeza es un deseo de servir a los demás. La auto conservación es la primera ley de la vida, pero la abnegación es la primera ley de la grandeza—y del arte. El egoísmo es la causa fundamental de todo pecado; es lo que todas las grandes religiones, todas las filosofías dignas, han atacado. De un corazón de verdadera simpatía y amor llegan los discursos que conmueven a la humanidad.

El ex senador estadounidense Albert J. Beveridge, en la introducción de uno de los volúmenes de *Modern Eloquence*, dice: «El sentimiento más profundo entre las masas, el elemento más influyente en su carácter, es el elemento religioso. Es tan instintivo y fundamental como la ley de auto preservación. Informa todo el intelecto y la personalidad de la gente. Y cualquiera que desee influir grandemente en las personas al expresar sus pensamientos no formados debe poseer este gran y no analizable vínculo de simpatía con ellas».

Cuando los hombres de Ulster se armaron para oponerse a la aprobación del estatuto Home Rule, uno de los escritores actuales le asignó el tema «Home Rule» (autonomía) a un centenar de hombres para que cada uno preparara un discurso. Entre este grupo se encontraban algunos oradores brillantes, varios de ellos abogados experimentados y activistas políticos. Algunos de sus discursos mostraron un notable conocimiento y dominio del tema; otros estaban vestidos con las frases más atractivas.

Pero un empleado, sin mucha educación y experiencia, se levantó y contó cómo pasó su infancia en Ulster, cómo su madre, mientras lo sostenía en su regazo, le había representado las obras de valor de Ulster. Habló de una imagen en la casa de su tío que mostraba a los hombres de Ulster conquistando a un tirano y avanzando hacia la victoria. Su voz tembló y, con una mano apuntando hacia arriba, declaró que, si los hombres de Ulster iban a la guerra, no irían solos—un gran Dios iría con ellos.

El discurso emocionó y electrizó a la audiencia. Todavía es emocionante cuando lo recordamos. Las frases altisonantes, el conocimiento histórico y el tratamiento filosófico de los otros oradores no despertó gran interés, mientras que la genuina convicción y sentimiento del modesto empleado, hablando de un tema que yacía en lo profundo de su corazón, no solo electrizó a su audiencia, sino que ganó su simpatía personal por la causa que defendía.

Como dijo Webster, no sirve de nada intentar simular compasión o sentimientos. No se puede hacer con éxito. «La naturaleza siempre valora la realidad». Lo que es falso se detecta pronto como tal. Los pensamientos y sentimientos que crean y moldean el discurso en el estudio deben nacer de nuevo cuando el discurso se entrega desde la plataforma. No dejes que tus palabras digan una cosa y que tu voz y actitud digan otra. Aquí no hay lugar para métodos de oratoria a medias y despreocupados. La sinceridad representa el alma misma de la elocuencia.

Carlyle tenía razón: «Ningún Mirabeau, Napoleón, Burns, Cromwell, ningún hombre es apto para hacer nada, sin primero ser sincero al respecto; lo que llamo un hombre sincero. Debo decir que la sinceridad, una sinceridad grande, profunda y genuina, es la primera característica de todos los hombres que son de alguna manera heroicos. No la sinceridad que se llama sincera; ah no, esa por cierto es una cuestión muy pobre; un fanfarrón superficial, una sinceridad consciente, principalmente la mayor de las presunciones. La sinceridad del gran hombre es aquella de la cual él no puede hablar—de la cual él no es consciente».

Capítulo 11

Fluidez a través de la preparación

Animis opibusque parati—Preparado en mente y recursos.
—*El lema de South Carolina*

En omnibus negotiis prius quam aggrediare, adhibenda est præparatio diligens—En todos los asuntos, antes de comenzar, debe realizarse una preparación diligente.
—*Cicerón, Officiis*

Toma tu diccionario y busca las palabras que contienen la raíz latina «flu»; los resultados serán sugestivos.

A primera vista, parecería que la fluidez consiste en el uso fácil y rápido de las palabras. No es así—la fluidez en el habla es mucho más, ya que es un efecto compuesto, con cada una de sus condiciones anteriores que merecen una atención cuidadosa.

Las fuentes de la fluidez

Hablando en términos generales, la fluidez es casi por completo una cuestión de preparación. Ciertamente, los dones innatos figuran en gran medida aquí, como en todas las artes, pero hasta las habilidades naturales dependen de las mismas leyes de preparación que son válidas para el hombre que supuestamente tiene pocos dones innatos. Permite que esto te anime si, como Moisés, eres propenso a quejarte de que no eres un orador natural.

¿Alguna vez te has detenido a analizar esa expresión, «un orador natural?». La buena disposición, en su sentido principal, es la preparación, y están más dispuestos los que mejores son preparados. Disparar rápidamente depende más del dedo alerto que del gatillo delicado. Tu fluidez estará directamente relacionada a dos condiciones importantes: tu conocimiento de lo que vas a decir, y que estés acostumbrado a compartir lo que sabes con un público. Esto nos lleva al segundo gran elemento de fluidez: A la preparación se le debe agregar la facilidad que surge de la práctica, de lo cual hablaremos más a continuación.

Los conocimientos son esenciales

El Sr. Bryan habla con suma fluidez cuando habla sobre problemas políticos, tendencias del tiempo y cuestiones de moral. Sin embargo, se supone que no hablaría con tanta fluidez sobre la vida de las aves de los Everglades de Florida. El Sr. John Burroughs podría estar en su mejor momento hablando sobre este último tema, pero completamente perdido al hablar sobre el derecho internacional. No esperes hablar con fluidez sobre un tema del que sabes poco o nada. Ctesifonte se jactaba de poder hablar todo el día (un pecado en sí mismo) sobre cualquier tema que un público sugiriera. Fue desterrado por los espartanos.

Pero la preparación va más allá de obtener los hechos del caso que vas a presentar; también incluye la capacidad de pensar y organizar tus pensamientos, un vocabulario completo y preciso, una manera relajada de hablar y respirar, ausencia de complejos de vergüenza, y las otras varias características de pronunciación eficiente que han merecido atención especial en otras partes de este libro en vez de en este capítulo.

La preparación puede ser general o específica; generalmente debería ser de ambos tipos. Toda una vida de lectura, de compañía con pensamientos conmovedores, de lucha con los problemas de la vida—esto constituye una preparación general de un valor inestimable. De una mente repleta de información, y—aún más provechoso—una amplia experiencia y—lo mejor de todo—un corazón cordialmente comprensivo, el orador tendrá que hacer uso de mucho material que ningún estudio *inmediato* podría proporcionar. La preparación general consiste en todo lo que un hombre ha puesto en sí mismo, todo lo que la herencia y el medio ambiente le han inculcado, y—esa otra fuente rica de preparación para el habla—la amistad de compañeros sabios.

Cuando Schiller regresó a casa después de una visita con Goethe, un amigo comentó: «Estoy sorprendido por el progreso que Schiller puede hacer en una sola quincena». Fue la influencia progresiva de una nueva amistad. Las amistades adecuadas constituyen uno de los mejores medios para la formación de ideas e ideales, ya que permiten practicar la expresión del pensamiento. El hablante que desea hablar con fluidez ante una audiencia debería aprender a hablar con fluidez y de forma entretenida con un amigo. Aclara tus ideas poniéndolas en palabras; el hablante gana tanto de su conversación como el oyente. A veces comienzas a conversar sobre un tema pensando que tienes muy poco que decir, pero una idea da a luz a otra, y te sorprendes al saber que cuanto más das, más tienes para dar. Esta toma y daca de la conversación amistosa desarrolla la mentalidad y la fluidez en la expresión. Longfellow dijo: «Una sola conversación sobre la mesa con un hombre sabio es mejor que diez años de estudio de libros», y Holmes, caprichosamente, pero sin embargo con toda sinceridad, declaró que la mitad del tiempo, él hablaba para descubrir lo que pensaba. ¡Pero ese método no debe aplicarse en la plataforma!

Después de todo este enriquecimiento de la vida mediante el almacenamiento debe venir la preparación especial para el discurso particular. Este proceso es tan definido que se merece un tratamiento aparte en un capítulo más adelante.

La práctica

Pero la preparación también debe ser de otro tipo que la recolección, organización y conformación de materiales—debe incluir práctica, que, como la preparación mental, debe ser general y específica.

No te sientas sorprendido o desalentado si la práctica de los principios de presentación establecidos aquí parece retrasar tu fluidez. Por un tiempo, esto será inevitable. Mientras trabajas para la inflexión adecuada, por ejemplo, la inflexión se apoderará de tus primeros pensamientos, y el flujo de tu discurso, por el momento, será secundario. Esta advertencia, sin embargo, es estrictamente para el armario, para tu práctica en casa. No lleves ningún pensamiento de inflexión a la plataforma. Ahí debes pensar solo en tu tema. Existe una telepatía absoluta entre el público y el hablante. Si tus pensamientos se centran en tus gestos, los pensamientos del público también lo harán. Si tu interés se centra en la calidad de tu voz, ellos se enfocarán en eso en lugar de lo que dice tu voz.

Sin duda, te han recomendado que «te olvides de todo menos tu tema». Este consejo dice a veces demasiado o a veces muy poco. La verdad es que mientras estés sobre la plataforma, no debes olvidar muchas cosas que no están en tu tema, pero tampoco debes pensar en ellas. Tu atención debe dirigirse conscientemente solo a tu mensaje, pero inconscientemente estarás atendiendo a los puntos de la técnica que se han vuelto más o menos habituales mediante la práctica.

Un buen equilibrio entre estos dos tipos de atención es importante.

Es tan imposible escapar de esta ley como lo es vivir sin aire: Tus gestos sobre la plataforma, tu voz, tu inflexión, todo será tan bueno como tus hábitos de gesto, voz e inflexión—ni más ni menos. Hasta la idea misma de si estás hablando con fluidez o no tendrá el efecto de estropear la fluidez de tu habla.

Regresa al capítulo inicial, sobre la confianza en ti mismo, y nuevamente aplica sus preceptos en tu corazón. Por medio de las reglas, aprende a hablar sin pensar en reglas. No es—ni debería ser—necesario que te detengas a pensar cómo decir el alfabeto correctamente; de hecho, es un poco más difícil para ti repetir «Z, Y, X» que decir «X, Y, Z». El hábito ha establecido el orden. De la misma manera, debes dominar las leyes de la eficacia del habla hasta que hablar correctamente en lugar de hacerlo de otra manera sea algo instintivo para ti.

Un principiante del piano tiene un gran problema con la mecánica de tocar, pero a medida que pasa el tiempo, sus dedos se entrenan y casi instintivamente recorren las teclas correctamente. Como orador inexperto, al principio te resultará difícil poner en práctica los principios, ya que tendrás miedo, como el joven nadador, y harás algunos braceos crudos, pero si perseveras «ganarás».

Por lo tanto, para resumir, el vocabulario que has ampliado mediante el estudio, la facilidad de hablar que has desarrollado por la práctica, la economía de tu énfasis bien estudiado, todo esto vendrá a tu ayuda subconscientemente en la plataforma. Entonces los hábitos que has formado te ganarán una recompensa espléndida. La fluidez de tu discurso estará a la par de la velocidad de fluidez que tu práctica ha convertido en hábito.

Pero esto significa trabajo. ¿Qué buen hábito no lo implica? No se ha encontrado ninguna piedra filosofal que actúe como sustituto de la práctica laboriosa. Si fuera hallada, sería desechada, porque mataría a nuestra mayor alegría: el placer de la adquisición. Si hablar en público significa para ti una vida más plena, no conocerás mayor felicidad que un discurso bien hablado. Descubrirás que el tiempo que hayas dedicado a la recopilación de ideas y la práctica privada de hablar será ampliamente recompensado.

Capítulo 12

La voz

Oh, hay algo en esa voz que llega a
¡Lo más recóndito de mi espíritu!

—Longfellow, Christus

El crítico de drama del *The London Times* declaró una vez que el 90 por ciento de la actuación es trabajo de voz. Dejando el mensaje de lado, lo mismo se puede decir en cuanto a hablar en público. Una voz rica y correctamente utilizada es el mayor factor físico de persuasión y poder, a menudo superando los efectos de la razón.

Pero una buena voz, bien manejada, no solo es una posesión efectiva para el orador profesional, sino que también es una marca de cultura personal, e incluso un activo comercial distintivo. Gladstone, él mismo poseedor de una voz profunda y musical, dijo: «90 de cada 100 hombres en las profesiones abarrotadas probablemente nunca superarán la mediocridad, porque el entrenamiento de la voz está completamente descuidado y no se considera de importancia». Estas son palabras que valen la pena reflexionar.

Hay tres requisitos fundamentales para una buena voz:

1. Facilidad

El señor Bonci de la Metropolitan Opera Company dice que el secreto de una buena voz es la relajación; y esto es cierto, porque la relajación es la base de la facilidad. Las ondas de aire que producen la voz crean tonos diferentes al golpear contra músculos relajados y al golpear contra músculos contraídos. Prueba esto por ti mismo. Contrae los músculos de la cara y la garganta como lo harías con odio, y exclama: «¡Te odio!» Ahora relájate, como cuando piensas pensamientos tiernos y amables, y di: «Te amo». ¡Qué diferente suena la voz!

Al practicar ejercicios de voz y al hablar, nunca fuerce tus tonos. La facilidad debe ser tu lema. La voz es un instrumento delicado, y no debes manejarla con martillo y tenazas. No *empujes* a tu voz—*déjala* avanzar. No la trabajes. Deja que el yugo del discurso sea fácil y su carga ligera.

Tu garganta debe estar libre de tensión durante el habla, por lo tanto, es necesario evitar la contracción muscular. La garganta debe actuar como una especie de chimenea o embudo para la voz; por lo tanto, cualquier constricción no natural no solo dañará sus tonos, sino que afectará su salud.

El nerviosismo y la tensión mental son causas comunes de la constricción de la boca y la garganta, por lo tanto, realice la batalla por el equilibrio y la confianza en sí mismo por la que suplicamos en el capítulo inicial.

«Pero ¿*cómo* puedo relajarme?» te estarás preguntando. Al simplemente relajarte a fuerza de voluntad. Extiende tu brazo derecho desde tu hombro. Ahora, retira todo el poder y déjalo caer. Practica la relajación de los músculos de la garganta dejando caer el cuello y la cabeza hacia adelante. Rueda la parte superior de tu cuerpo alrededor, con la línea de la cintura actuando como un pivote. Deja que tu cabeza caiga y gire mientras mueves el torso a diferentes posiciones. No muevas tu cabeza a la fuerza: Simplemente relaja el cuello y deja que la gravedad lo mueva mientras tu cuerpo se mueve.

De nuevo, deja que tu cabeza caiga sobre tu pecho; levanta la cabeza, dejando que la mandíbula cuelgue. Relájate hasta que tu mandíbula se sienta pesada, como si fuera un peso colgando de tu cara.

Recuerda, debes relajar la mandíbula para obtener el control de esta. Debe ser libre y flexible para moldear el tono y dejar que el tono pase sin obstrucciones.

Los labios también deben ser flexibles, para ayudar en el moldeado de tonos claros y hermosos. Para la flexibilidad de los labios, repite las sílabas *mo-mi*. Al decir *mo*, levanta los labios para que se asemejen a la forma de la letra O. Al repetir *mi*, retráelos como lo harías con una sonrisa. Repite este ejercicio rápidamente, ejercitando a los labios lo más posible.

Prueba el siguiente ejercicio de la misma manera: Mo-I-O-I-U-A. Después de haber dominado este ejercicio, los siguientes también serán excelentes para la flexibilidad de los labios:

Memoriza estos *sonidos* de vocales y diptongos (no las *expresiones*) para que puedas repetirlos rápidamente.

A en Para	I en Tipo	OI en Oigo
AI en Aire	IA en Media	UA en Cuatro
AU en Autor	IE en Cien	UE en Bueno
E en Pera	IO en Precio	UO en Monstruo
EI en Seis	IU en Ciudad	
EU en Deuda	O en Como	

Toda la actividad de la respiración debe centrarse no en la garganta, sino en el medio del cuerpo—debes respirar desde el diafragma. Ten en cuenta la forma en que respiras cuando estás acostado boca arriba, desvestido en la cama. Observarás que toda la actividad se centra alrededor del diafragma. Este es el método natural y correcto para respirar. Con la vigilancia constante, haz que esta sea tu manera habitual, ya que te permitirá relajar más perfectamente los músculos de la garganta.

El siguiente requisito fundamental para una buena voz es:

2. Apertura

Si los músculos de la garganta están contraídos, el pasaje del tono parcialmente cerrado y la boca media cerrada, ¿cómo se puede esperar que el tono salga brillante y claro, o incluso que salga del todo? El sonido es una serie de ondas, y si haces de tu boca una prisión, sosteniendo las mandíbulas y los labios rígidamente, será muy difícil que el tono sea emitido, e incluso cuando logre escapar, le faltará fuerza y contundencia. Abre bien la boca, relaja todos los órganos del habla y deja que el tono fluya con facilidad.

Comienza a bostezar, pero en lugar de bostezar, habla mientras tu garganta está abierta. Haz que esta sensación de apertura sea habitual cuando hablas; decimos *haz* porque es una cuestión de resolución y de práctica—si tus órganos vocales están sanos. Tus pasajes de tono pueden estar parcialmente cerrados por amígdalas agrandadas, adenoides o huesos de cornete agrandados de la nariz. Si es así, se debe consultar a un médico calificado.

La nariz es un pasaje de tono importante y debe mantenerse abierta y libre para obtener tonos perfectos. Lo que llamamos «hablar por la nariz» no es hablar por la nariz, como puedes demostrar fácilmente al apretar tu nariz mientras hablas. Si sufres de tonos nasales causados por crecimientos o hinchazones en los conductos nasales, una operación leve e indolora eliminará la obstrucción. Esto es bastante importante, aparte de la voz, ya que la salud general se verá muy afectada si los pulmones carecen de aire continuamente.

El último requisito fundamental para una buena voz es:

3. Proyección hacia adelante

Una voz proyectada en el fondo de la garganta es oscura, sombría y poco atractiva. El tono debe ser proyectado hacia adelante, pero no lo fuerces hacia adelante. Recordarás que nuestro primer principio fue la facilidad. *Piensa* en proyectar el tono hacia adelante y hacia afuera. Cree que está avanzando, y permite que fluya fácilmente. Puedes saber si el tono está proyectándose hacia adelante o no al respirar profundo y cantar «*ah*» con la boca bien abierta, tratando de sentir las pequeñas y delicadas ondas de sonido golpeando el arco óseo de la boca, justo por encima de los dientes frontales. La sensación es tan leve que probablemente no podrás detectarla de inmediato, pero sigue perseverando en tu práctica, siempre pensando en proyectar el tono hacia adelante, y serás recompensado al sentir tu voz golpear el techo de tu boca. Una correcta colocación hacia adelante del tono eliminará los tonos oscuros y guturales que son tan desagradables, ineficaces y dañinos para la garganta.

Cierra los labios, tarareando *ing, im* o *an*. Piensa en proyectar el tono hacia adelante. ¿Lo sientes golpear los labios?

Pon la palma de tu mano frente a tu cara y de forma vigorosa di las palabras *choque, corre, gira, ruido.* ¿Puedes sentir los tonos proyectados hacia adelante golpear contra tu mano? Practica hasta que puedas sentirlos. Recuerda, la única manera de proyectar tu voz hacia adelante es colocarla adelante.

Cómo desarrollar el poder de la voz de oírse lejos

No es necesario hablar en voz alta para ser escuchado a distancia. Solo es necesario hablar correctamente.

La voz de Edith Wynne Matthison puede ser oída aun al susurrar a través de un gran teatro. El crujir de un papel sobre el escenario de un gran auditorio puede escucharse claramente hasta en el asiento más alejado de la galería. Si usas tu voz correctamente, no tendrás mucha dificultad para que te escuchen. Por supuesto, siempre es bueno proyectar tu discurso hacia la parte más lejana de tu audiencia; si ellos pueden escucharte, los que están más cerca no tendrán problemas, pero aparte de esta sugerencia obvia, debes observar estas leyes de la producción de la voz:

Recuerda aplicar los principios de facilidad, apertura y

proyección hacia adelante—son los factores principales que permiten que tu voz se escuche a distancia.

No mires el piso mientras hablas. Este hábito no solo le da al orador una apariencia poco profesional, sino que, si la cabeza cuelga hacia adelante, la voz se dirigirá hacia el suelo en lugar de flotar sobre la audiencia.

La voz es una serie de vibraciones de aire. Para fortalecerla, se necesitan dos cosas: más aire o aliento, y más vibración.

La respiración es la base misma de la voz. Como una bala con poca pólvora detrás no tendrá fuerza y poder de llegar lejos, asimismo la voz que tiene poco aliento detrás de ella será débil. La respiración profunda (respiración del diafragma) no solo le dará mejor apoyo a la voz, sino que le dará una resonancia más fuerte al mejorar la salud general.

Por lo general, la mala salud significa una voz débil, mientras que la vitalidad física abundante se muestra a través de una voz fuerte y vibrante. Por lo tanto, cualquier cosa que mejore la vitalidad general es un excelente reforzador de la voz, siempre y cuando utilices la voz correctamente.

Las autoridades difieren en la mayoría de las reglas de higiene, pero en un punto todos están de acuerdo: La respiración profunda aumenta la vitalidad y la longevidad. Practica esto hasta que se convierta en algo instintivo.

Siempre que hables, toma respiraciones profundas, pero de tal manera que las inhalaciones sean silenciosas.

No intentes hablar demasiado sin renovar la respiración. La naturaleza se preocupa por esto bastante bien inconscientemente en la conversación, y ella hará lo mismo por ti hablando en plataforma si no interfieres con sus premoniciones.

Un conferencista muy exitoso desarrolló el poder de su voz al correr a campo traviesa, practicando sus discursos a medida que avanzaba. El ejercicio vigoroso lo obligó a tomar respiraciones profundas, y desarrolló su poder pulmonar. Un juego de baloncesto o tenis luchado es una forma eficiente de practicar la respiración profunda. Cuando estos métodos no son convenientes, recomendamos lo siguiente:

- Coloca tus manos a tu lado, en la línea de la cintura.

- Al tratar de abarcar tu cintura con tus dedos y pulgares, expulsa todo el aire de los pulmones.

- Respira profundo. Recuerda, toda la actividad debe centrarse en el medio del cuerpo; no levantes los hombros. A medida que respiras, tus manos se verán obligadas a apartarse.

- Repite el ejercicio, colocando tus manos sobre la parte inferior de la espalda y obligándolas a moverse mientras inhalas.

- Muchos métodos para la respiración profunda han sido dados por varias autoridades. Lleva el aire a tus pulmones—eso es lo importante.

- El cuerpo actúa como una caja de resonancia para la voz, del mismo modo que el cuerpo del violín actúa como una caja de resonancia para sus tonos. Puedes aumentar sus vibraciones con la práctica.

- Coloca tu dedo sobre tu labio y tararea la escala musical, pensando y proyectando la voz hacia adelante en los labios. ¿Sientes que los labios vibran? Después de un poco de práctica vibrarán, dando una sensación de cosquilleo.

- Repite este ejercicio, proyectando el zumbido en la nariz. Mantén la parte superior de la nariz entre el pulgar y el índice. ¿Puedes sentir la nariz vibrar?

- Colocando la palma de tu mano encima de tu cabeza, repite este ejercicio de tarareo. Piensa en proyectar la voz allí mientras tarareas en tonos de cabeza. ¿Puedes sentir la vibración allí?

- Ahora coloca la palma de tu mano en la parte posterior de tu cabeza, repitiendo el proceso anterior. Luego inténtalo con el pecho. Recuerda siempre pensar en proyectar tu tono hacia donde deseas sentir las vibraciones. El solo hecho de pensar en cualquier parte de tu cuerpo tenderá a hacerlo vibrar.

- Repite lo siguiente, después de respirar profundo, esforzándote por sentir que todas las partes de tu cuerpo vibran al mismo tiempo. Cuando hayas alcanzado esto, descubrirás que es una sensación agradable.

   Mis compañeros joviales, ¡vengan!
   Jugaremos como hadas,
   Brincando bajo la alegre luz de la luna.

Pureza de voz

Esta cualidad a veces se destruye al desperdiciar el aliento. Controla la respiración cuidadosamente, usando solo la cantidad necesaria para producir el tono. Utiliza todo lo que emites. No hacer esto resultará en un tono susurrante. Toma aire y aliento generosamente; al hablar, suéltalo como un avaro.

Sugerencias para la voz

- Nunca intentes forzar tu voz cuando esté ronca.

- No bebas agua fría cuando estés hablando. Este cambio repentino a los órganos del habla cálidos dañará la voz.

- Evita usar tonos de voz demasiado altos—la harán áspera. Este es un error común. Cuando sientas que tu voz está en un tono demasiado alto, bájala. No esperes hasta que llegues a la plataforma para probar esto. Practícalo en tu conversación diaria. Repite el alfabeto, comenzando con A en la escala más baja posible y subiendo una nota en cada letra siguiente, para desarrollar el registro. Un registro de voz amplio te brindará la posibilidad de realizar numerosos cambios de tono.

- No te acostumbres a escuchar tu voz cuando hables. Necesitarás que tu cerebro piense sobre lo que estás diciendo; reserva tu observación para cuando estés practicando en privado.

Capítulo 13

El encanto de voz

Un temperamento alegre unido a la inocencia hará que la belleza sea atractiva, el conocimiento encantador y el ingenio amable.

—Joseph Addison, The Tattler (El delator)

Poe dijo que «el tono de la belleza es tristeza», pero evidentemente estaba pensando de causa a efecto, y no al revés, ya que la tristeza rara vez produce belleza—eso es peculiarmente una provincia de alegría.

La exquisita belleza de una puesta de sol no provoca entusiasmo, pero suele generar una especie de melancolía que no está lejos del placer. La belleza inquietante de la música profunda y tranquila tiene más que un matiz de tristeza. Las hermosas cadencias menores de la canción de un ave en el crepúsculo son casi deprimentes.

La razón por la cual somos afectados a sentir tristeza por ciertas formas de plácida belleza es doble: El movimiento es estimulante y produce placer, mientras que la quietud conduce a la reflexión, y la reflexión a su vez a menudo produce un tono de anhelo arrepentido por lo pasado. En segundo lugar, la belleza silenciosa produce una vaga aspiración de lo relativamente inalcanzable, pero no estimula el tremendo esfuerzo necesario para hacer que el débilmente deseado estado u objeto sea nuestro.

Debemos distinguir, por estas razones, entre la tristeza de la belleza y la alegría de la belleza. La verdadera alegría es algo interno y profundo. y abarca mucho más que la idea de espíritus alegres y optimistas, ya que incluye una cierta satisfacción activa del corazón. En este capítulo, sin embargo, la palabra tendrá su connotación optimista y exuberante; ahora estamos pensando en la alegría vívida, de ojos brillantes y risas.

Los tonos musicales y alegres constituyen el encanto de la voz, un magnetismo sutil que es deliciosamente contagioso. Al lector casual tal vez le pueda parecer que tomar la lanceta y cortar esta calidad de voz atractiva sería como diseccionar un ala de mariposa y así destruir su encanto. Sin embargo, ¿cómo podemos inducir un efecto si no estamos seguros de la causa?

Resonancia nasal produce los tonos de campana de la voz

Las fosas nasales deben mantenerse completamente libres para producir los tonos brillantes de la voz; después de nuestra advertencia en el capítulo anterior, no confundirás lo que popular y erróneamente se llama un tono «nasal» con la verdadera calidad nasal, que es tan bien ilustrada por el trabajo de voz de cantantes y oradores franceses entrenados.

Para desarrollar la resonancia nasal, canta lo siguiente, pasando el mayor tiempo posible en los sonidos «ng». Haz resonar la voz en la cavidad nasal. Practica tanto registros altos como bajos y desarrolla el registro de tu voz—*con brillo.*

Sing-song. Ding-dong. Hong-kong. Long-tong.

Practicar el falsete desarrolla una calidad brillante en la voz normal. Prueba decir la siguiente selección, y cualquier otra que elijas, en una voz de falsete. La voz en falsete de un hombre es extremadamente alta y femenina, por lo que los hombres no deben practicar en falsete después de que el ejercicio se vuelva cansador.

Ella despreció perfectamente a lo mejor de su clan,

*y declaró el noveno de cualquier hombre,
una fracción perfectamente vulgar.*

La actriz Mary Anderson le preguntó al poeta Longfellow qué podía hacer para mejorar su voz. Él le respondió: «Lee poesía lírica y alegre en voz alta diariamente».

Los tonos alegres son los tonos brillantes. Desarróllalos por medio del ejercicio. Practica tus ejercicios de voz en una actitud de alegría. Bajo la influencia del placer, el cuerpo se expande, los pasajes de tono se abren, la acción del corazón y los pulmones se acelera, y se establecen todas las condiciones principales para un buen tono.

Más canciones flotan desde las ventanas rotas de las cabañas del sur que desde las casas palaciegas de la Quinta Avenida. Henry Ward Beecher dijo que los días más felices de su vida no fueron cuando se convirtió en un personaje internacional, sino cuando era un ministro desconocido en Lawrenceville, Ohio, barriendo su propia iglesia y trabajando como carpintero para ayudar a pagar las cuentas.

La felicidad es en gran medida una actitud de la mente, de ver la vida desde el ángulo correcto. La actitud optimista se puede cultivar, y se expresará en el encanto de la voz. Recientemente, una compañía telefónica colocó este lema en sus cabinas telefónicas: «La voz con la sonrisa gana». Así es. Pruébalo.

Leer prosa alegre o poesía lírica te ayudará a poner la sonrisa y la alegría del alma en tu voz. Las siguientes selecciones son excelentes para la práctica.

Recuerda que cuando practiques estos clásicos por primera vez, debes dedicar tu atención exclusiva a dos cosas: una actitud alegre de corazón y cuerpo, y tonos de voz brillantes. Después de que hayas logrado esto a tu satisfacción, revisa cuidadosamente los principios de oratoria que fueron establecidos en los capítulos anteriores y ponlos en práctica al leer estos pasajes una y otra vez. Sería mejor que memorices cada una de estas selecciones.

SELECCIONES PARA LA PRÁCTICA

De «L'Allegro» de Milton

Apresúrate, ninfa, y trae contigo
Las bromas y el juvenil espíritu festivo,
Las burlas, las ocurrencias, las joviales tretas,
Las señas, los guiños y las amplias sonrisas,
Similares a las que rondan las mejillas de Hebe,
Y aman vivir en esos radiantes hoyuelos,—
La Diversión, que la arrugada Inquietud ridiculizó,
Y la Risa, que sus dos costados aguanta.
Ven y danza con agilidad mientras caminas
Sobre las ligeras y fantásticas puntas de tus pies;
Conduce contigo, tomada de tu mano derecha,
A esa ninfa de la montaña, la dulce Libertad:
Y si te rindo el honor debido,
Alegría, admíteme entre los tuyos,
Para vivir con ella y vivir contigo,
En placeres libres y permitidos;
Para oír a la alondra iniciar su vuelo,
Y sobresaltar a la noche con su canto
Desde su torre vigía en los cielos,
Hasta el despertar de la mañana moteada;
Y entonces levantarme, a pesar del dolor,
Y en mi ventana dar los buenos días,
A través de la zarza o la viña,
O la retorcida eglantina;
Mientras el gallo con su viva melodía
Disipa la retaguardia de la oscuridad,
Y en el almiar, o a la puerta del granero,
Robustamente ante sus damas se pavonea;
Escuchando a menudo cómo los sabuesos y el cuerno
Despiertan alegremente al dormido amanecer,
Desde la falda de alguna nevada colina,
Produciendo algunos ecos en los bosques;
A veces caminando, no sin ser visto,
Entre olmos y arbustos, en verdes montes,
Derecho hacia la puerta oriental,
Por donde el gran sol inicia su ceremonia,

Ataviado en llamas y luz ambarina,
Bajo nubes con mil libreas adornadas,
Mientras el arador, en las cercanías
Silba sobre la tierra surcada,
La joven lechera feliz canturrea,
El segador afila su guadaña
Y cada pastor una historia narra,
Bajo los majuelos en el valle.[3]

El mar

El mar, el mar, el mar abierto,
El azul, el fresco, de la fiebre libre;
Sin marca, sin límite,
Bordea las amplias regiones de la tierra;
Juega con las nubes, se burla de los cielos,
O yace como una criatura acunada.

Estoy en el mar, estoy en el mar,
Estoy donde estaría siempre,
Con el azul encima y el azul debajo,
Y silencio dondequiera que vaya.
Si una tormenta viniera y despertara la profundidad,
¿Qué importa? Yo seguiré y dormiré.

Me encanta, ¡oh! cómo me encanta navegar
Sobre la marea feroz y espumosa,
Donde cada onda rabiosa ahoga la luna,
Y silba su melodía de tempestad,
Y dice cómo va el mundo de abajo,
¡y por qué sopla el viento del sudoeste!

Nunca estuve en la orilla aburrida y domesticada
Sin que me encantara más y más el gran mar,
Y volando volví a su pecho ondulante,
Como un pájaro que busca el nido de su madre,—
Y una madre ella fue y lo es para mí,
Porque yo nací en el mar abierto.
Las olas eran blancas y rojas la mañana,

[3.] Traducción de E. Ehrendost.

En la hora ruidosa cuando nací;
La ballena silbó, la marsopa rodó,
Y los delfines desnudaron sus espaldas doradas;
Y nunca se escuchó un clamor tan salvaje,
Como la bienvenida a la vida al niño del océano.

He vivido, desde entonces, en calma y lucha,
Por cincuenta veranos la vida de un caminante,
Con riquezas para gastar y poder para deambular,
Pero nunca he buscado o suspirado por el cambio:
Y cuando venga a buscarme la parca,
¡Vendrá por el mar ancho e ilimitado!

—Barry Cornwall

El sol no brilla para unos pocos árboles y flores, sino para
la gran alegría del mundo entero. El pino solitario sobre la
cima de la montaña agita sus ramas sombrías, y grita: «Tú
eres mi sol». Y la pequeña violeta de la pradera levanta su
copa de azul y con su aliento perfumado susurra: «Tú eres
mi sol». Y el grano en miles de campos cruje en el viento
y responde: «Tú eres mi sol». Y así Dios, en su resplandor,
se sienta en el Cielo, no por unos pocos favorecidos, sino
por el universo de la vida; y no hay criatura tan pobre o
tan baja que no pueda levantar su vista con una confianza
infantil y decir: «¡Mi padre! Tú eres mío».

—Henry Ward Beecher

La alondra

Ave del desierto,
Alegre y libre de cargas,
Dulce sea tu balada sobre los páramos y prados!
Emblema de la felicidad,
Bendita es tu morada:
¡Oh, de poder vivir en el desierto contigo!

Salvaje es tu canto, y fuerte,
Lejos en la nube suave,—
El amor le da energía; el amor lo dio a luz.
¿Adónde, en tu ala húmeda,

106

Adónde estás viajando?
Tu canto está en el cielo; tu amor está en la tierra

Sobre colinas y manantiales brillantes,
Sobre páramos y montañas verdes,
Sobre la serpentina roja que anuncia el día;
Sobre la nubecilla sombría,
Sobre el borde del arco iris,
Querubín musical, elévate, cantando, ¡y ve!

Luego, cuando llegue el anochecer,
Debajo en los brezales florecientes,
¡Dulce será tu bienvenida y tu lecho de amor!
Emblema de la felicidad,
Bendita es tu morada.
¡Oh, de poder vivir en el desierto contigo!

—James Hogg

En la conversación alegre se realiza un toque elástico, un toque delicado, sobre las ideas centrales, generalmente después de una pausa. Este toque elástico le brinda vivacidad a la voz. Si lo intentas repetidamente, puedes percibirlo al sentir que la lengua toca contra los dientes. La completa ausencia de un toque elástico en la voz puede distinguirse en la lengua gruesa del hombre embriagado. Intenta hablar dejando tu lengua inmóvil en el fondo de tu boca, y obtendrás en gran medida el mismo efecto. La vivacidad de expresión se obtiene al usar la lengua para presentar la idea enfática con un toque decisivo y elástico.

Lee en voz alta la siguiente selección haciendo un hincapié decisivo en las ideas enfáticas. Léelo de manera vivaz, teniendo en cuenta la acción táctil elástica de la lengua. Una lengua flexible y que responde es absolutamente esencial para un buen trabajo de voz.

Del discurso de Napoleón al Directorio tras su regreso de Egipto

¿Qué han hecho con esa brillante Francia que les dejé? Los

dejé en paz y los encuentro en guerra. Los dejé victoriosos y los encuentro derrotados. Les dejé los millones de Italia, y solo encuentro la expoliación y la pobreza. ¿Qué han hecho con los cien mil franceses, mis compañeros en gloria? ¡Están muertos! ... Este estado de cosas no puede durar. Antes de tres años nos llevaría al despotismo.

Practica la siguiente selección para desarrollar el toque elástico; léela con un espíritu alegre, usando el ejercicio para desarrollar el encanto en el habla en todas las formas sugeridas.

El arroyo

Vengo de las guaridas de fochas y garzas,
Salgo repentinamente,
Y surjo a brillar entre el helecho,
Para bajar chirriando por un valle.

Por treinta colinas, bajo apresurado,
O me deslizo entre las crestas;
Por veinte aldeas, un pueblo pequeño,
Y medio centenar de puentes.

Hasta por fin fluir por la granja de Felipe,
Para unirme al río desbordante;
Porque los hombres pueden ir y venir,
Pero yo perduro para siempre.

Yo tarareo sobre senderos rocosos
En pequeñas notas graves y agudas,
Burbujeo al desembocarme en remolinos,
Balbuceo sobre los guijarros.

Con muchas curvas, mis orillas voy rozando,
Al lado de muchos campos y barbechos,
Y muchos cabos de hadas vestidos
De hierbas y malva.

Yo cotorreo, cotorreo, mientras fluyo
Para unirme al río desbordante;

Porque los hombres pueden ir y venir,
Pero yo perduro para siempre.

Voy serpenteando, entrando y saliendo,
Por aquí pasa una flor flotando,
Por aquí y por allá una trucha saludable,
Por aquí y por allá un tímalo,

Y por aquí y por allá un copo espumoso
Encima de mí, mientras viajo,
Con muchos aguaceros plateados
Por encima de la grava dorada,

Los arrastro a todos conmigo, y fluyo
Para unirme al río desbordante,
Porque los hombres pueden ir y venir,
Pero yo perduro para siempre.

Paso sigilosamente por jardines y terrenos yerbosos,
Me deslizo por arboledas de avellana,
Muevo las dulces nomeolvides
Que crecen para amantes felices.

Yo me escurro, deslizo, muevo entre sombras, rozo,
Entre mis golondrinas rasantes;
Hago bailar los rayos enredados del sol,
Contra mis bajíos arenosos,

Yo murmuro bajo la luna y las estrellas
En páramos salvajes,
Me entretengo en mis barras de arena,
Merodeo alrededor de mis berros;

Y de nuevo doy vueltas y fluyo
Para unirme al río desbordante;
Porque los hombres pueden ir y venir,
Pero yo perduro para siempre.

—Alfred Tennyson

Los niños que juegan en la calle, alegres con vitalidad física, muestran una resonancia y encanto en sus voces bastante diferentes al de las voces que flotan por los pasillos silenciosos de hospitales. Un médico hábil puede discernir mucho sobre el estado de su paciente con tan solo el simple sonido de su voz. La salud precaria, o incluso el cansancio físico, se manifiesta a través de la voz. Siempre es bueno descansar y renovarse por completo antes de tratar de presentar un discurso ante un público.

En cuanto a la salud, ni la dimensión del tema ni el espacio disponible aquí nos permiten discutir las leyes de la higiene. Hay muchos libros excelentes sobre este tema. Durante el reinado del emperador romano Tiberio, un senador le escribió a otro: «A buen entendedor, pocas palabras bastan».

«La vestimenta a menudo proclama al hombre»; la voz siempre lo hace—es uno de los mayores reveladores del carácter. La mujer superficial, el hombre bruto, el réprobo, y la persona refinada, a menudo revelan su naturaleza interna con la voz, ya que incluso el más astuto disimulador no puede evitar que sus tonos y cualidades se vean afectados por el más mínimo cambio de pensamiento o emoción. Con el enojo, la voz se eleva y se vuelve áspera y desagradable; en el amor, baja, suave y melodiosa. Las variaciones son tan ilimitadas como fascinantes de observar. Visita un teatro en alguna gran ciudad y escucha las voces ásperas de las coristas de alguna «atracción» burlesca. La explicación es simple—vidas ásperas.

Emerson dijo: «Cuando un hombre vive con Dios, su voz es tan dulce como el murmullo del arroyo o el susurro del maíz». Es imposible pensar en pensamientos egoístas y tener una personalidad atractiva, un carácter encantador, o una voz encantadora. Si quieres poseer encanto en tu voz, cultiva una profunda y sincera compasión por la humanidad. El amor brillará a través de tus ojos y se proclamará en tus tonos.

Un secreto de la dulzura de la canción del canario tal vez sea su carencia de pensamientos contaminados. Tu carácter embellece o estropea tu voz. Como un hombre piensa en su corazón, así es su voz.

Capítulo 14

Distinción y precisión del habla

En el hombre habla Dios
> —Hesiod, Words and Days (Palabras y días)

E interminables son los modos de hablar, y el campo de las palabras se extiende lejos de un lado a otro.
> —Homero, Ilíada

En el uso popular, los términos «pronunciación», «enunciación» y «articulación» son sinónimos, pero la pronunciación real incluye tres procesos distintos, y, por lo tanto, se puede definir como: *la pronunciación de una sílaba o un grupo de sílabas con respecto a la articulación, acentuación y enunciación.*

El enunciado nítido y preciso es una de las consideraciones más importantes del discurso público. ¡Qué absurdo es escuchar a un orador emitir sonidos de «inarticulada sinceridad», contento al engañarse de que le está contando algo a su audiencia! ¿Contando? Contar significa comunicarse, y ¿cómo puede realmente comunicarse sin distinguir cada palabra?

La pronunciación desaliñada es producto de la deformidad física o el hábito. Un cirujano o un dentista puede corregir una deformidad, pero es tu propia voluntad, trabajando a través de la autoobservación y determinación en cuanto al ejercicio, la que romperá el hábito. Todo depende de si crees que vale la pena.

El habla defectuosa está tan difundida que ser libre de ella es

111

la excepción. Es dolorosamente común escuchar a los oradores públicos mutilar el idioma español. Si de hecho no lo asesinan, como algunos han dicho, a menudo lo noquean y lo hieren.

Un clérigo canadiense, escribiendo en la *Homiletic Review,* relata que, en sus años como estudiante, un compañero de clase inglés pastoreó una iglesia rural por un domingo. El lunes siguiente dirigió una reunión misionera. Durante su discurso, dijo que algunos granjeros pensaban que estaban cumpliendo con su deber hacia las misiones al dar los desechos de su cosecha para la obra, pero el Señor requería más. Al final de la reunión, una joven le dijo seriamente a un amigo: «Estoy segura de que a los granjeros les estará yendo bien si están desechando sus cosechas para las misiones. La mayoría de la gente no puede darse ese gusto».

Es un descaro insufrible que cualquiera se presente ante un público y persista en no pronunciar la vocal final en palabras como casado, tirado y comprado.

Aquel que no muestra suficiente autoconocimiento para ver en sí mismo esas flagrantes fallas, ni suficiente autodominio para corregirlas, no tiene nada que ofrecer para instruir a los demás. Si no *puede* hacerlo mejor, debería callar. Si no *está dispuesto* a hacerlo mejor, también debería callar.

Exceptuando los defectos físicos incurables—y pocos son incurables en la actualidad—es toda una cuestión de voluntad. El catálogo de aquellos que han hecho lo imposible por medio del trabajo fiel es tan inspirador como una lista de guerreros. «Cuanto menos hay de ti», dice Nathan Sheppard, «más necesidad tienes de aprovechar al máximo lo que hay de ti».

Articulación

La articulación es la formación y unión de los sonidos elementales del habla. Parece una tarea espantosa pronunciar articuladamente el tercio de millón de palabras que conforman nuestro vocabulario español, pero la manera de comenzar a hacerlo es realmente simple: *Aprender a pronunciar correctamente, y con un cambio fácil de uno al otro, cada uno de los veinticuatro sonidos elementales en nuestro idioma.*

Las razones por las que la articulación es arrastrada tan dolorosamente por muchos oradores públicos son cuatro: ignorancia de los sonidos elementales; el no discriminar entre sonidos casi iguales; el uso descuidado y perezoso de los órganos vocales; y una voluntad letárgica. Cualquiera que todavía sea dueño de sí mismo sabrá cómo manejar cada uno de estos defectos.

Los sonidos vocálicos son la fuente más molesta de errores, especialmente cuando se encuentran diptongos. ¿A quién no le daría gracia los errores chistosos en el siguiente verso inimitable de Pablo Parellada y Molas?

> *¿Me quieren decir por qué,*
> *En tamaño y en esencia,*
> *Hay esa gran diferencia entre un buque y un buqué?*
> *¿Por el acento?*
> *Pues yo, por esa insignificancia,*
> *No concibo la distancia de presidio a presidió,*
> *Ni de tomas a Tomás,*
> *Ni de topo al que topó,*
> *De un paleto a un paletó,*
> *Ni de colas a Colás.*
> *Mas dejemos el acento,*
> *Que convierte, como ves,*
> *Las ingles en un inglés,*
> *y pasemos a otro cuento.*

La mala articulación es a menudo el resultado de unir sonidos que no pertenecen juntos. Por ejemplo, a nadie le resulta difícil decir «llamada», pero muchos persisten en pronunciar «almohada» como si se escribiera «almuada». No solo los hablantes incultos hacen descuidos como decir «haiga» en vez de «haya», y «veniste» en vez de «viniste», sino que hasta los grandes oradores ocasionalmente cometen errores groseros tan desvergonzadamente como los seres más comunes.

Casi todos estos son errores de descuido, no de pura ignorancia—de descuido, porque el oído nunca trata de escuchar lo que articulan los labios. Debe ser exasperante para un extranjero descubrir que el sonido elemental *r* no le ofrece ninguna pista sobre la pronunciación de «raro», «terrestre», «ferrocarril», «ronronear» y «refrigerador»; es más, podemos perdonar una persona culta que ocasionalmente pierde el rumbo en medio de las complejidades de la articulación española, pero no puede haber excusa para la pronunciación descuidada de los sonidos vocálicos simples que forman a la vez la vida y la belleza de nuestro lenguaje. El que es demasiado perezoso para hablar con claridad debería callar.

Los sonidos de las consonantes ocasionan graves problemas solo para aquellos que no tienen cuidado con la ortografía de las palabras que van a pronunciar. Solo el descuido puede explicar que alguien diga «*Jacopo*», «*Babtista*», «*siefe*», «*sempre*» o «*satisfacher*».

Acentuación

La acentuación es el énfasis de las sílabas adecuadas en las palabras. Esto es lo que popularmente se llama *pronunciación*. Por ejemplo, decimos correctamente que una palabra se pronuncia mal cuando se acentúa «*carácter*» en lugar de «*carácter*», aunque en realidad es una ofensa contra una sola forma de pronunciación—la acentuación.

Aprender los acentos de un vocabulario amplio y mantenerse al día con el uso cambiante es un trabajo de toda la vida, pero un oído atento, el estudio de los orígenes de las palabras y el hábito de usar el diccionario demostrarán ser poderosos ayudas en una tarea que nunca podrá completarse.

Enunciación

La enunciación correcta es la expresión completa de todos los sonidos de una sílaba o una palabra. La articulación incorrecta da el sonido incorrecto a la vocal o las vocales de una palabra o una sílaba, como «apretó» en vez de «aprieto»; o une dos sonidos incorrectamente, como «cansao» en lugar de «cansado». La enunciación incorrecta es la pronunciación incompleta de una sílaba o una palabra, y el sonido omitido o agregado suele ser consonante. Decir «nedcesidad» en lugar de «necesidad» es una articulación errónea; decir «vamo» en lugar de «vamos» es una enunciación incorrecta. Uno articula—o sea, une—dos sonidos que no deberían unirse, y por lo tanto da a la palabra un sonido positivamente incorrecto; el otro no incluye todos los sonidos de la palabra, y *de esa manera particular* también hace sonar incorrectamente la palabra.

«Mis lectura la podrán encontrá en los versículo cinco y sei del capítulo doj de Tito; y el tema de mi sermón es "Gobernando nuestras casa"».

¿Qué hizo este predicador con sus consonantes finales? Esta caída descuidada de sonidos esenciales es tan ofensiva como el hábito común de arrastrar y juntar palabras de tal modo que pierden su individualidad y distinción. *Anteyer, antiojos, sasque y pa'trás* son términos que son demasiado comunes como para meritar comentarios.

La enunciación imperfecta se debe a la falta de atención y a los labios perezosos. Se puede corregir atendiendo resueltamente a la formación de sílabas a medida que se pronuncian. Los labios flexibles enunciarán combinaciones difíciles de sonidos sin menospreciar a ninguno de ellos, pero tal flexibilidad no puede lograrse excepto al pronunciar habitualmente palabras con distinción y precisión. Un ejercicio diario de enunciación de una serie de sonidos proporcionará en poco tiempo flexibilidad a los labios y atención a la mente, de modo que no se pronuncie ninguna palabra sin recibir el debido complemento de sonido.

Volviendo a nuestra definición, vemos que cuando los sonidos de una palabra se articulan correctamente y se acentúan las sílabas correctas y se valora completamente cada sonido en su enunciación, tenemos la pronunciación correcta. Tal vez se necesita una palabra de advertencia aquí, para que nadie, ansioso por sacar a relucir con claridad cada sonido, lo exagere y descuide la unidad y suavidad de la pronunciación. Ten cuidado de no asignarle tanta prominencia a las sílabas como para hacer que las palabras parezcan largas y angulosas. Las articulaciones deben mantenerse decentemente vestidas.

Antes de presentar tu discurso, no dejes de revisar tu manuscrito y ten en cuenta cada sonido que pueda ser mal pronunciado. Consulta el diccionario y asegúrate de que esté todo bien. Si el orden de las palabras no favorece una enunciación clara, cambia las palabras o el orden de las mismas, y no descanses hasta poder seguir las indicaciones de Hamlet para los actores. (pág. 37)

Capítulo 15

La verdad sobre el gesto

Cuando Whitefield actuó como un ciego anciano, avanzando lentamente hacia el borde del precipicio, Lord Chesterfield se puso de pie y exclamó: «¡Dios mío, va a perecer!».
—Nathan Sheppard, *Before an Audience (Ante una audiencia)*

El gesto es realmente un tema simple que requiere observación y sentido común en lugar de un libro de reglas. Un gesto es una expresión externa de una condición interna. Es simplemente un efecto—el efecto de un impulso mental o emocional luchando por expresarse a través de vías físicas.

Sin embargo, no debes comenzar del lado equivocado: Si te preocupan tus gestos o la falta de gestos, presta atención a la causa, no al efecto. No te ayudará en lo más mínimo agregar algunos movimientos mecánicos a tu discurso. Si el árbol en tu jardín no está creciendo como a ti te gustaría, fertiliza y riega la tierra y deja que el árbol reciba luz del sol. Obviamente, clavarle algunas ramas adicionales a tu árbol no lo ayudará. Si tu tanque de agua está seco, espera hasta que llueva, o excava un pozo. ¿Por qué sumergir una bomba de agua en un pozo seco?

El orador cuyos pensamientos y emociones fluyen dentro de él como un manantial de montaña no tendrá muchos problemas para hacer gestos; será solo una cuestión de dirigirlos adecuadamente. Si su entusiasmo por su tema no es tal que le dé un impulso natural para la acción dramática, no servirá de nada proporcionarle una larga lista de reglas. Puede añadir algunos movimientos, pero se verán como las ramas marchitas clavadas a un árbol para simular la vida.

Los gestos deben nacer, no construirse. Un caballo de madera puede divertir a los niños, pero se necesita uno vivo para ir a algún lado.

No solo es imposible establecer reglas definitivas sobre este tema, sino que sería una tontería intentarlo, ya que todo depende del discurso, la ocasión, la personalidad y los sentimientos del hablante, y la actitud de la audiencia.

Es bastante fácil pronosticar el resultado de multiplicar siete por seis, pero es imposible decirle a un hombre qué tipo de gestos se verá obligado a utilizar cuando quiera mostrar su seriedad. Podemos decirle que muchos oradores cierran la mano, con la excepción del dedo índice, y señalando con el dedo directamente a la audiencia, expresan sus pensamientos como una descarga; o que otros zapatean un pie para enfatizar; o que el Sr. Bryan a menudo palmea sus manos con gran fuerza, sosteniendo una palma hacia arriba de una manera fácil; o que Gladstone algunas veces corría hacia la mesa del secretario del Parlamento y la golpeaba con la mano con tanta fuerza que Disraeli una vez hizo poner de pie a todo los miembros tras felicitarse sombríamente de que tal barrera se interponía entre él y «el honorable caballero».

Podemos contarle al orador todas estas cosas, y muchas más, pero no podemos saber si él puede usar estos gestos o no, del mismo modo que no podemos decidir si puede vestir la ropa del Sr. Bryan. Lo mejor que se puede hacer sobre este tema es ofrecer algunas sugerencias prácticas y dejar que el buen gusto personal decida dónde termina la acción dramática efectiva y dónde comienza el movimiento extravagante.

Cualquier gesto que solo llama atención a sí mismo es malo

El propósito de un gesto es transmitir tu pensamiento y sentimiento a las mentes y corazones de tus oyentes; esto lo hace enfatizando tu mensaje, interpretándolo, expresándolo en acción, marcando un tono por medio de un gesto físicamente descriptivo, sugerente o típico. Debemos recordar en todo momento que los gestos incluyen *todo* movimiento físico, desde la expresión facial y el movimiento de la cabeza hasta los movimientos expresivos de manos y pies. Un cambio de postura puede ser un gesto muy efectivo.

Lo que es cierto con respecto al gesto es cierto con respecto a toda la vida. Si la gente en la calle se da vuelta y observa tu forma de caminar, tu forma de caminar es más importante que tú—cámbiala. Si tus gestos llaman la atención de tu audiencia, no son convincentes, porque *parecen* ser estudiados—y es dudoso que tengan el derecho de serlo en realidad. ¿Alguna vez has visto a un orador usar gesticulaciones tan grotescas que quedaste fascinado con su frenesí extraño, pero no podías seguir su pensamiento?

No sofoques las ideas con gimnasia. Savonarola bajaba del púlpito con prisa y se entremezclaba con la congregación en el *Duomo* de Florencia y transmitía el fuego de convicción a sus oyentes; Billy Sunday se desliza a la base sobre la alfombra de la plataforma para dramatizar una de sus ilustraciones de béisbol. Sin embargo, en ambos casos, el mensaje de alguna manera ha sobresalido más que el gesto—es principalmente en la contemplación posterior que la gente recuerda la *forma* de expresión dramática. Cuando Sir Henry Irving hizo su famosa salida como «Shylock», lo último que el público vio fue su mano pálida, avara, y delgada, extendida como una garra contra el fondo. En ese momento, todos estaban abrumados por la tremenda calidad típica de este gesto; ahora, tenemos tiempo para pensar en su arte y discutir su poder realista.

Es solo cuando el gesto está subordinado a la importancia absorbente de la idea—una expresión viva y espontánea de la verdad viviente—que es justificable en lo absoluto; y cuando se lo recuerda por sí mismo—como una energía física inusual o como un poema de gracia—es un total fracaso como expresión dramática. Hay un lugar correcto para un estilo único de caminar—es el circo o el baile; hay un lugar para evoluciones sorprendentemente rítmicas de brazos y piernas—es en la pista de baile o en el escenario. No dejes que tu agilidad y gracia comprometan a tus pensamientos.

Uno de los escritores de este libro recibió sus primeras lecciones sobre el gesto de cierto presidente universitario que sabía mucho más sobre lo que había pasado en la Dieta de Worms que sobre cómo expresarse mediante la acción. Sus instrucciones eran comenzar el movimiento de la mano sobre una palabra determinada, continuarlo en una curva precisa y desplegar los dedos en la conclusión, terminando con el dedo índice—exactamente así. Mucho, y más que suficiente, se ha publicado sobre este tema, dando instrucciones así de tontas.

El gesto es una cuestión de mentalidad y sentimiento, no una cuestión de geometría. Recuerda que cuando un par de zapatos, un método de pronunciación o un gesto llaman la atención sobre sí mismos, eso es malo. Cuando hayas hecho gestos realmente buenos en un buen discurso, tus oyentes no se irán diciendo: «¡Qué hermosos gestos hizo!». Al contrario, dirán: «Voy a votar por esa medida»; «Tiene razón, yo creo en eso».

Los gestos deben nacer del momento

Los mejores actores y oradores públicos rara vez saben de antemano qué gestos van a hacer. Hacen un gesto con ciertas palabras esta noche, y ningún gesto mañana por la noche en el mismo punto; sus diferentes estados de ánimo e interpretaciones gobiernan sus gestos. Con ellos, todo es una cuestión de impulso y sentimiento inteligente—no pases por alto esa palabra: *inteligente*. La naturaleza no siempre provee el mismo tipo de puestas de sol o copos de nieve, y los movimientos de un buen orador varían casi tanto como las creaciones de la naturaleza.

Ahora todo esto no quiere decir que no debes pensar en tus gestos. Si eso fuera así, ¿qué razón habría para este capítulo? Cuando un sargento le suplicó con desesperación al recluta en el pelotón incómodo que saliera y se mirara, le dio un consejo espléndido—y digno de aplicación personal. Debes aprender a criticar sus propios gestos, particularmente mientras estás aprendiendo a hablar en público. Recuérdalos, observa dónde fueron inútiles, toscos, torpes, etc., y hazlo mejor la próxima vez. Existe una gran diferencia entre estar consciente de uno mismo y tener vergüenza.

Esto requerirá de tu talento refinado para cultivar gestos espontáneos y aún prestar la debida atención a la práctica. Aunque dependes del momento, es vital recordar que solo un genio dramático puede realizar efectivamente tales hazañas como las que hemos relatado de Whitefield, Savonarola y otros. Y sin duda, la primera vez que estos las utilizaron fue durante un estallido de sentimiento espontáneo; sin embargo, Whitefield declaró que solo perfeccionó la presentación de un sermón después de haberlo predicado cuarenta veces.

Permite que la práctica complete lo que la espontaneidad ha iniciado. Cada orador efectivo y cada actor vivaz ha observado, considerado y practicado el gesto hasta que sus acciones dramáticas se convirtieron en una posesión subconsciente, igual que su capacidad para pronunciar correctamente sin concentrarse específicamente en su pensamiento.

Cada persona que es hábil sobre una plataforma se ha dotado con una docena de maneras en las que puede representar cualquier emoción con gestos; de hecho, los medios para tal expresión son infinitos. Es más, esta es precisamente la razón por la cual es inútil y dañino hacer una tabla de gestos y usarlos como normas de lo que se puede usar para expresar tal y tal sentimiento. Practica los movimientos descriptivos, sugestivos y típicos hasta que lleguen tan naturalmente como una buena articulación, y no trates de imaginar los gestos que probablemente usarás en un momento dado: Deja algo para ese momento.

Evita la monotonía en el gesto

La carne asada es un plato excelente, pero sería terrible como una dieta exclusiva. No importa cuán efectivo sea un gesto, no abuses de él. Pon variedad en tus acciones. La monotonía destruirá toda belleza y poder. Simular una bomba de agua es un gesto efectivo, y es muy elocuente en los días calurosos, pero tiene sus limitaciones.

Cualquier movimiento que no es significativo, debilita

No olvides eso. La inquietud no es expresión. Una gran cantidad de movimientos inútiles solo alejarán la atención de la audiencia de lo que estás diciendo. Recientemente, un hombre muy conocido presentó a un orador especial un domingo ante un público de New York. Lo único que se recuerda de ese discurso introductorio es que el hombre jugó nerviosamente con el mantel que cubría la mesa mientras hablaba. Los objetos en movimiento naturalmente atraen nuestra atención. Un conserje que cierra una ventana puede llamar la atención de los oyentes del Sr. Roosevelt. Al hacer algunos movimientos a un lado del escenario, una corista puede atraer el interés de espectadores que están presenciando una gran escena entre los actores principales.

Cuando nuestros antepasados vivían en cuevas, tenían que enfocarse en los objetos en movimiento, ya que el movimiento significaba peligro. Todavía no hemos superado el hábito. Los que producen publicidades lo han aprovechado; basta con observar los letreros iluminados en movimiento en cualquier ciudad. Un orador astuto respetará esta ley y conservará la atención de su audiencia al eliminar todo movimiento innecesario.

El gesto debe ser simultáneo con o preceder las palabras— no seguirlas

Lady Macbeth dijo: «Da la bienvenida con tus ojos, tu mano, tu lengua». Invierte el orden de las acciones y el resultado será cómico. Di: «Ahí va», señalándolo después de que hayas terminado tus palabras, y fíjate si el resultado no es cómico.

No hagas movimientos breves y bruscos

Algunos oradores parecen estar imitando a un camarero que no ha recibido una propina. Deja que tus movimientos sean sencillos y que, por lo general, comiencen desde el hombro, en vez del codo. Pero no vayas al otro extremo y hagas demasiados movimientos fluidos—eso insinúa indolencia.

Pon un poco de «golpe» y vida en tus gestos. Sin embargo, no puedes hacer esto mecánicamente. La audiencia lo detectará si lo haces. Es posible que no sepan exactamente qué es lo que está mal, pero tus gestos parecerán falsos.

La expresión facial es importante

¿Alguna vez te has detenido frente a un teatro de Broadway y has mirado las fotos del elenco? Presta atención a la fila de coristas que se supone que están expresando miedo. Sus actitudes son tan mecánicas que el intento es ridículo. Observa la imagen de la «estrella» que expresa la misma emoción: hay tensión en sus músculos, sus cejas están levantadas, se encoge y el miedo brilla a través de sus ojos. Ese actor *sintió* miedo cuando se tomó la fotografía. Las coristas sintieron que era hora de comer un sándwich, y por ende expresaron más esa emoción que la de un temor verdadero. Por cierto, esa es una de las razones por las que *permanecen* en el coro.

Los movimientos de los músculos faciales pueden significar mucho más que los movimientos de la mano. El hombre que se sienta en el suelo abatido y con una expresión de desesperación en su rostro está expresando sus pensamientos y sentimientos con la misma eficacia que el hombre que sacude sus brazos y grita desde la parte trasera de un vagón. El ojo ha sido llamado la ventana del alma. A través de él brilla la luz de nuestros pensamientos y sentimientos.

No uses demasiados gestos

De hecho, en las grandes crisis de la vida, no gesticulamos mucho. Cuando muere tu amigo más íntimo, no levantas las manos y hablas acerca de tu dolor. Es más probable que te sientes y agonices en silencio y sin lágrimas. El río Hudson no hace mucho ruido en su camino hacia el mar—no hace ni la mitad del ruido producido por el pequeño arroyo en Bronx Park que una rana podría cruzar en un salto. El perro que ladra nunca te rompe los pantalones—al menos eso dice la gente. No le temas al hombre que sacude sus brazos y grita con ira, pero el hombre que se te acerca silenciosamente con ojos en llamas y con cara ardiente puede derribarte. El alboroto no es fuerza. Observa estos principios en la naturaleza y practícalos en tu habla.

El escritor de este capítulo observó una vez a un instructor que estaba entrenando una clase de gesto. Habían llegado al pasaje de *Enrique VIII* en el que el cardenal humillado dice: «Adiós, un largo adiós a toda mi grandeza». Es uno de los pasajes más patéticos de la literatura. Un hombre que expresara tal sentimiento sería aplastado, y lo último que haría en la tierra sería hacer movimientos extravagantes. Sin embargo, esta clase tenía un manual de elocución que les recetaba un gesto apropiado para cada ocasión, desde pagar la factura del gas hasta la despedida final en el lecho de la muerte. Por lo tanto, se les ordenó que extendieran sus brazos hacia cada lado y dijeran: «Adiós, un largo adiós a toda mi grandeza». Tal gesto posiblemente podría usarse en un discurso después de la cena en una convención de alguna compañía telefónica, cuyas líneas se extendían desde el Atlántico hasta el Pacífico, pero pensar que Wolsey usaría ese movimiento indicaría que su destino era justo.

Postura

La actitud física que se debe tomar ante la audiencia de hecho está incluida en el gesto. Cómo debería ser esa actitud depende no de las reglas, sino del espíritu del discurso y la ocasión.

El senador La Follette pasó tres horas apoyando su peso sobre el pie delantero mientras se inclinaba sobre las candilejas, pasándose los dedos por el pelo y lanzando una denuncia contra los fideicomisos. Fue muy efectivo. Pero imagínese a un orador que adopta ese tipo de posición para dar un discurso sobre el desarrollo de la maquinaria de construcción vial. Si tienes un mensaje ardiente y agresivo y te dejas llevar, la naturaleza naturalmente te hará inclinar tu peso hacia adelante. Un hombre en una discusión política intensa o una pelea callejera nunca tiene que parar para pensar sobre cuál pie debe arrojar su peso. A veces puedes colocar tu peso sobre tu pie trasero si tienes un mensaje tranquilo—

pero no te preocupes: simplemente párate como un hombre que realmente siente lo que está diciendo. No te pares con los talones muy juntos, como un soldado o un mayordomo. Tampoco debes pararte con las piernas separadas como un policía de tránsito. Usa buenos modales y sentido común.

Aquí una palabra de precaución es necesaria. Te hemos aconsejado que permitas que tus gestos y posturas sean espontáneas y no estén preparadas y estudiadas de antemano, pero no vayas al extremo de ignorar la importancia de adquirir dominio sobre tus movimientos físicos. Es más probable que una mano muscular hecha flexible por movimiento libre sea un instrumento más efectivo en el gesto que un manojo de dedos rígidos y rechonchos. Si tus hombros se mueven con facilidad, mientras que tu pecho sigue alineado con tu barbilla, tus posibilidades de poder usar buenos gestos extemporáneos son mucho mejores. Aprende a mantener tu nuca en contacto con el cuello de tu camisa, mantener tu pecho en alto y estrechar la medida de tu cintura.

Prestarle atención a la fuerza, equilibrio, flexibilidad y gracia del cuerpo son los fundamentos del buen gesto, ya que son expresiones de vitalidad, y sin vitalidad, ningún hablante puede entrar en el reino del poder.

Cuando un gigante incómodo como Abraham Lincoln se elevó a las alturas más sublimes de la oratoria, lo hizo debido a la grandeza de su alma—su misma robustez de espíritu y honestidad natural se expresaron correctamente en su cuerpo retorcido. El fuego de su carácter, su seriedad y su mensaje se apoderó de sus oyentes cuando las tibias palabras de un Apolo insincero no hubieran dejado ningún efecto. Pero asegúrate de que eres un segundo Lincoln antes de menospreciar la desventaja de la incomodidad física.

«Ty» Cobb le ha revelado al público que cuando está pasando por una mala racha con su bateo, él incluso se para frente a un espejo, con bate en mano, para observar su «swing» y su «acompañamiento» en su forma de bateo. Si deseas aprender a pararte bien frente a una audiencia, mírate en un espejo—pero no con demasiada frecuencia. Practica caminar y pararte frente al espejo para conquistar la torpeza—no para cultivar una pose. Párate sobre la plataforma de la misma manera casual que usarías antes invitados en el salón de tu hogar. Si tu postura no es elegante, hazla elegante mediante el baile, el trabajo en el gimnasio y *teniendo en mente la elegancia y el equilibrio.*

No mantengas la misma postura continuamente. Cualquier gran cambio de pensamiento requiere un cambio de postura. Siéntate en casa. No hay reglas; todo es cuestión de gusto. Mientras estés en la plataforma, olvida que tienes manos hasta que desees usarlas; luego recuérdalas de manera efectiva. La gravedad se encargará de ellas. Por supuesto, si quieres ponerlas detrás tuyo o doblar tus brazos de vez en cuando, eso no va a arruinar tu discurso. El pensamiento y el sentimiento son lo importante cuando se trata de hablar—no la posición de un pie o una mano. Simplemente *ubica* tus extremidades donde tú quieres que estén—tu tienes una voluntad, así que no te olvides de usarla.

Reiteremos, no menosprecies la práctica. Tus gestos y movimientos pueden ser espontáneos y aún así estar equivocados. No importa cuán naturales sean; siempre es posible mejorarlos.

Es imposible para cualquier persona—incluso tú mismo—criticar tus gestos antes de hacerlos. No puedes podar un duraznero sin que este primero crezca; por lo tanto, habla mucho y observa tu propio discurso. Mientras te estás examinando, no te olvides de estudiar estatuas y pinturas para ver cómo los grandes retratistas de la naturaleza han hecho que sus sujetos expresen ideas a través de la acción. Observa los gestos de los mejores oradores y actores. Observa la expresión física de la vida en todas partes. Las hojas del árbol responden a la más leve brisa. Los músculos de tu rostro, la luz de tus ojos, deberían responder al más mínimo cambio de sentimiento. Emerson dice: «Cada hombre que conozco es superior a mí de alguna manera. En eso aprendo de él». La gente analfabeta hace gestos tan maravillosos y hermosos que hasta Booth o Barrett podrían haberse sentado a sus pies y haber sido instruidos. Abre tus ojos.

Emerson dice nuevamente: «Estamos inmersos en la belleza, pero nuestros ojos carecen de visión clara».

Echa este libro a un lado; sal a la calle y observa a un niño suplicarle a otro por un bocado de manzana; mira una pelea callejera; observa la vida en acción. ¿Quieres saber cómo expresar victoria? Mire las manos de los vencedores en la noche de las elecciones. ¿Quieres abogar una causa? Haz un fotomontaje de toda la gente suplicante que ves constantemente en tu vida diaria. Haz lo que sea necesario para conseguir lo mejor que puedas, *pero no lo copies*. Asimílalo hasta que se convierta en parte de ti—luego deja que la expresión salga.

Capítulo 16

Métodos de presentación oral

La coronación, la consumación del discurso es su presentación. Hacia ella mira toda la preparación, por ella espera la audiencia, por ella el orador es juzgado ... Todas las fuerzas de la vida del orador convergen en su oratoria. La agudeza lógica con la que organiza los hechos en torno a su tema, la facilidad retórica con la que ordena su lenguaje, el control que ha desarrollado sobre su cuerpo como único órgano de expresión, toda la riqueza de adquisición y experiencia que son suyos—estos todos son ahora incidentes; el hecho es la transmisión de su mensaje a sus oyentes.... La hora de presentar el discurso es la «hora suprema e inevitable» para el orador. Es este hecho el que hace que la falta de preparación adecuada sea una impertinencia. Y es esto lo que transmite tanta emoción de gozo indescriptible a través de todo el ser del orador cuando ha logrado un éxito—es como la madre que olvida sus dolores por la alegría de traer un hijo al mundo.
—J.B.E., *How to Attract and Hold an Audience (Cómo atraer y retener la atención de una audiencia)*

Hay cuatro métodos fundamentales para presentar un discurso; todos los demás son modificaciones de uno o más de estos: leer de un manuscrito, memorizar el discurso escrito y hablar de memoria, hablar a partir de notas y hablar extemporáneamente. Es imposible decir cuál forma de presentar es mejor para todos los oradores en todas las circunstancias; cuando te toque decidir, debes considerar la ocasión, la naturaleza de la audiencia, el carácter de tu tema y tus propias limitaciones en cuanto a tiempo y capacidad. Sin embargo, vale la pena advertirte que no seas indulgente en la autoevaluación. Repite esto con valentía: Lo que otros pueden hacer, yo puedo intentar. Un espíritu audaz conquista donde otros se estremecen, y una tarea difícil desafía al coraje.

Leer de un manuscrito

Este método realmente merece poca atención en un libro sobre la oratoria, ya que, por más que puedes engañarte, la lectura pública no es lo mismo que la oratoria.

Sin embargo, hay tantos que se apoyan en esta rama precaria que aquí debemos cubrir el «discurso leído»—por más penosa y equivocada que pueda resultar esta combinación de palabras.

Ciertamente hay ocasiones—entre ellas, la apertura del Congreso, la presentación de una cuestión dolorosa ante un cuerpo deliberativo o una conmemoración histórica—cuando puede parecerle no solo al «orador», sino también a todos los interesados que la cuestión principal es poder expresar ciertos pensamientos con un lenguaje preciso—un lenguaje que no debe malinterpretarse o citarse incorrectamente.

En tales ocasiones, la oratoria es relegada a un segundo plano, el manuscrito es solemnemente retirado del bolsillo interior del traje nuevo, y todos se sientan resignadamente, con solo una débil esperanza de que el supuesto discurso no sea tan largo como lo es pesado. Las palabras pueden ser maravillosas, pero los ojos de los oyentes suelen hacerse pesados, y solo en aproximadamente una de cada cien instancias el orador realmente presenta un discurso impresionante. Su excusa es su disculpa—no se le debe culpar, por lo general, de que alguien haya decretado que sería peligroso liberarse de los amarres del manuscrito e invitar a su audiencia a que le acompañe en una travesía realmente maravillosa.

Un gran problema en tales «grandes ocasiones» es que el ensayista—porque eso es—haya sido elegido no por su habilidad para hablar, sino porque su abuelo luchó en cierta batalla, o sus votantes lo enviaron al Congreso, o sus dones en alguna línea de trabajo aparte de la oratoria lo hayan distinguido.

Sería lo mismo elegir a un cirujano por su habilidad para jugar al golf. Sin duda, a una audiencia siempre le interesa ver a un gran hombre; debido a su eminencia, es probable que escuchen sus palabras con respeto, tal vez con interés, incluso cuando estas son repetidas monótonamente de un manuscrito. ¡Pero cuánto más efectivo sería el discurso si se dejaran de lado los papeles!

En ningún lugar es el discurso leído tan común como en el púlpito—el púlpito, que en estos días menos puede darse el lujo de invitar a una discapacidad. Sin duda, a muchos pastores les importa más el acabado que el fervor—que ellos elijan: Rara vez son hombres que incitan a las masas a aceptar su mensaje. Lo que ganan en términos de precisión y elegancia del lenguaje lo pierden en contundencia.

Hay solo cuatro motivos que pueden llevar un hombre a leer su discurso o sermón:

1. La pereza es el más común. Basta con decir eso. Hasta el Cielo no puede hacer que un hombre perezoso sea eficiente.

2. Una memoria tan defectuosa que realmente no puede hablar sin leer. Por desgracia, él no está hablando cuando está leyendo, asique su dilema es doloroso—y no solo para él. Pero nadie tiene el derecho de suponer que su memoria es completamente mala hasta que no se haya dedicado a desarrollar la memoria—y haya fracasado. Una memoria débil es más una excusa que una razón.

3. Una genuina falta de tiempo para hacer más que escribir el discurso. Hay tales casos, ¡pero no ocurren todas las semanas! La disposición de tu tiempo te permite más flexibilidad de lo que crees. El motivo 3 con demasiada frecuencia está ligado al motivo 1.

4. Una convicción de que el discurso es demasiado importante como para arriesgarse a abandonar el manuscrito. Pero, si es vital que cada palabra sea tan precisa, el estilo tan pulido, y los pensamientos tan lógicos que el predicador debe escribir todo el sermón, ¿entonces no es el mensaje lo suficientemente importante como para justificar un esfuerzo adicional para perfeccionar su presentación? Es un insulto para una congregación e irrespetuoso hacia Dios Todopoderoso valorar más la forma de expresión de un mensaje que el mensaje mismo. Para llegar a los corazones de los oyentes, el sermón debe ser presentado—solo se presenta a medias cuando el orador no puede pronunciarlo con un fuego y una contundencia original, cuando simplemente repite palabras que fueron concebidas horas o semanas antes; palabras que, por lo tanto, son como champán que ha perdió su efervescencia. Los ojos del predicador que lee están atados a su manuscrito; él no puede darle a la audiencia el beneficio de su expresión.

¿Por cuánto tiempo estaría lleno un teatro si los actores tuvieran sus libretos en mano y leyeran sus partes? Imagina a Patrick Henry leyendo su famoso discurso; a Pedro el Ermitaño, con manuscrito en la mano, exhortando a los cruzados; a Napoleón, mirando sus papeles constantemente y dirigiéndose al ejército en las Pirámides; ¡o Jesús leyendo el Sermón del Monte! Estos oradores estaban tan inmersos en sus temas, su preparación general había sido tan bien realizada, que no había necesidad de un manuscrito, ya sea para referirse a él o para servir como «un signo externo y visible» de su preparación. Ningún evento fue tan digno que requirió un intento artificial de oratoria. Llamemos a un ensayo por su nombre correcto, pero nunca lo llamemos un discurso. Tal vez el evento más digno sea una súplica al Creador. Si alguna vez escuchaste la lectura de una oración original, debes haber sentido su superficialidad.

Independientemente de cuáles sean las teorías sobre la

presentación de manuscritos, la realidad es que no es eficaz. Evítalo siempre que sea posible.

Memorizando el discurso escrito y hablando de memoria

Este método tiene ciertos puntos a su favor. Si tienes tiempo de sobra, es posible pulir y reescribir tus ideas hasta que estén expresadas en términos claros y concisos. Pope a veces pasaba un día entero perfeccionando una copla. Gibbon consumió 20 años agregando material y reescribiendo su obra *Historia de la decadencia y caída del Imperio romano.*

Aunque no puedes dedicar una preparación tan minuciosa a un discurso, debes tomar tiempo para eliminar palabras inútiles, agrupar párrafos completos en una oración y elegir las ilustraciones adecuadas. Los buenos discursos, como obras de teatro, no se escriben; se reescriben.

La National Cash Register Company sigue este plan con su organización de venta más eficiente: Requieren que sus vendedores memoricen una charla de venta textualmente. Ellos sostienen que existe una manera óptima de presentar sus argumentos de venta, e insisten en que cada vendedor use esta forma ideal en lugar de emplear cualquier frase fortuita que le pueda ocurrir en ese momento.

El método de escribir y memorizar ha sido adoptado por muchos oradores destacados; Julio César, Robert Ingersoll y, en algunas ocasiones, Wendell Phillips, fueron ejemplos distinguidos. Los maravillosos efectos logrados por actores famosos se lograron, por supuesto, mediante la recitación de líneas memorizadas.

Antes de intentar este método de presentación, al orador inexperto se le debe advertir que es algo difícil y duro. Requiere mucha habilidad para hacerlo bien. Las líneas memorizadas del joven orador generalmente sonarán como palabras memorizadas y repelerán al público.

Si deseas escuchar un ejemplo, escucha a algún demostrador

de un producto en una tienda por departamentos repetir su jerga memorizada sobre el último lustramuebles o el desayuno más reciente. Hacer que un discurso memorizado suene fresco y espontáneo requiere entrenamiento y a menos que tengas una buena memoria, en cada caso el producto final requiere mucho trabajo. Si olvidas parte de tu discurso o algunas pocas palabras, es probable que estés tan confundido que, como el guía turístico de Mark Twain en Roma, te verás obligado a repetir tus líneas desde el principio.

Por otro lado, puede que estés tan concentrado tratando de recordar tus palabras escritas que no te dejas llevar por el espíritu de tu discurso, y por lo tanto no puedes presentarlo con esa espontaneidad que es tan vital para una presentación contundente.

Pero no dejes que estas dificultades te asusten. Si la memorización te parece la mejor opción, pruébala. No te dejes intimidar por sus trampas, sino evítalas con práctica y determinación.

Una de las mejores maneras de superar estas dificultades es hacer lo que el Dr. Wallace Radcliffe hace a menudo: Memorizar su discurso sin escribirlo, llevando a cabo prácticamente toda la preparación mentalmente, sin poner el lápiz al papel—una forma laboriosa pero efectiva de desarrollar tanto la mente como la memoria.

Descubrirás que es una práctica excelente, tanto para la memoria como para la presentación, memorizar los discursos de ejemplo que se encuentran en este volumen y declamarlos, enfocando toda tú atención en los principios que hemos presentado. William Ellery Channing, él mismo un distinguido orador, dijo lo siguiente hace años con respecto a la práctica de la declamación:

¿No existe una diversión, compartiendo alguna afinidad con el drama, que podría ser introducida de forma útil entre nosotros? Me estoy refiriendo a la recitación. Una obra de genio, recitada por un hombre de buen gusto,

entusiasmo y poder de elocución, es una satisfacción muy pura y elevada. Si este arte fuera cultivado y animado, un gran número de personas, ahora insensibles a las composiciones más bellas, podrían despertarse a conocer su excelencia y poder.

Hablando con notas

El tercero y más popular método de presentar un discurso probablemente sea también el mejor para un principiante. Hablar con notas no es el método ideal de dar un discurso, pero aprendemos a nadar en aguas poco profundas antes de nadar más allá de las boyas.

Crea un plan definitivo para tu discurso (para una discusión más completa de este tema, lee el Capítulo 18) y esboza los puntos principales como el resumen de un abogado, o el bosquejo de un predicador. Aquí hay un ejemplo de notas muy simples:

ATENCIÓN

I. INTRODUCCIÓN
Atención indispensable para la realización de cualquier gran obra (*anécdota*).

II. DEFINIDA E ILUSTRADA
1. De la observación común
2. De las vidas de grandes hombres (*Carlyle, Robert E. Lee*)

III. SU RELACIÓN A OTROS PODERES MENTALES
1. Razón
2. Imaginación
3. Memoria
4. Voluntad (*anécdota*)

IV. LA ATENCIÓN PUEDE SER CULTIVADA
1. Atención involuntaria
2. Atención voluntaria (*ejemplos*)

V.   Conclusión

Las consecuencias de la atención y la falta de atención

Pocos resúmenes serían tan precisos como este, ya que, con la experiencia, un hablante aprende a usar pequeños trucos para atraer la atención de sus ojos: Puede subrayar una palabra clave, dibujar un círculo rojo alrededor de una idea central, envolver la palabra clave de una anécdota en una caja con líneas onduladas, y así sucesivamente.

Vale la pena recordar estos puntos, porque nada elude tanto al ojeo rápido del orador como la uniformidad de escritura, ya sea mecánica o manual. Una cosa tan involuntaria como una mancha de tinta en la página puede ayudarte a recordar un gran «punto» en tu resumen—quizás por asociación de ideas.

Un orador inexperto probablemente necesitaría notas más completas que el ejemplo dado. Sin embargo, ahí está el peligro, ya que un resumen extenso no está lejos de convertirse en un manuscrito completo. Usa la menor cantidad de notas posible.

Pueden ser necesarias por el momento, pero no dejes de considerarlas como un mal necesario, e incluso cuando las tengas por delante, refiérete a ellas solo cuando te veas obligado a hacerlo. Haz que tus notas sean tan completas como desees en la preparación, pero en todo caso, condénsalas para el uso sobre la plataforma.

Discurso extemporáneo

Sin duda, este es el método ideal de dar un discurso. Es por lejos el más popular con la audiencia y el método favorito de los oradores más eficaces.

El término «discurso extemporáneo» a veces se ha interpretado como significando un discurso no preparado, y, de hecho, en demasiadas ocasiones suele ser precisamente eso; pero no es en ese sentido que lo recomendamos encarecidamente a los oradores mayores y jóvenes.

Por el contrario, hablar bien sin notas requiere toda la preparación que cubrimos tan ampliamente en el capítulo sobre «Fluidez», y al mismo tiempo, que confías en la «inspiración de la hora» para algunos de tus pensamientos y gran parte de tu lenguaje. Más vale recordar, sin embargo, que la inspiración más efectiva del momento es la inspiración que tú mismo aportas, embotellada en tu espíritu y lista para infundirse en la audiencia.

Si improvisas, puedes acercarte mucho más a tu audiencia. En cierto sentido, ellos aprecian la tarea que tienes ante ti y te extienden su solidaridad. Improvisa y no tendrás que detenerte y hojear tus notas—puedes mantener tu mirada ardiendo con tu mensaje y retener a tu audiencia con tu propia mirada. Tú mismo sentirás su respuesta al observar los efectos de tus palabras cálidas y espontáneas, escritas en sus semblantes.

Las oraciones escritas en el estudio son propensas a estar muertas y frías al ser resucitadas ante la audiencia. Cuando creas mientras hablas, conservas todo el fuego nativo de tu pensamiento. Puedes ampliar en un punto u omitir otro, tal como lo requiera la ocasión o el estado de ánimo de la audiencia. No es posible que cada orador use esto, el más difícil de todos los métodos de dar un discurso, y mucho menos puede ser utilizado con éxito sin mucha práctica; pero es el ideal hacia el cual todos deben luchar.

Un peligro con este método es que puedes distraerte y distanciarte de tu tema por caminos secundarios. Para evitar este peligro, sigue de cerca tu reseña o plan mental. Practica hablar a base de notas memorizadas hasta que obtengas el control. Únete a un grupo de debate—habla, *habla*, **habla**, y siempre improvisa. Puedes «hacer el ridículo» una o dos veces, ¿pero acaso ese es un precio demasiado grande de pagar para el éxito?

Las notas, como las muletas, son solo un signo de debilidad. Recuerda que el poder de tu discurso depende en cierta medida de la opinión que tu audiencia tiene de ti. Las palabras del general Grant como presidente fueron más poderosas que sus palabras como granjero de Missouri. Si quieres estar bajo la luz de autoridad, sé una autoridad. Toma notas en tu cerebro en lugar de papel.

Métodos conjuntos de presentación

Una modificación del segundo método ha sido adoptada por muchos grandes oradores, en particular los conferenciantes que se ven obligados a hablar sobre una amplia variedad de temas día tras día; tales oradores a menudo memorizan sus discursos, pero mantienen sus manuscritos delante de ellos en forma de libro flexible, hojeando varias páginas a la vez. Se sienten más seguros por tener una especie de ancla que los mantenga arraigados—sin embargo, sigue siendo un ancla y les impide la navegación rápida y libre, aun si solo se arrastra levemente.

Otros oradores arrojan un ancla aún más ligera, manteniendo delante de ellos un esquema bastante completo de su discurso escrito y memorizado.

Otros escriben y memorizan algunas partes importantes del discurso—la introducción, la conclusión, algún argumento vital, alguna ilustración fácil—y dependen del lenguaje del momento para lo demás. Este método está bien adaptado para hablar con o sin notas.

Algunos oradores leen las partes más importantes de sus discursos del manuscrito y pronuncian el resto extemporáneamente.

Por lo tanto, lo que hemos llamado «métodos conjuntos de presentación» permiten mucha variación personal. Debes decidir por ti mismo qué es lo mejor para ti, para la ocasión, para tu tema, y para tu público, ya que estos cuatro factores tienen sus propios requerimientos.

Cualquiera sea la forma de hablar que elijas, no seas tan débilmente indiferente como para preferir el camino fácil—elige el mejor método, sin importar lo que cueste en tiempo y esfuerzo. Y asegúrate de esto: Solo el orador experimentado puede esperar obtener un argumento convincente, un método conciso, lenguaje pulido, poder en la presentación, un estilo refinado y fuego en la pronunciación.

Capítulo 17

Pensamiento y el poder
de reserva

La providencia siempre está del lado de la última reserva.
—*Napoleón Bonaparte*

Los poderes más tremendos son alimentados por la calma
más profunda,
Y, con frecuencia, duermen, en las cosas más tiernas.
—*Barry Cornwall, The Sea in Calm (La mar tranquila)*

¿Qué pasaría si tú sobregiraras tu cuenta bancaria? Por lo general, el cheque sería rechazado; pero si estuvieras en términos amistosos con el banco, tu cheque podría ser honrado, y te solicitarían que repares el sobregiro.

La naturaleza no tiene tales favoritos, y, por lo tanto, no extiende créditos. Es tan implacable como un tanque de gasolina: cuando la «gasolina» se acaba, la máquina se detiene. Es tan imprudente para un orador correr el riesgo de ir ante una audiencia sin tener algo en reserva como lo es para el automovilista emprender un largo viaje por un área inhóspita sin suficiente gasolina a la vista.

Pero ¿en qué consiste el poder de reserva de un orador? En una confianza fundada en su comprensión general y particular de su tema; en la cualidad de estar alerta e ingenioso en el pensamiento—particularmente en la capacidad de pensar sobre la marcha y en ese dominio propio que lo convierte a uno en el capitán de todas sus propias fuerzas, corporales y mentales.

El primero de estos elementos, la preparación adecuada, y el último, la autosuficiencia, fueron cubiertos por completo en los capítulos sobre «Confianza en sí mismo» (Adquiriendo confianza ante una audiencia) y «Fluidez» (Fluidez a través de la preparación); por lo que solo se tocarán aquí de manera incidental. Además, el siguiente capítulo abordará métodos específicos de preparación para hablar en público. Por lo tanto, el tema central de este capítulo es el segundo de los elementos del poder de reserva: Pensamiento.

El almacén mental

Una mente vacía, como una despensa vacía, puede ser un asunto serio o no—todo dependerá de los recursos disponibles. Si no hay comida en el armario, la ama de casa no se pone a sacudir platos vacíos nerviosamente; ella llama a la tienda. Si no tienes ideas, no uses sonidos vacíos como *eh* y *ah*; al contrario, obtén algunas ideas, y no hables hasta que las tengas.

Esto, sin embargo, no es lo que la vieja ama de casa de Nueva Inglaterra solía llamar «ser prudente». La verdadera solución del problema de qué hacer con una cabeza vacía es nunca dejar que se vacíe. En los pozos artesianos de Dakota, el agua sube a la superficie y salta una veintena de pies sobre el suelo. El secreto de este flujo exuberante es, por supuesto, la gran fuente bajo la superficie, apiñándose para salir.

¿De qué sirve detenerse para preparar una bomba mental cuando puedes llenar tu vida con los recursos para poseer un pozo artesiano? No basta con simplemente tener lo suficiente; debes tener más que lo suficiente. Entonces la presión del conjunto de tu pensamiento y sentimiento mantendrá tu flujo de discurso y te dará la confianza y el equilibrio que denotan el poder de reserva. ¡Estar lejos de casa solo con la tarifa de regreso exacta deja mucho a las circunstancias!

El poder de reserva es magnético. No consiste en dar la idea de que estás reservándote algo, sino más bien en la sugerencia de que la audiencia está recibiendo la crema y nata de tu observación, lectura, experiencia, sentimiento, y pensamiento. Por lo tanto, para tener poder de reserva, debes tener suficiente leche de material a mano para poder suministrar suficiente crema y nata.

¿Pero cómo conseguiremos la leche? Hay dos formas: Una es de primera mano—de la vaca; la otra es de segunda mano—del lechero.

El ojo que ve

Un sabio una vez dijo: «De cada mil hombres que pueden hablar, solo hay uno que puede pensar; de cada mil hombres que pueden pensar, solo hay uno que puede ver». Ver y pensar significa obtener tu leche de tu propia vaca. Cuando llega el único hombre en un millón que puede ver, lo llamamos Maestro. El viejo Sr. Holbrook, de la novela *Cranford*, le preguntó a su invitada de qué color eran los brotes de fresno en marzo. Ella confesó que no sabía, a lo que el viejo caballero le respondió: «Yo sabía que tú no sabías. Yo tampoco sabía—¡que viejo tonto que soy!—hasta que llegó un joven y me dijo: "Negro como brotes de fresno en marzo". Y eso que he vivido toda mi vida en el campo. Más vergüenza para mí no saber. Negros, son negros como el azabache, señora».

Ese «joven» mencionado por el Sr. Holbrook era Tennyson.

Henry Ward Beecher dijo: «No creo que haya conocido a un hombre en la calle de quién yo no haya recibido algún elemento para un sermón. Nunca veo algo en la naturaleza que no trabaje hacia aquello por lo que doy la fuerza de mi vida. El material para mis sermones está constantemente siguiéndome y rodeándome».

En vez de decir que solo un hombre en un millón puede ver, sería más cercano a la verdad decir que ninguno de nosotros ve con una comprensión perfecta más que una fracción de lo que pasa ante nuestros ojos. Sin embargo, esta facultad de observación aguda y precisa es tan importante que ningún hombre con ambiciones de dirigir puede pasarla por alto. La próxima vez que estés viajando en tren, mira a los que se sientan delante de ti y fíjate qué puedes descubrir acerca de sus hábitos, ocupaciones, ideales, nacionalidades, entornos, educación, etc. Es posible que no veas mucho la primera vez, pero la práctica revelará resultados sorprendentes.

Transmuta cada incidente de tu día en un tema para un discurso o una ilustración. Traduce todo lo que ves en términos del habla. Cuando puedes describir todo lo que has visto en palabras concretas, estás viendo claramente. Te estás convirtiendo en el millonésimo hombre.

La descripción que hace De Maupassant de un autor también debe corresponder al orador público: «Su ojo es como una bomba de succión, absorbiendo todo; como la mano de un ladrón de billeteras, siempre trabajando. Nada se le escapa. Constantemente está recolectando material, acumulando miradas, gestos, intenciones, todo lo que sucede en su presencia—la más mínima mirada, la más mínima acción, la más mínima nimiedad». El mismo De Maupassant era un millonésimo hombre, un Maestro.

Ruskin tomó un cristal de roca común y dentro de su estólido corazón, vio escondidas lecciones que aún no han cesado de mover la vida de los hombres. Beecher pasó horas parado frente a la ventana de una joyería y pensó en las analogías entre las joyas y las almas de los hombres. Gough vio en una sola gota de agua suficiente verdad para calmar la sed de cinco mil almas. Thoreau estaba tan quieto en el bosque sombrío que llegaron pájaros e insectos y ante sus ojos le revelaron sus vidas secretas. Emerson observó el alma de un hombre durante tanto tiempo que finalmente pudo decir: "No puedo oír lo que dices, por ver lo que eres". Preyer estudió durante tres años la vida de su bebé y se convirtió en una autoridad en la mente infantil. ¡La observación! La mayoría de los hombres están ciegos. Hay mil veces más verdades ocultas y hechos desconocidos a nuestro alrededor que los que han hecho famosos a los descubridores—hechos esperando que alguien "arranque el corazón de su misterio". Pero mientras los hombres sigan buscando con ojos que no ven, estas perlas escondidas seguirán dentro en sus caparazones. No existe un buen orador que no podía afilar la punta y emplumar con más eficacia sus flechas si investigaba la naturaleza en lugar de las bibliotecas. Son pocos los que pueden ver "sermones en las piedras" y "libros en los arroyos", porque están tan acostumbrados a solo ver sermones en los libros y solo piedras en los arroyos. Sir Philip Sidney tenía un dicho: "Mira en tu corazón y escribe"; Massillon explicó su astuto conocimiento del corazón humano diciendo: "Lo aprendí estudiándome a mí mismo"; Byron dice de John Locke que "todo su conocimiento sobre la comprensión humana estaba derivaba del estudio de su propia mente." Dado que estamos rodeado por la naturaleza multiforme, la originalidad no debería ser tan rara.[4]

La mente pensante

Pensar es hacer aritmética mental con hechos. Suma este hecho con eso y llegarás a cierta conclusión. Resta esta verdad de otra y tendrás un resultado definitivo. Multiplica este hecho por otro y tendrás un producto preciso. Ve cuántas veces ocurre esta ocurrencia en ese espacio de tiempo y habrás alcanzado un dividendo calculable. Durante el proceso de pensamiento, tú realizas todos los problemas conocidos de aritmética y álgebra. Es por eso que las matemáticas son un excelente ejercicio mental.

Pero por la misma razón, pensar es trabajo. Pensar requiere energía. Pensar requiere tiempo, paciencia, amplia información y claridad mental. Más allá de un miserable rasguño en la superficie, pocas personas realmente piensan—solo una de cada mil, según el experto ya citado. Mientras siga prevaleciendo el sistema actual de educación y se le enseñe a los niños a través del oído en vez del ojo, mientras se siga esperando que

---

[4.] *How to Attract and Hold an Audience (Cómo atraer y retener la atención de una audiencia), J. Berg Esenwein.*

recuerden los pensamientos de los demás en vez de pensar por sí mismos, esta proporción continuará: una persona de cada millón será capaz de ver, y una de cada mil podrá pensar.

Pero, por muy desconsiderada que haya sido una mente, hay una promesa de cosas mejores tan pronto como la mente detecte su propia falta de poder de pensamiento. El primer paso es dejar de considerar el pensamiento como «la magia de la mente», por usar la expresión de Byron, y ver el pensamiento como realmente es: la acción de evaluar ideas y ubicarlas en relaciones entre sí mismas. Reflexiona sobre esta definición y fíjate si has aprendido a pensar de manera eficiente.

El pensamiento habitual es solo eso—un hábito. El hábito viene de hacer una cosa repetidamente. Los hábitos inferiores se adquieren fácilmente; los superiores requieren surcos más profundos para poder perdurar. De manera que descubrimos que el hábito de pensar se forma solo mediante la práctica determinada; sin embargo, ningún esfuerzo rendirá dividendos más ricos. Persiste con la práctica, y aunque tu pensar solo ha sido capaz de penetrar una pulgada de profundidad en un sujeto, pronto descubrirás que podrás penetrar más de un pie en él.

Quizás esta metáfora hogareña sugiera cómo comenzar la práctica del pensamiento consecutivo, con lo que nos referimos al hecho de soldar una serie de eslabones de pensamientos separados para formar una cadena que perdurará. Toma un eslabón a la vez; asegúrate de que cada uno encaje naturalmente con los que están vinculados con él, y recuerda que la pérdida de un solo eslabón significa que no hay cadena.

Pensar es el ejercicio mental más fascinante y estimulante de todos. Una vez que te das cuenta de que tu opinión sobre un tema no representa la elección que has hecho entre lo que el Dr. Cerebro ha escrito y lo que el Profesor Cerebelo ha dicho, sino que es el resultado de tu propia energía cerebral aplicada, y entonces ganarás una confianza en tu capacidad de hablar sobre ese tema que nada podrá sacudir. Tu pensamiento te habrá otorgado poder y poder de reserva.

Alguien ha condensado la relación del pensamiento con el conocimiento en estas líneas penetrantes y acogedoras:

«No me des al hombre que piensa que él piensa,
No me des al hombre que cree que sabe,
Sino dame al hombre que sabe que él piensa,
¡Y tendré al hombre que sabe que sabe!»

La lectura como estímulo para el pensamiento

No importa cuán seca esté la vaca, sin embargo, ni cuán pobre sea nuestra capacidad para ordeñar, todavía existe el lechero—podemos leer lo que otros han visto, sentido y pensado. De hecho, a menudo tales registros encenderán dentro de nosotros esa chispa esencial y vital: el deseo de ser un pensador.

La siguiente selección está tomada de una de las conferencias del Dr. Newell Dwight Hillis, tal como figura en *A Man's Value to Society* (El valor de un hombre para la sociedad). El Dr. Hillis es un orador muy elocuente—él nunca mira sus notas. Él tiene poder de reserva. Su mente es una verdadera bóveda de hechos e ideas. Presta atención a cómo se nutre de un conocimiento de 15 diferentes temas generales o especiales: geología, vida vegetal, Palestina, química, esquimales, mitología, literatura, el Nilo, historia, derecho, ingenio, evolución, religión, biografía y electricidad. Seguramente, no hace falta ser un genio para descubrir que el secreto del poder de reserva de este hombre es el viejo secreto de nuestro pozo artesiano, cuya abundancia surge de profundidades invisibles.

LOS USOS DE LOS LIBROS Y LA LECTURA[5]

Cada Kingsley se enfoca en una piedra como un joyero que abre un cofre para sacar a luz las joyas ocultas. Geikie hace que el trozo de carbón duro desenrolle el brote jugoso, las hojas gruesas y olorosas, y las ramas con olor fuerte, hasta que el trozo de carbón se agranda en la belleza de un bosque tropical.

[5.] *Usado con permiso.*

Ese pequeño libro de Grant Allen llamado How Plants Grow (Cómo crecen las plantas) presenta una imagen de árboles y arbustos como seres que comen, beben y se casan. Vemos ciertas arboledas de dátiles en Palestina, y otras arboledas de dátiles en el desierto a cien millas de distancia, y el polen de uno es trasportado por los vientos alisios hacia las ramas del otro. Vemos el árbol con su extraño sistema hidráulico, bombeando savia a través de tuberías y cañerías; vemos el laboratorio químico en las ramas mezclando el sabor de la naranja en una rama, mezclando los jugos de la piña en otra; contemplamos al árbol como una madre que prepara a cada bellota infantil para el largo invierno, enrollándola en hileras suaves y cálidas como mantas de lana, envolviéndola con prendas impermeables y finalmente metiendo la bellota infantil en una bolsa de dormir, como las que los esquimales le dieron al Dr. Kane.

Al final llegamos a sentir que los griegos no estaban tan equivocados al pensar que cada árbol tenía una dríade en su interior, animándolo, protegiéndolo contra la destrucción, y muriendo cuando el árbol se secaba.

Un tal Faraday nos muestra que cada gota de agua envuelve fuerzas eléctricas capaces de cargar 800.000 jarras de Leyden, o propulsar un motor desde Liverpool hasta Londres. Un tal Sir William Thomson nos explica cómo el gas de hidrógeno puede roer una gran espiga de hierro de la misma manera que las muelas de un niño mastican la punta de un dulce o caramelo. De este modo, cada nuevo libro nos abre las puertas hacia un nuevo, y hasta ahora, inexplorado ámbito de la naturaleza. Los libros así cumplen para nosotros la leyenda del maravilloso cristal que le mostraba a su dueño todas las cosas lejanas y todas las cosas escondidas.

A través de los libros, nuestro mundo se convierte en «un capullo del jardín de la belleza de Dios; el sol en una chispa de la luz de Su sabiduría; el cielo en una burbuja en el mar de Su poder.» Es por esto que la Sra. Browning dijo: «Ningún niño puede ser considerado como sin padre si tiene a Dios y a su madre; ningún joven puede ser considerado como sin amigos si tiene a Dios y la compañía de buenos libros».

Los libros también nos benefician porque exhiben la unidad del progreso, la solidaridad de la raza y la continuidad de la historia. Los autores nos conducen por el camino de la ley, de la libertad o la religión, y nos sitúan frente al gran hombre en cuyo cerebro surgió el principio. Así como que el descubridor nos lleva desde la desembocadura del Nilo hasta las cabeceras de Nyanza, así también los libros exhiben grandes ideas e instituciones, a medida que van avanzando, cada vez más amplia y profundamente, como un río Nilo alimentando a muchas civilizaciones.

Todas las reformas de hoy se remontan a alguna reforma de ayer. El arte del hombre se remonta a Atenas y Tebas. Las leyes del hombre se remontan a Blackstone y Justiniano. Las segadoras y los arados del hombre se remontan al salvaje arañando el suelo con su palo bifurcado, remolcado por un toro salvaje. Los héroes de la libertad avanzan en una columna sólida. Lincoln toma la mano de Washington. Washington recibió sus armas a manos de Hampden y Cromwell. Los grandes puritanos van tomados de la mano con Lutero y Savonarola.

La procesión ininterrumpida nos lleva largamente a Aquel cuyo Sermón del Monte fue la verdadera carta de la libertad. Nos pone bajo un hechizo divino para percibir que todos somos compañeros de trabajo a la par de los grandes hombres y, al mismo tiempo, hilos solitarios en la urdimbre y la trama de la civilización. Y cuando los libros nos relacionan con nuestra edad y relacionan todas las épocas con Dios, cuya providencia es la corriente de la historia, estos maestros continúan estimulándonos hacia nuevos y mayores logros.

Solo, el hombre es una vela no encendida. La mente

necesita un libro para encender sus facultades. Antes de que Byron comenzara a escribir, él solía dedicar media hora a la lectura de algún pasaje favorito. La idea de un gran escritor nunca dejó de generar un resplandor creativo en Byron, así como un fósforo enciende las astillas en una parrilla. En estos estados de ánimo ardientes y luminosos, la mente de Byron hizo su mejor trabajo. Un verdadero libro estimula la mente como ningún vino puede acelerar el pulso. Es la lectura lo que nos lleva a la mejor versión de nosotros mismos, y despierta a cada facultad en su expresión más vigorosa.

Reconocemos esto como crema pura, y si al principio parece tener su fuente secundaria en el lechero amigable, no nos olvidemos que el tema es «Los usos de los libros y la lectura». El Dr. Hillis ve y piensa.

Está de moda ahora para condenar el valor de la lectura. Leemos, se nos dice, para evitar la necesidad de pensar por nosotros mismos. Los libros son para los mentalmente perezosos.

Aunque esto es solo una verdad a medias, el elemento de verdad que contiene es lo suficientemente grande como para hacernos detener. Sométete a un buen autoexamen presbiteriano de tu alma, y si leer con pereza es uno de tus pecados, confiésalo. Nadie puede purgarte de el—aparte de ti mismo. Haz penitencia por ello, usando tu propio cerebro, porque es una transgresión que empequeñece el crecimiento del pensamiento y destruye la libertad mental. Al principio, la penitencia será difícil, pero al final te alegrarás en ella.

La lectura debe entretener, dar información o estimular el pensamiento. Aquí, sin embargo, nos preocupamos principalmente con la información y la estimulación del pensamiento.

¿Qué debo leer para obtener información?

La amplia página del conocimiento, como nos dice Gray, está «rica con el botín del tiempo», y estas riquezas pueden ser nuestras por el precio de una entrada al teatro. Puedes ordenarle a Sócrates y Marco Aurelio que se sienten a tu lado y dialoguen a su mejor estilo, escuchar a Lincoln en Gettysburg y a Pericles en Atenas, asaltar la Bastilla con Hugo y pasear por el Paraíso con Dante. Puedes explorar los rincones más oscuros de África con Stanley, penetrar el corazón humano con Shakespeare, charlar con Carlyle sobre héroes y profundizar con el apóstol Pablo sobre los misterios de la fe.

El conocimiento general y las ideas inspiradoras que los hombres han recopilado a través de siglos de trabajo y experimentación están a tu disposición. Thomas Carlyle, el sabio de Chelsea, tenía razón: «La verdadera universidad de estos días es una colección de libros».

Dominar un libro que vale la pena en realidad significa dominar mucho más; sin embargo, pocos de nosotros realizamos la conquista perfecta de un libro sin primero poseerlo físicamente. Leer un libro prestado puede ser una alegría, pero asignarle a tu propio libro un lugar en tus propios estantes—ya sean pocos o muchos—amar el libro y sentir su tapa gastada, hojearlo lentamente, página tras página, hacer notas de acuerdo o de protesta en sus márgenes, sonreír o emocionarte con sus fuertes olores recordados—nadie que pide prestado un libro podría sentir toda esa delicia.

El lector que posee libros en este doble sentido descubre que sus libros también lo poseen a él, y los libros que más han afectado a su vida probablemente sean aquellos que le ha costado algún sacrificio poseer. Esos títulos fáciles de conseguir que el Sr. Ricachón selecciona, quizás a través de intermediarios, difícilmente podrán realizar el papel de guía, filósofo y amigo en momentos cruciales, como lo hacen los libros—codiciados por mucho tiempo y gozosamente obtenidos—que son bien recibidos no solo en las bibliotecas sino en las vidas de nosotros que somos a la vez más pobres y más ricos. Por lo tanto, no es exagerado decir que de las muchas maneras en que un libro poseído—y dominado—es como un amigo humano, las formas más genuinas son estas: Por los amigos vale la pena hacer sacrificios, tanto para ganarlos como para mantenerlos;

y nuestro cariño se extiende más hacia aquellos en cuyas vidas íntimas hemos entrado sinceramente.

Cuando no tienes la ventaja de la prueba del tiempo para juzgar libros, investiga lo más exhaustivamente posible la autoridad de los libros que lees. Mucho de lo que se imprime y se vende hoy es falso. «Lo leí en un libro» es para muchos suficiente garantía de la verdad, pero no para el pensador. «¿Qué libro?», pregunta la mente cuidadosa. «¿Quién lo escribió? ¿Qué sabe él sobre el tema y qué derecho tiene él para hablar sobre él? ¿Quién lo reconoce como autoridad? ¿Con cuáles otras autoridades reconocidas está de acuerdo o en desacuerdo?» Ser atrapado tratando de usar dinero falso, aunque sea sin querer, es una situación desagradable. Ten cuidado de no circular moneda falsa.

Sobre todo, busca la lectura que te haga usar tu propio cerebro. Dicha lectura debe estar viva con nuevos puntos de vista, repleta de conocimientos especiales, y debe tratar temas de interés vital. No limites tu lectura a cosas con las cuales ya sabes que estarás de acuerdo. La oposición nos hace despertar. El otro camino quizá sea mejor, pero nunca lo sabrás a menos que «le des un vistazo». No centres todos tus pensamientos e investigaciones en hechos que ya han sido comprobados; el simple hecho de acumular razones para llenar los espacios entre tu teorema y lo que quieres comprobar no te llevará a ninguna parte. Aborda cada tema con una mente abierta y—una vez que estés seguro de haberlo pensado detenida y honestamente— ten el coraje de acatar la decisión de tu propio pensamiento. Pero no presumas de eso después.

Ningún libro sobre la oratoria te permitirá hablar sobre las tarifas si no sabes nada de tarifas. Saber más sobre eso que la otra persona será tu única esperanza para que el otro te escuche. Tomemos un grupo de hombres que discuten una política gubernamental de la que alguien dice: «Es socialista». Eso le dará favor ante el Sr. A., que cree en el socialismo, pero la condenará ante el Sr. B., que no cree en él. Puede ser que ninguno haya considerado la política más allá de observar que por la superficie era socialista.

Además, es probable que ni el Sr. A. ni el Sr. B. tienen una idea clara de lo que el socialismo realmente es, ya que, como dice Robert Louis Stevenson, «El hombre no vive solo de pan sino principalmente de lemas». Si formas parte de este grupo de hombres, has observado esta propuesta gubernamental, la has investigado, y has reflexionado sobre ella, lo que tengas que decir sin duda exigirá su respeto y aprobación, porque les demostrarás que posees un entendimiento de tu tema, y hasta más.

Capítulo 18

Tema y preparación

Adapta tus temas a tu fuerza,
Y reflexiona bien sobre tu tema y su duración;
Tampoco levantes tu carga, antes de que estés muy consciente
Qué peso soportarán, o no, tus hombros.

—Byron, Hints from Horace (Consejos de Horacio)

Mire a este día, porque es la vida—la vida misma de la vida. En su breve curso se encuentran todas las verdades y realidades de tu existencia: la dicha del crecimiento, la gloria de la acción, el esplendor de la belleza. Porque ayer ya es un sueño y el mañana es solo una visión; pero el día de hoy, bien vivido, hace que cada ayer sea un sueño de felicidad y cada mañana una visión de esperanza. Mira bien, por lo tanto, el día de hoy. Tal es el saludo del amanecer.

—Tomado del Sánscrito

En el capítulo anterior, hemos visto la influencia del «Poder de pensamiento y reserva» en la preparación general para el discurso público. Pero la preparación consiste en algo más definido que el desarrollo del poder del pensamiento, ya sea de fuentes originales o prestadas; implica una actitud *específicamente* adquisitiva de toda la vida. Si deseas convertirte en un alma llena, debes constantemente internalizar información y asimilarla, porque solo así puedes esperar presentar algo que vale la pena escuchar; pero no confundas la adquisición de información general con el dominio del conocimiento específico.

La información consiste en un hecho o un grupo de hechos; el conocimiento es información *organizada*—el conocimiento conoce un hecho en relación con otros hechos.

Ahora, lo importante aquí es que debes establecer todas tus facultades para asimilar las cosas a tu alrededor con el objetivo particular de correlacionarlas y almacenarlas para usarlas en el discurso público. Debes escuchar con el oído del orador, ver con el ojo del orador, y elegir libros y compañeros y vistas y sonidos con el propósito del orador a la vista. Al mismo tiempo, prepárate para recibir conocimientos imprevistos.

Uno de los elementos fascinantes en tu vida como orador público será el crecimiento consciente en el poder que aportan las experiencias cotidianas y casuales. Si tus ojos están alertas, constantemente descubrirás hechos, ilustraciones e ideas sin haber salido en busca de ellos. Todo esto se puede utilizar en la plataforma; hasta el plomo de las actividades monótonas de la vida cotidiana pueden derretirse para formar balas para futuras batallas.

Conservación del tiempo en preparación

«Pero», dirás tú, «tengo muy poco tiempo para la preparación; mi mente debe enfocarse en otros asuntos». Daniel Webster nunca dejó pasar la oportunidad de acumular material para sus discursos. Cuando era un niño trabajando en un aserradero, leía un libro con una mano y se ocupaba de una tarea mecánica con la otra. En su juventud, Patrick Henry pasaba días vagando por los campos y los bosques en soledad, acumulando inconscientemente material e impresiones para su posterior servicio como orador.

Dr. Russell H. Conwell, el hombre que, según el fallecido Charles A. Dana, había hablado ante más oyentes que cualquier hombre con vida hoy, solía memorizar largos pasajes de Milton mientras atendía las ollas hirvientes de jarabe en el silencioso bosque de Nueva Inglaterra por la noche. Un empleador moderno despediría a un Webster hoy por falta de atención, y sin duda estaría justificado, y Patrick Henry parecía un muchacho vago incluso en aquellos días fáciles; pero la verdad sigue vigente: aquellos que absorben poder y tienen el propósito de usarlo de manera eficiente algún día ganarán en los lugares donde ese poder acumulado hará girar grandes ruedas de influencia.

Napoleón dijo que los cuartos de hora deciden los destinos de las naciones. ¡Cuántos cuartos de hora dejamos pasar sin rumbo! Robert Louis Stevenson *ahorraba* todo su tiempo; cada experiencia suya se convertía en capital para su trabajo—ya que el capital se puede definir como «los resultados almacenados del trabajo para ayudar a la producción futura». Él continuamente trató de poner en palabras adecuadas las escenas y acciones que él presenciaba. Emerson dice: «Mañana será como hoy. La vida se desperdicia mientras nos preparamos para vivir».

¿Por qué esperar una temporada más conveniente para realizar esta preparación amplia y general? Los 15 minutos que pasamos puliendo el automóvil podrían convertirse de manera rentable en capital para discursos.

Obtén una edición barata de discursos modernos, y al recortar algunas páginas cada día, y leerlas durante algún minuto ocioso por aquí y por allá, verás cuán pronto puedes familiarizarte con los mejores discursos del mundo. Si no quieres mutilar tu libro, llévalo contigo; la mayoría de los libros que han marcado épocas ya han sido publicados en pequeños volúmenes.

El desperdicio diario de gas natural en los campos de Oklahoma equivale a diez mil toneladas de carbón. Sólo alrededor del tres por ciento de la potencia del carbón que ingresa al horno llega a difundirse como luz en tu bombilla eléctrica; el otro noventa y siete por ciento se desperdicia. Sin embargo, estos despilfarros no son más grandes ni más lamentables que la tremenda pérdida de tiempo que, si fuera ahorrado, aumentaría los poderes del orador hasta el *enésimo* grado.

Los científicos están haciendo crecer tres mazorcas de maíz donde una crecía antes; los ingenieros de eficiencia están eliminando los movimientos y productos inútiles de nuestras fábricas. Contágiate del espíritu de la época y aplica la eficacia al uso del bien más valioso que posees—el tiempo. ¿Qué haces mentalmente con el tiempo que gastas en vestirte o afeitarte?

Escoge un tema y concentra tus energías en él durante una semana, utilizando solo los momentos libres que de otro modo se desperdiciarían. Te sorprenderás con el resultado. Un pasaje al día del Libro de los Libros, un lingote de oro de una mente maestra, o uno de tus propios pensamientos plenamente poseídos, podría así sumarse al tesoro de tu vida. No pierdas tu tiempo en cosas que no te benefician. «Llena el inexorable minuto con 60 valiosos segundos de distancia recorrida» y en la plataforma serás inmensurablemente beneficiado.

Sin embargo, no dejes que ninguna de estas palabras parezca desacreditar el valor de la recreación. No hay nada más vital para un trabajador que el descanso—sin embargo, nada envicia al que evita responsabilidades más que la recreación. Asegúrate de que tu recreación vuelva a crear. Una pausa en medio de labores te ayuda a recobrar fuerza para un nuevo esfuerzo. El error está en detenerte demasiado o llenar tus pausas con ideas que hacen que la vida sea fofa.

Escogiendo un tema

El tema y los materiales se influyen tremendamente entre sí.

«Esto surge del hecho de que existen dos formas distintas de escoger un tema: por elección arbitraria, o por desarrollo del pensamiento y la lectura».

«La elección arbitraria … de un tema en particular entre tantos otros involucra tantas consideraciones importantes que ningún orador jamás deja de apreciar el tono de satisfacción en él que anuncia triunfalmente: "¡Tengo un tema!"».

«"¡Deme un tema!" Con qué frecuencia el cansado maestro escucha ese grito. Luego se sugiere una lista de temas, se revisa, se considera y, en la mayoría de los casos, se rechaza, porque el maestro solo puede saber de manera imperfecta lo que está en la mente del alumno. Sugerir un tema de esta manera es como tratar de descubrir la calle en la que vive un niño perdido, nombrando varias calles hasta que una le suene familiar».

«La elección por desarrollo es un proceso muy diferente. No pregunta: "¿Qué debo decir?". Hace que la mente se examine a sí misma y se pregunte: "¿Qué pienso?". Por lo tanto, se puede decir que el tema se elige a sí mismo, porque en el proceso de pensamiento o de lectura, un tema se eleva a la prominencia y se convierte en un germen viviente, que pronto se convertirá en el discurso. El que no ha aprendido a reflexionar no está realmente familiarizado con sus propios pensamientos; por lo tanto, sus pensamientos no son productivos. Los hábitos de lectura y reflexión le proporcionarán a la mente del hablante una abundancia de temas de los que ya sabe algo a partir de la lectura y la reflexión que dio origen a su tema. Esto no es una paradoja, sino una verdad sobria».

«Debe ser ya evidente que la elección de un tema por desarrollo tiene más sabor de colección que de selección consciente. El tema "aparece en la mente". En el intelecto del pensador entrenado, se concentran— mediante un proceso que hemos identificado como inducción—los hechos y verdades que uno ha estado leyendo y pensando. Esto es más a menudo un proceso gradual. Las ideas dispersas pueden estar vagamente conectadas al principio, pero van concentrándose cada vez más y toman una sola forma hasta que finalmente, una idea fuerte parece captar el alma con una fuerza irresistible y gritar en voz alta: "¡Levántate, yo soy tu tema! De ahora en adelante, hasta que me transmutes mediante la alquimia de tu fuego interno y me pongas en palabras enérgicas, ¡no conocerás el descanso!". Feliz, entonces, será ese orador, porque ha encontrado un tema que lo conmueve.

«Por supuesto, los hablantes experimentados usan ambos métodos de selección. Hasta un hombre lector y reflexivo a veces se ve obligado a buscar un tema desde Dan hasta Beerseba, y luego la tarea de sumar materiales se vuelve seria. Pero incluso en tal caso, hay un sentido en el que la selección viene por medio del desarrollo, porque ningún orador cuidadoso se asienta sobre un tema que no representa por lo menos algún pensamiento maduro».[6]

Decidir sobre el tema

Incluso cuando tu tema ha sido elegido por otra persona, todavía te quedan considerables opciones para la elección del tema. Las mismas consideraciones, de hecho, que te gobernarían al elegir un tema deben guiarte en la selección del material. Pregúntate a ti mismo—o a alguien más—preguntas como estas:

¿Cuál es el carácter preciso de la ocasión? ¿De qué tamaño será la audiencia? ¿De qué ámbitos socioeconómicos vienen? ¿Cuál será su actitud probable hacia el tema? ¿Quién más hablará? ¿Hablaré primero, último o cuándo durante el programa? ¿De qué van a hablar los otros oradores? ¿Cómo es el auditorio? ¿Hay un escritorio? ¿Podría manejar el tema más efectivamente si se modifica algo? Precisamente, ¿cuánto tiempo me toca llenar?

Es evidente que muchos desajustes del habla con respecto al tema, el orador, la ocasión y el lugar se deben justamente a que no se hacen tales preguntas pertinentes. *Qué* debe decirse, *quién* debe decirlo, y en *qué circunstancias*, constituye el noventa por ciento de la eficacia en el discurso público. No importa quién te lo pida: rechaza ser una estaca cuadrada en un agujero redondo.

Cuestiones de proporciones

La proporción en un discurso se logra mediante un buen ajuste de tiempo. Cuán completamente puedes cubrir tu tema no

---

[6.] *How to Attract and Hold an Audience* (*Cómo atraer y retener la atención de una audiencia*), J. Berg Esenwein siempre depende de ti. Que diez minutos no signifiquen ni nueve ni once—aunque en todo caso, nueve serían mejor que once. No robarías el reloj de un hombre; tampoco deberías robarle tiempo al siguiente orador o al público. No hay necesidad de sobrepasar los límites de tiempo si te preparas bien y divides tu tema de una manera que le de a cada pensamiento la debida proporción de atención—y nada más. «Bienaventurado el hombre que hace breves discursos, porque será invitado a hablar de nuevo».

Otro tema de suma importancia es: cuál parte de tu discurso exige más énfasis. Una vez que lo decidas, sabrás dónde ubicar esa sección fundamental para darle el mayor valor estratégico, y qué grado de preparación debe darse a ese pensamiento central para que la parte vital no se pierda detrás de elementos no esenciales. Muchos oradores se han despertado y descubierto que han gastado ocho de los diez minutos de un discurso simplemente en el preámbulo. Eso es como gastar el 80 por ciento de tu presupuesto de construcción en el vestíbulo de la casa.

El mismo sentido de proporción debe decirte que te detengas precisamente cuando hayas terminado—y es de esperar que descubras la llegada de ese período antes que tu audiencia.

Usando fuentes originales

La forma más segura de darle vida al material de un discurso es acumular tus datos de primera mano. Tus palabras tienen el peso de la autoridad cuando puedes decir: «He examinado las listas de empleo de todas las fábricas de este distrito y descubrí que el 32 por ciento de los niños empleados son menores de edad». Ninguna citación de autoridades puede igualar eso. Debes adoptar los métodos del periodista y descubrir los hechos subyacentes de tu argumento o exhortación. Hacerlo puede resultar laborioso, pero no debería ser molesto, ya que el gran mundo de los hechos rebosa de interés; y sobre todo está la sensación de poder que te llegará mediante la investigación original. Ver y sentir los hechos que estás discutiendo reaccionarán sobre ti mucho más poderosamente que si fueras a conseguir los hechos a segunda mano.

Vive una vida activa entre personas que hacen cosas valiosas, mantén los ojos, los oídos, la mente y el corazón abiertos para absorber la verdad y luego habla de las cosas que sabes, como si las conocieras. El mundo te escuchará, porque no hay nada que el mundo ame tanto como la vida real.

Cómo usar una biblioteca

Hay tesoros inesperados en la biblioteca más pequeña. Incluso cuando el dueño ha leído hasta la última página de sus libros, solo en raras ocasiones tendrá índices completos para todos ellos—ya sea en su mente o en papel—como para tener a su disposición la gran cantidad de temas variados mencionados o tratados en volúmenes cuyos títulos nunca sugerirían tales temas.

Por esta razón, es bueno tomarse una hora de vez en cuando para curiosear. Toma un libro tras otro y revisa su tabla de contenido y su índice. (Es un reproche a cualquier autor de un libro serio no haber proporcionado un índice completo, con referencias cruzadas). Luego revisa las páginas, haciendo notas, mentales o físicas, del material que te parezca interesante y utilizable. La mayoría de las bibliotecas contienen libros que el dueño «va a leer algún día». Estar familiarizado, aunque sea con el contenido de dichos libros en tus propios estantes te permitirá consultarlos cuando necesites ayuda. Los escritos leídos hace mucho tiempo deben ser tratados de la misma manera—en cada capítulo hay alguna sorpresa escondida esperando para deleitarte.

Al buscar un tema, no te desanimes si no lo encuentras indexado o esbozado en la tabla de contenidos; seguramente descubrirás algún material bajo un título relacionado.

Supongamos que te pones a trabajar de esta manera para sumar referencias sobre el tema de «Pensar». Primero revisas los títulos de tus libros, y ahí ves el libro de Schaeffer, *Thinking and Learning to Think* (Pensando y aprendiendo a pensar). Cerca de él está el de Kramer, *Talks to Students on the Art of Study* (Charlas con estudiantes sobre el arte del estudio), que probablemente te podrá proporcionar algún material—y así lo es.

Por supuesto, luego piensas de tu libro sobre psicología, y allí hay ayuda. Si tienes un volumen sobre el intelecto humano, ya habrás recurrido a él. De repente te acuerdas de tu enciclopedia y de tu diccionario de citas—y ahora el material empieza a llover sobre ti; el problema es saber qué no usar. En la enciclopedia, recurres a cada referencia que incluye, toca o hasta sugiere el tema «pensar»; y haces lo mismo con el diccionario de citas. El último volumen te resulta particularmente útil, porque te sugiere varios volúmenes que ya están en tus estantes—nunca hubieras pensado en buscar en ellos referencias sobre este tema. Hasta la ficción proporcionará ayuda, pero especialmente libros de ensayos y biografía. Debes estar al tanto de tus propios recursos.

Crear un índice general para tu biblioteca elimina la necesidad de indexar volúmenes individuales que aún no están indexados.

Para empezar, lleva una libreta contigo, o si no, pon pequeñas fichas o recortes de papel en tu bolsillo y en tu escritorio. El mismo cuaderno que registra las impresiones de tus propias experiencias y pensamientos será enriquecido con las ideas de los demás.

Sin duda, este hábito de la libreta de apuntes significa trabajo, pero recuerda que más discursos se han echado a perder por una preparación desganada que por falta de talento. La pereza es hermana del exceso de confianza, y ambos son tus enemigos inveterados, aunque pretenden ser amigos calmantes.

Preserva tu material indexando cada buena idea en fichas así:

Socialismo
Progreso de S., Sob. 16
S. una falacia, 96/210
Artículo general sobre S., Howells', diciembre de 1913
«El socialismo y la franquicia», Forbes
«Socialismo en la vida antigua», Ms. original., Sob. 102

En la ficha del ejemplo previo, los recortes se indexan según el número del sobre en el cual están archivados. Los sobres pueden ser de cualquier tamaño y guardados en cualquier receptáculo conveniente. En el ejemplo anterior, «Progreso de S., Sob. 16», representa un recorte, archivado en el Sobre 16, que, por supuesto, está numerado arbitrariamente. Las fracciones se refieren a libros en tu biblioteca; el numerador es el número de libro, el denominador se refiere a la página. Por lo tanto, «S. una falacia, 96/210», se refiere a la página 210 del volumen 96 en tu biblioteca. Mediante algún signo arbitrario—por ejemplo, tinta roja—incluso puedes indexar una referencia en un libro de la biblioteca pública.

Si conservas tus revistas, los artículos importantes pueden indexarse por mes y año. Un volumen entero sobre un tema puede ser indicado, como el libro imaginario de «Forbes». Si recortas artículos, es mejor indexarlos con el sistema de sobres. Tus propios escritos y notas pueden ser archivadas en sobres con los recortes o en una serie separada.

Otro buen sistema de indexación combina el índice de la biblioteca con el sistema de recortes, haciendo que el exterior del sobre sirva el mismo propósito que la ficha para la indexación de libros, revistas, recortes y manuscritos—las últimas dos clases de material estando encerradas en los sobres que los indexan—y todos archivados alfabéticamente.

Cuando tus fichas se hayan acumulado tanto que resulta difícil organizarlas bajo un solo alfabeto, puedes subdividir cada letra con fichas de guía subordinadas, marcadas por las vocales A, E, I, O, U. Por lo tanto, «Antigüedades» se archivaría bajo *i* en la sección *A*, porque la palabra empieza con *A*, y la segunda letra, *n*, viene después de la vocal *i* en el alfabeto, pero antes de *o*. De la misma manera, «Beecher» se archivaría bajo *e* en *B*; «Hidrógeno» estaría bajo *i* en *H*.

Delineando el discurso

Nadie puede aconsejarte cómo preparar las notas para un discurso. Algunos oradores obtienen mejores resultados mientras salen a caminar y rumian, tomando notas mientras hacen una pausa en su caminata. Otros nunca ponen pluma al papel hasta que todo el discurso ha sido pensado. La gran mayoría, sin embargo, tomará notas, clasificará sus notas, escribirá un primer borrador apresurado y luego revisará el discurso. Prueba cada uno de estos métodos y elige el que sea mejor—*para ti*. No permitas que nadie te obligue a trabajar de *su* manera; pero no descuides considerar su método, porque puede ser mejor que el tuyo. Para aquellos que toman notas y con su ayuda escriben el discurso, estas sugerencias pueden ser útiles:

Después de haber leído y pensado lo suficiente, clasifica tus notas, estableciendo los pensamientos centrales de tu material en fichas individuales o en hojas de papel. Estas serán para tu tema como los capítulos de un libro.

Luego organiza estas ideas o puntos principales de tal manera que conduzcan efectivamente al resultado que tienes en mente, de modo que el discurso pueda elevarse en discusión, en interés y en poder al acumular un hecho o exhortación sobre otra hasta alcanzar el clímax—el punto más alto de influencia sobre tu audiencia.

Luego agrupa todas tus ideas, hechos, anécdotas e ilustraciones bajo las cabeceras principales, donde cada una de las cuales pertenece naturalmente.

Ahora tienes la columna vertebral o el esquema de tu discurso que, en su forma pulida, podría servir como resumen o notas del manuscrito para el discurso o como la guía-esquema que expandirás al discurso escrito, si estará escrita.

Imagina que cada una de las ideas principales del resumen de las páginas 166-168 son distintas; luego visualiza tu mente como si estuviera clasificándolas y ordenándolas; por último, imagina cómo anotarías los hechos y ejemplos debajo de cada cabecera, dando una importancia especial a los que deseas enfatizar y sometiendo a aquellos de menor importancia. Al final, tendrás el bosquejo completo. La forma más simple de bosquejo—que sin embargo no es muy adecuada para uso en la plataforma—es la siguiente:

POR QUÉ VIENE LA PROSPERIDAD

- Qué significa la prosperidad.
- Las verdaderas pruebas de la prosperidad.
- Su base en el suelo.
- Progreso agrícola estadounidense.
- Nuevo interés en la agricultura.
- Enorme valor de nuestros productos agrícolas.
- Efecto recíproco en el comercio.
- Los países extranjeros se ven afectados.
- Efectos de nuestra nueva economía interna (la regulación de la banca y las «grandes empresas») en la prosperidad.
- Efectos de nuestra actitud cambiada hacia los mercados extranjeros, incluyendo nuestra marina mercante.
- Sumario
- Obviamente, este bosquejo muy simple puede ser ampliado considerablemente debajo de cada cabecera mediante la adición de hechos, argumentos, inferencias y ejemplos.

A continuación, se muestra una agrupación más ordenada de temas y subtemas:

NUESTRA NACIÓN ES CRISTIANA

I.   Introducción: Por qué el tema es oportuno. Influencias operativas contra este argumento hoy.

II.   *El cristianismo presidió sobre la primera historia de América.*

1. Primer descubrimiento práctico realizado por un explorador cristiano. Colón adoró a Dios en la nueva tierra.
2. Los caballeros.

3. Los colonos católicos franceses.
4. Los hugonotes.
5. Los puritanos.

III. El nacimiento de nuestra nación ocurrió bajo auspicios cristianos.

1. El carácter cristiano de Washington.
2. Otros patriotas cristianos.
3. La Iglesia en nuestra lucha revolucionaria. Muhlenberg.

IV. *Nuestra historia posterior solo ha enfatizado nuestra actitud nacional.* Ejemplos de relaciones con naciones extranjeras demuestran magnanimidad cristiana. Devolviendo la indemnización china; fomentando la Cruz Roja; actitud hacia Bélgica.

V. *Nuestras formas gubernamentales y muchas de nuestras leyes son de una naturaleza cristiana.*

1. El uso de la Biblia en formas públicas, juramentos, etc.
2. La Biblia en nuestras escuelas.
3. Los capellanes cristianos ministran a nuestros cuerpos legisladores, a nuestro ejército y a nuestra armada.
4. El Sábado Cristiano es oficial y generalmente reconocido.
5. La familia cristiana y el sistema cristiano de moralidad forman la base de nuestras leyes.

VI. *La vida del pueblo testifica sobre el poder del cristianismo.* Caridades, educación, etc., tienen un tono cristiano.

VII. Otras naciones nos consideran un pueblo cristiano.

VIII. Conclusión: La actitud que puede razonablemente

esperarse de todos los buenos ciudadanos hacia cuestiones que conciernen a la preservación de nuestra posición como nación cristiana.

Escritura y revisión

Una vez que el bosquejo ha sido perfeccionado, llega el momento de escribir el discurso, si es que lo consideras necesario hacer. Entonces, hagas lo que hagas, escríbelo a toda máquina, sin pensar demasiado en otra cosa que no sea la expresión fuerte y atractiva de tus ideas.

La etapa final es la reducción, la revisión—el ver de nuevo, como lo implica la palabra—cuando todas las partes del discurso deben ser escrutadas imparcialmente para determinar su claridad, precisión, fuerza, efectividad, idoneidad, proporción, clímax lógico; y en todo esto, debes imaginarte a ti mismo ante tu audiencia, porque un discurso no es un ensayo, y lo que convencerá y despertará en uno no prevalecerá en el otro.

El título

Con frecuencia, lo último en llegar será lo que, en cierto sentido, es lo primero—el título, el nombre por el cual se conoce el discurso. A veces será simplemente el tema del discurso, como «El nuevo americanismo», de Henry Watterson; o puede ser un poco de simbolismo que tipifica el espíritu del discurso, como «Acres de diamantes», de Russell H. Conwell; o puede ser una buena frase tomada del texto del discurso, como «Pass Prosperity Around» (Reparte la prosperidad), de Albert J. Beveridge. En general, cualquiera que sea el motivo por el cual fue elegido, haz que el título sea algo fresco, breve, adecuado para el tema y que pueda despertar interés.

Capítulo 19

Influyendo por medio de la exposición

No hables en lo absoluto, de ninguna manera, hasta que tengas algo que decir; preocúpate no por la recompensa de lo que dices, sino simplemente, y con mente indivisa, por la verdad de lo que dices.

—Thomas Carlyle, Essay on Biography (Ensayo
sobre biografías)

Una discusión completa sobre la estructura retórica de los discursos públicos requiere una cobertura más completa de la que se puede emprender en una obra de esta naturaleza; sin embargo, en este capítulo, y en los siguientes sobre «Descripción», «Narración», «Argumento» y «Suplicar», los principios subyacentes se presentan y se explican tan completamente como es necesario para obtener un conocimiento práctico, y se dan referencias bibliográficas adecuadas para aquellos que desean perfeccionarse en el arte retórico.

La naturaleza de la exposición

En la palabra «exponer»—*desnudar, descubrir, mostrar la verdad interior*—vemos la idea fundamental de la «Exposición». Es la acción de enunciar de forma clara y precisa lo que el sujeto realmente es—es la explicación.

La exposición no pinta una imagen, porque eso sería una

descripción. Decir en términos exactos qué es un automóvil, nombrar sus partes características y explicar su funcionamiento, sería exposición; también lo sería una explicación de la naturaleza del «miedo». Pero crear una imagen mental de un automóvil particular, con su carrocería reluciente, líneas elegantes y gran velocidad, sería una descripción; lo mismo sería cierto al formar una imagen mental del miedo que actúa sobre las emociones de un niño durante la noche.

La exposición y la descripción a menudo se entremezclan y se superponen, pero son fundamentalmente distintas. Sus diferencias se abordarán nuevamente en el capítulo sobre «Descripción».

La exposición además no incluye un relato de cómo sucedieron los eventos—eso es narración. Cuando Peary daba conferencias sobre sus descubrimientos polares, explicaba los instrumentos utilizados para determinar la latitud y la longitud—eso era exposición. Al representar sus equipos, él utilizó la descripción. Al contar sus aventuras día a día, empleó la narración. Al apoyar algunas de sus afirmaciones, usó el argumento. Sin embargo, él fue mezclando todas estas formas a lo largo de la conferencia.

La exposición tampoco se ocupa de razones e inferencias; ese es el campo del argumento. Una serie de declaraciones conectadas destinadas a convencer a un posible comprador de que un automóvil es mejor que otro, o evidencia de que la apelación al miedo es un método equivocado de disciplina, no sería exposición. Los hechos simples expuestos en el discurso expositivo o en la escritura son casi siempre la base del argumento, sin embargo, los procesos no son el mismo. Es cierto que la afirmación de un único hecho significativo sin la adición de otra palabra puede ser convincente, pero un momento de reflexión mostrará que la inferencia, que completa una cadena de razonamiento, se hace en la mente del oyente y presupone otros hechos sostenidos en consideración.[7]

7. *El tema de la argumentación será tratado con más detalle en uno de los siguientes capítulos.*

De la misma manera, es obvio que el campo de la persuasión no está abierto a la exposición, ya que la exposición es un proceso totalmente intelectual, sin ningún elemento emocional.

La importancia de la exposición

La importancia de la exposición en el discurso público es precisamente la importancia de exponer un tema tan claramente que no se puede malinterpretar.

> *Dominar el proceso de exposición es convertirse en un pensador claro. "Yo sé, cuando no me preguntas",*[8] *respondió un caballero al ser solicitado para definir una idea muy compleja. Claro, algunos conceptos grandes desafían una definición explícita; pero ninguna mente debería refugiarse detrás de tales excepciones, porque donde la definición falla, otras formas aciertan. A veces nos sentimos seguros de que hemos dominado una idea perfectamente, pero cuando llega el momento de expresarla, esa claridad se convierte en neblina. La exposición, por lo tanto, es la prueba de un claro entendimiento. Para hablar con eficacia, debes ser capaz de ver tu tema de forma clara e integral, y hacer que tu público lo vea como tú.*[9]

Hay trampas en ambos lados de este camino. Explicar muy poco dejará a tu audiencia con dudas en cuanto a lo que quieres decir. Es inútil argumentar una cuestión si no está perfectamente claro qué significa la cuestión. ¿Nunca has llegado a un punto en una conversación donde descubriste que estabas hablando de una cosa mientras que tu amigo estaba pensando otra? Si dos personas no están de acuerdo en sus definiciones de lo que significa ser músico, es inútil discutir sobre el derecho que cierta persona pueda tener para reclamar ese título.

Del otro lado del camino yace el abismo de explicar

[8.] *The Working Principles of Rhetoric (Los principios de funcionamiento de la retórica), J.E. Genung.*

[9.] *How to Attract and Hold an Audience (Cómo atraer y retener la atención de una audiencia), J. Berg Esenwein.*

demasiado tediosamente. Eso ofende porque le hace creer a los oyentes que no respetas su inteligencia o que estás tratando de convertir una brisa en un tornado. Calcula cuidadosamente el conocimiento probable de tu audiencia, tanto en términos generales como del punto particular que estás explicando. Con respecto a simplificar, tratar a tu audiencia como tontos es un error fatal. Explicar más de lo que es necesario para los propósitos de tu argumento o apelación es desperdiciar energía por todos lados. En tu esfuerzo por explicar, no abuses de la exposición hasta generar aburrimiento—los confines no están muy separados, y puedes cruzar esa línea antes de que lo sepas.

Algunos propósitos de la exposición

Por lo que se ha dicho, debe quedar claro que, principalmente, la exposición teje un lazo de entendimiento entre tú y tu audiencia. Además, establece una base de hechos que luego servirá como base para desarrollar declaraciones, argumentos y apelaciones. En discursos científicos y puramente "informativos", la exposición puede existir sola y por sí misma, como en una conferencia sobre biología o sobre psicología; pero en la gran mayoría de los casos, se usa para acompañar y preparar el camino para las otras formas de discurso.

Claridad, precisión, exactitud, unidad, verdad y necesidad— estos deben ser los estándares *constantes* mediante los cuales tú pruebas la eficacia de tus exposiciones y, de hecho, de cada declaración explicativa. Este dicho debe estar grabado en tu cerebro con letras muy claras. Y que esto se aplique no solo a los fines de la exposición, sino en la misma medida a tu uso de los...

Métodos de exposición

Las diversas formas en las que un hablante puede proceder a exponer su discurso probablemente se toquen de vez en cuando. Es más, incluso cuando no llegan a tocarse y superponerse, corren tan paralelas que a veces son más distintas en teoría que en cualquier otro respeto más práctico.

La **definición**, el principal método de exposición, es una declaración de los contornos precisos de un concepto.[10] Obviamente, aquí se debe ejercer mucho cuidado de que los términos de la definición no exijan demasiada definición; el lenguaje debe ser conciso y claro, y la definición no debe excluir ni incluir demasiado. El siguiente es un ejemplo simple:

Explicar es exponer la naturaleza, el significado, las características y la relación de una idea o un grupo de ideas.

El **contraste** y la **antítesis** a menudo se utilizan con eficacia para amplificar la definición, como en esta oración, que sigue inmediatamente a la definición citada anteriormente. Por lo tanto, la Exposición difiere de la Descripción porque trata directamente con el significado, o la intención de su tema, en vez de su apariencia.

Esta antítesis forma una expansión de la definición, y como tal, podría haberse extendido aún más. De hecho, esta es una práctica frecuente en el habla pública, donde las mentes de los oyentes a menudo piden reiteración y repetición ampliada para ayudarles a comprender un tema en sus diversos aspectos. Este es el meollo de la exposición: amplificar y aclarar todos los términos mediante los cuales se define un asunto.

El **ejemplo** es otro método de amplificar una definición o de exponer una idea más completamente. Las siguientes oraciones siguen inmediatamente a la definición y el contraste del Sr. Bates que acabamos de citar:

Una buena parte de lo que estamos acostumbrados a llamar equivocadamente descripción es en realidad exposición. Supongamos que tu hijo pequeño desea saber cómo funciona un motor y te dice: «Por favor, descríbeme el motor a vapor». Si insistes en tomar sus palabras literalmente—y estás dispuesto a correr el riesgo de que él se indigne por ser deliberadamente mal entendido—

[10.] *Para más sobre los varios tipos de definición, consulta cualquier texto universitario de retórica.*

harás lo mejor que puedes para describirle esta máquina
conocida y maravillosa. Si se lo explicas, no lo estás
describiendo, sino exponiéndolo.[11]

El valor principal del ejemplo es que deja en claro lo
desconocido al referir la mente a lo conocido. La disposición
de la mente para hacer comparaciones esclarecedoras y aptas
en aras de la claridad es uno de los principales recursos del
orador sobre la plataforma—es el mayor de todos los dones
de enseñanza. Es un regalo, además, que responde a la
cultivación. Lee los tres extractos de Arlo Bates, tal como su
autor los presentó, como un solo pasaje, y observa cómo se
funden en uno, cada parte complementando a la otra de forma
sumamente útil.

La ***analogía***, que llama la atención sobre relaciones similares
entre objetos que de otro modo no serían similares, es uno de
los métodos de exposición más útiles. El siguiente ejemplar
llamativo fue sacado del discurso de Beecher en Liverpool:

Un salvaje es un hombre de un solo piso, y ese piso es
un sótano. Cuando un hombre comienza a ser civilizado,
edifica otro piso. Cuando cristianizas y civilizas al
hombre, le pones piso sobre piso, porque le desarrollas
habilidad tras habilidad; y debes abastecer cada piso con
tus producciones.

El ***descartar*** es una forma menos común de explicar sobre
la plataforma. Consiste en despejar las ideas asociadas para
que la atención se centre en el pensamiento principal que será
tratado. En realidad, es un factor negativo en la exposición,
aunque también importante, ya que es fundamental para la
consideración de un asunto intrincadamente relacionado que
las cuestiones subordinadas y secundarias se dejen de lado
para sacar a relucir el problema principal. Aquí hay un ejemplo
de este método:

No puedo permitirme ser descarriado del único problema
ante este jurado. No es pertinente considerar que este

[11.] Arlo Bates, *Talks on Writing English (Charlas acerca de escribir en inglés).*

*prisionero es el esposo de una mujer con el corazón
quebrantado y que sus hijos pasarán por el mundo bajo
la sombra de la pena más extrema de la ley aplicada
sobre su padre. Debemos olvidarnos del venerable padre
y de la madre, en quienes el Cielo se compadeció, antes
de enterarse de la desgracia de su hijo. ¿Qué tienen que
decir estos asuntos de corazón, qué tienen que decir los
rostros palidecidos de sus amigos, qué tiene que decir la
larga y honorable carrera del prisionero ante este tribunal
cuando juran sopesar solo la evidencia presentada ante
ustedes? La única pregunta para que ustedes decidan sobre
la evidencia es si este hombre, con intención vengativa,
cometió el asesinato que cada testigo imparcial le ha
solemnemente adjudicado.*

La **clasificación** asigna un tema a su clase. Mediante una
extensión permitida de la definición, puede decirse que también
la asigna a su orden, género y especie. La clasificación es útil en
el discurso público al reducir el problema a una fase deseada.
Es igualmente valioso para presentar algo en relación con
otras cosas, o en correlación. La clasificación es muy similar a
Definición y División.

*Esta cuestión del tráfico de licor, señores, toma su lugar
junto a los graves problemas morales de todos los
tiempos. Cualquiera que sea su significado económico—y
quién puede cuestionarlo—sea cual sea la influencia que
tenga sobre nuestro sistema político—y ¿hay alguien que
lo niegue?—la cuestión del bar o taberna con licencia
debe resolverse rápidamente, así como el mundo con
su avance ha resuelto las cuestiones del gobierno
constitucional para las masas, el tráfico de opio, el
siervo de la gleba y el esclavo—no como cuestiones de
conveniencia económica y política, sino como cuestiones
del bien y el mal.*

El **análisis** divide un tema en sus partes esenciales. Logra
hacerlo mediante varios principios, por ejemplo: el análisis
puede seguir el orden del tiempo (eras geológicas), el orden
del lugar (hechos geográficos), el orden lógico (el bosquejo de

un sermón), el orden de interés creciente, o la procesión hasta el clímax (una conferencia sobre poetas del siglo XX), etc. El siguiente es un ejemplo clásico de exposición analítica:

En la filosofía, las contemplaciones del hombre penetran hasta Dios, o se llevan a la naturaleza, o se reflejan o vuelven sobre el hombre mismo. De estas varias formas de indagación surgen tres formas de conocimiento: la filosofía divina, la filosofía natural y la filosofía humana o las humanidades. Todas las cosas están marcadas y selladas con este triple carácter, del poder de Dios, la diferencia de la naturaleza y el uso del hombre.

—Lord Bacon, The Advancement of Learning[12] (*El fomento del aprendizaje*)

La **división** solo difiere del análisis en que el análisis sigue las divisiones inherentes de un tema, como se ilustra en el pasaje anterior, mientras que la división separa el tema arbitrariamente por la conveniencia de tratarlo, como en el siguiente ejemplo no demasiado lógico:

Para la historia civil, es de tres tipos; no tan diferente a los tres tipos de fotografías o imágenes. En cuanto a fotografías o imágenes, vemos que algunas están sin terminar, algunas están perfectas y otras están desfiguradas. Asimismo, podemos encontrar tres tipos de historias: recuerdos, historias perfectas y antigüedades. Los recuerdos son historias incompletas, o los borradores de la historia, y las antigüedades son historias desfiguradas, o algunos restos de la historia que han escapado casualmente del naufragio del tiempo.

—Lord Bacon, The Advancement of Learning[13] (*El fomento del aprendizaje*)

[12.] Citado en The Working Principles of Rhetoric (*Los principios de funcionamiento de la retórica*), J.F. Genung.
[13.] Citado en The Working Principles of Rhetoric (*Los principios de funcionamiento de la retórica*), J.F. Genung.

La generalización establece un principio amplio, o una verdad general, derivada de la examinación de un número considerable de hechos individuales. Esta exposición sintética no es lo mismo que la generalización argumentativa, que apoya una opinión general al citar instancias que la apoyan. Observa cómo Holmes comienza con un hecho, y al agregar uno tras otro, alcanza un todo completo. Esta es una de las herramientas más efectivas en el repertorio de oradores públicos.

Toma un cilindro hueco, con el fondo cerrado y la parte superior abierta, y viértele agua a la altura de algunas pulgadas. Luego cubre el agua con una placa plana o un pistón que encaje perfectamente en el interior del cilindro. Luego aplícale calor al agua, y serás testigo de los siguientes fenómenos. Después de unos minutos, el agua comenzará a hervir, y el vapor que se acumula en la superficie superior creará espacio, levantando ligeramente el pistón. A medida que la ebullición continúa, se formará más y más vapor, y elevará el pistón más y más alto, hasta que toda el agua se haya evaporado, y no quede nada más que vapor en el cilindro. Ahora, esta máquina, que consiste en cilindro, pistón, agua y fuego, es un motor a vapor en su forma más básica. Un motor a vapor se puede definir como un aparato que hace trabajo por medio de calor aplicado al agua; y dado que elevar el peso del pistón es una forma de trabajo, este aparato, por más torpe e inconveniente que sea, cumple totalmente con la definición.[14]

La **referencia a la experiencia** es uno de los principios más vitales en la exposición, como en cualquier otra forma de discurso.

«Referencia a la experiencia», como es usada aquí, significa referirse a lo conocido. Lo conocido es aquello que el oyente ha visto, oído, leído, sentido, creído o hecho, y que todavía existe en su conciencia—su almacén de conocimiento. Abarca todos

[14.] G.C.V. Holmes, citado en *Specimens of Exposition (Ejemplos de exposición)*, H. Lamont.

esos pensamientos, sentimientos y sucesos que para él son reales. La referencia a la experiencia, entonces, significa entrar en la vida del oyente.[15]

Los vastos resultados obtenidos por la ciencia no se obtienen por ninguna facultad mística, por ningún proceso mental aparte de aquellos que cada uno de nosotros practicamos en los asuntos más humildes y comunes de la vida. Un policía detective descubre a un ladrón a partir de las huellas dejadas por su zapato, mediante un proceso mental idéntico al que Cuvier usó para restaurar a los animales extinguidos de Montmartre con fragmentos de sus huesos. Tampoco el proceso de inducción y deducción por el cual una mujer, al encontrar una mancha de un tipo particular en su vestido, llega a la conclusión de que alguien ha alterado el tintero, difiere de alguna manera de la forma en que Adams y Leverrier descubrieron un nuevo planeta. El científico, de hecho, simplemente usa con escrupulosa exactitud los métodos que todos habitualmente, y en todo momento, utilizamos descuidadamente.

—Thomas Henry Huxley, Lay Sermons
(*Sermones láicos*)

¿Cómo escribir vuestro nombre en la lista de la juventud, Vos, que todos los caracteres de la edad designan como un viejo? ¿No tenéis acaso los ojos llorosos? ¿La mano seca? ¿La mejilla amarilla? ¿La barba blanca? ¿Una pierna que disminuye? ¿El vientre que aumenta? ¿No tenéis la voz rota, el aliento corto, la papada doble, el espíritu simple, todas vuestras facultades, en fin, arruinadas por la edad? ¿Y todavía os llamáis joven? ¡Ta!, ¡ta, ta! Sir John.

—*Shakespeare*, Enrique IV, Acto I, Escena 2

Finalmente, al preparar material expositivo, hazte estas preguntas con respecto a tu tema:

[15.] *Effective Speaking (Oratoria eficaz), Arthur Edward Phillips. Esta obra trata de la preparación de discursos de una manera muy útil.*

¿Qué es y qué no es?
¿A qué se parece y a qué no se parece?
¿Cuáles son sus causas y efectos?
¿Cómo se dividirá?
¿Con qué temas se correlaciona?
¿Qué experiencias hace recordar?
¿Qué ejemplos lo ilustran?

Capítulo 20

Influyendo por medio de la descripción

Las arboledas del Edén, desaparecidas hace ya tanto,
Viven en la descripción y lucen verdes en cantos.
—Alexander Pope, Windsor Forest (El bosque de Windsor)

En el momento en que nuestro discurso se eleva por
encima de la línea de base de hechos familiares, y se
enardece con pasión o pensamientos exaltados, se viste
de imágenes. Un hombre que habla en serio, si observa
sus procesos intelectuales, encontrará que siempre surge
en su mente una imagen material, más o menos luminosa,
contemporánea de cada pensamiento, que proporciona la
vestimenta del pensamiento. Esta imagen es espontánea.
Es la combinación de la experiencia con la acción
presente de la mente. Es creación propia.
—Ralph Waldo Emerson, Nature (La naturaleza)

Al igual que otros recursos valiosos para hablar ante un público, la descripción pierde su poder cuando se lleva a un extremo. El adorno excesivo del habla convierte el tema en algo ridículo. Un trapo para quitar el polvo es una cosa muy útil, pero ¿por qué bordarlo?

Decidir si la descripción debe ser restringida dentro de sus límites apropiados e importantes, o ser animada a desenfrenarse, es una opción personal que se presenta ante cada orador, ya que la primera tendencia literaria del hombre es pintar o describir.

La naturaleza de la descripción

Describir es conjurar una imagen en la mente del oyente. «Al hablar de la descripción, naturalmente hablamos de retratar, delinear, colorear y todos los recursos del pintor. Describir es visualizar, por lo tanto, debemos considerar la descripción como un proceso pictórico, ya sea que el escritor trate con cosas materiales o con objetos espirituales».[16]

Si a ti te pidieran que describas un arma de fuego automática, podrías hacerlo de dos maneras: Proveer una descripción técnica y fría de su mecanismo, en su totalidad y en detalle, o más bien describirla como un terrible artilugio de matanza, haciendo hincapié más sobre sus efectos que sobre su estructura.

El primero de estos procesos es la exposición, el último es descripción verdadera. La exposición trata más con lo *general*, mientras que la descripción debe tratar con lo *particular*. La exposición elucida *ideas*, la descripción trata con *cosas*. La exposición se enfoca en lo *abstracto*, la descripción con lo *concreto*. La exposición se concentra en lo *interno*, la descripción con lo *externo*. La exposición es *enumerativa*, la descripción *literaria*. La exposición es *intelectual*, la descripción *sensorial*. La exposición es *impersonal*, la descripción *personal*.

Si la descripción es un proceso de visualización para el oyente, primero lo es así para el hablante—no puede describir lo que nunca ha visto, ya sea en persona o en su imaginación. Es esta cualidad personal—esta cuestión del ojo personal que ve las cosas que se describirán más adelante—lo que hace que la descripción sea tan interesante en el discurso público. Si estamos ante un hablante con personalidad, y estamos interesados en su punto de vista personal, su punto de vista se suma al interés natural del momento e incluso puede ser la única fuente de interés para sus oyentes.

El ojo vidente ha sido elogiado en un capítulo anterior (sobre «Tema y preparación») y la imaginación será tratada en un capitulo posterior (sobre «Montando el caballo alado»), pero

---

[16.] *Writing the Short-Story (La escritura de cuentos), J. Berg Esenwein.*

aquí debemos considerar la mente que visualiza. Es la mente que forma el doble hábito de ver las cosas con claridad—pues vemos más con la mente que con el ojo físico—y de luego volver a reimaginar estas cosas con el fin de ponerlas a la vista de los oyentes. Ningún hábito es más útil que el de visualizar claramente el objeto, la escena, la situación, la acción, la persona a punto de ser descrita. A menos que ese proceso primario se lleve a cabo con claridad, la imagen será borrosa para el espectador-oyente.

En un trabajo de esta naturaleza, nos interesa el análisis retórico de la descripción y sus métodos, solo hasta donde sea necesario para los propósitos prácticos del hablante.[17] Por lo tanto, la siguiente agrupación no se considerará completa, ni será necesario añadir más que una palabra de explicación:

Descripción para oradores públicos

Objetos	{ Inmóviles
Objetos	{ En movimiento
Escenas	{ Inmóviles
Escenas	{ Incluyendo acción
Situaciones	{ Antes del cambio
Situaciones	{ Durante el cambio
Situaciones	{ Después del cambio
Acciones	{ Mentales
Acciones	{ Físicas
Personas	{ Internas
Personas	{ Externas

Algunos de los procesos anteriores se superpondrán, en ciertos casos, y es más probable que se encuentren en combinación que en forma individual.

Cuando la descripción pretende únicamente proporcionar

[17.] *Para una cobertura más amplia de la Descripción, refiérete a Working Principles of Rhetoric (Los principios de funcionamiento de la retórica), de Genung, Descriptive Writing (Escritura descriptiva), de Albright, la primera y segunda serie de Talks on Writing English (Charlas acerca de escribir en inglés) de Bates, y cualquier otra obra avanzada de retórica.*

información precisa—como para delinear la apariencia, no la construcción técnica, de la última aeronave Zeppelin—se denomina «descripción científica», y es similar a la exposición.

Cuando se pretende presentar una imagen libre con el propósito de causar una impresión vívida, se denomina «descripción artística». El orador público debe manejar ambas cosas, pero más a menudo con la última. Los retóricos hacen aún más distinciones.

Métodos de descripción

En la oratoria, *la descripción debe realizarse principalmente por sugerencia*, no solo porque la descripción sugerente es mucho más compacta y ahorra tiempo, sino porque es muy vívida. Las expresiones sugestivas connotan más de lo que literalmente dicen—le sugieren ideas e imágenes a la mente del oyente que complementan las palabras directas del hablante. Cuando Dickens, en su obra *Cuento de Navidad*, dice: «Entró la señora Fezziwig, con toda una gran sonrisa sustancial», nuestras mentes completan la imagen tan hábilmente comenzada por el autor. Es un proceso mucho más efectivo que el de una descripción minuciosamente detallada, porque deja una impresión unificada y vívida, y eso es lo que necesitamos. Aquí hay una pequeña sugerencia actual: «Como hombre, el general Trinkle era como un roble retorcido—áspero, sólido y seguro; siempre sabías dónde encontrarlo». Dickens nos presenta a la señorita Peecher: «Una pequeña almohadilla, una pequeña ama de casa, un pequeño libro, una pequeña caja de trabajo, un juego de tablas, pesas y medidas, y una mujercita, todo en uno». En su obra *La historia Knickerbocker de Nueva York*, Irving describe a Wouter van Twiller como «un barril de cerveza robusto, parado sobre patines».

Independientemente de las formas de descripción que pases por alto, asegúrate de dominar el arte de la sugerencia.

La descripción puede ser por simple sugerencia. Lowell describe un ejemplo feliz de este tipo de visualización por intimación cuando dice lo siguiente de Chaucer: «A veces describe algo ampliamente con la pista más mínima, como cuando el Fraile, antes de sentarse, ahuyenta al gato. Sabemos, sin necesidad de más palabras, que ha elegido el rincón más cómodo».

La descripción puede representar una cosa por sus efectos. «Cuando el ojo del espectador se deslumbra y lo sombrea», dice Mozley en sus *Ensayos*, «formamos la idea de un objeto espléndido; cuando su cara se pone pálida, la de un objeto horrible; de su rápida maravilla y admiración, formamos la idea de una gran belleza; de su temor silencioso, de gran majestad».

La descripción breve puede realizarse mediante epítetos. «Ojos azules», «brazos blancos», y «amante de la risa» ahora son términos convencionales, pero fueron bastante novedosos cuando Homero los acuñó por primera vez. Los siglos aún no han logrado mejorar frases como: «Ruedas redondas, de latón, con ocho radios», o «Escudos lisos, hermosos, de latón, bien martillados». Observa el uso efectivo del epíteto en «La muerte combativa» de Will Levington Comfort, cuando él habla de soldados en un combate en las Filipinas estando «pegados contra una roca como sanguijuelas».

La descripción usa figuras retóricas. Cualquier manual de retórica avanzado discutirá sus formas y dará ejemplos para orientación[18]. Te aseguro que este es un tema de máxima importancia. Un estilo figurativo brillante pero moderado con cuidado, un estilo marcado por comparaciones y caracterizaciones breves, punzantes, ingeniosas y cómicas es un recurso maravilloso para todo tipo de trabajo de plataforma.

La descripción puede ser directa. Esta afirmación es lo suficientemente clara sin exposición. Utiliza tu propio juicio sobre si al representarlo, es mejor proceder desde una vista general a los detalles, o primero brindar los detalles y así construir la imagen general, pero por supuesto, sé breve.

[18.] *Véase también The Art of Versification (El arte de la versificación), J. Berg Esenwein and Mary Eleanor Roberts, pág. 28–35; y Writing the Short-Story (La escritura de cuentos), J. Berg Esenwein, pág. 152–162; 231–240.*

Presta atención a la concisión vívida de estas descripciones de la obra de Washington Irving:

Era un caballero viejo, bajo, cuadrado, fornido, con doble papada, una boca de mastín y una amplia nariz de cobre, que en aquellos tiempos se suponía que había adquirido su tonalidad ardiente por la proximidad constante a su pipa de tabaco. Medía exactamente cinco pies y seis pulgadas de alto y seis pies y cinco pulgadas de circunferencia. Su cabeza era una esfera perfecta, y de dimensiones tan estupendas, que la Dama Naturaleza, con todo el ingenio de su género, se hubiera confundido al construir un cuello capaz de soportarla; por lo tanto, ella sabiamente rehusó hacer el intento, y la colocó firmemente en la parte superior de su columna vertebral, justo entre los hombros. Su cuerpo era de forma oblonga, particularmente espacioso en el fondo, algo que fue sabiamente ordenado por la Providencia, puesto que era un hombre de hábitos sedentarios, y muy reacio al trabajo ocioso de caminar.

Esta selección es demasiada larga para la plataforma, pero es de tan buen humor, está tan llena de deliciosas exageraciones, que bien puede servir como modelo de imagen cómica del personaje, porque aquí uno inevitablemente ve al hombre interior reflejado en su exterior.

La descripción directa para el uso sobre la plataforma puede ser hecha vívida por medio del uso *moderado* del «presente histórico». El siguiente pasaje dramático, acompañado por un sentimiento de acción muy vivaz, ha perdurado en mi mente treinta años después de escuchar al Dr. T. DeWitt Talmage dar un discurso titulado «Grandes errores». El ruido del bate suena claro incluso hoy en día:

Preparen los bates y tomen sus posiciones. Ahora, lancen la bola. Demasiado baja. No le pegues. Demasiado alto. No le pegues. Ahí viene como un rayo. ¡Pégale! ¡Ahí va volando! ¡Más alto! ¡Más alto! ¡Corre! ¡Otra base! ¡Más rápido! ¡Más rápido! ¡Bien! ¡La vuelta entera con un solo golpe!

Observa la notable manera en que el conferenciante fusionó al orador, el público, los espectadores y los jugadores en un todo emocionado y extático—de la misma manera que tú estarías al borde de tu asiento cuando se lanza la pelota con «tres jugadores sobre bases y dos eliminados» en la novena entrada. Observa también cómo, tal vez inconscientemente, Talmage pintó el marco de la escena en el estilo característico de Homero, no como si ya hubiera sucedido, sino como que está sucediendo ante tus ojos.

Si has asistido a muchas charlas de viajes, debes haber quedado impresionado por los extremos dolorosos a los que van los conferenciantes; con algunas notables excepciones, su lenguaje o es excesivamente adornado o crudo. Si deseas aprender el poder de las palabras para hacer que los escenarios, y sí, hasta las casas, palpiten con poesía y reclamo humano, lee obras de Lafcadio Hearn, Robert Louis Stevenson, Pierre Loti y Edmondo De Amicis.

En la distancia azul, una montaña de piedra tallada aparició ante ellos—el Templo, elevando al cielo su selva de pináculos cincelados, arrojando al cielo el rocío dorado de su decoración.
—Lafcadio Hearn, Fantasmas de la China y el Japón

Las estrellas eran claras, coloridas y con aspecto de joyas, pero no heladas. Un débil vapor plateado representaba la Vía Láctea. A mi alrededor, los puntos de abetos negros permanecían erguidos e inmóviles. Por la blancura de su montura pude ver a Modestine dando vueltas y vueltas estirando su atadura; pude oírla constantemente mordisqueando el césped; pero no había otro sonido más que la indescriptible charla suave del arroyo sobre las piedras.
—Robert Louis Stevenson, Viajes con una burra

Ahora era pleno otoño, a finales de otoño—con anocheceres oscuros y todas las cosas en la vieja cabaña oscureciendo temprano, y toda la tierra bretona luciendo sombría también. Los días mismos parecían ser solo de penumbra;

las nubes inconmensurables, pasando lentamente, de repente traían oscuridad al mediodía. El viento gemía constantemente—era como el sonido de un gran órgano de catedral a la distancia, pero tocando aires profanos, o endechas desesperadas; otras veces se acercaba a la puerta y levantaba un aullido como bestias salvajes.

—*Pierre Loti*, Pescador de Islandia

Veo el gran comedor,[19] donde un batallón podría haber ejercitado; veo las largas mesas, las quinientas cabezas inclinadas sobre los platos, el rápido movimiento de quinientos tenedores, de mil manos y dieciséis mil dientes; el enjambre de sirvientes corriendo de aquí para allá, llamados, regañados, apresurados por todos lados a la vez; Escucho el traqueteo de los platos, el ruido ensordecedor, las voces ahogadas con comida gritando: «¡Pan, pan!», y siento una vez más el apetito formidable, la fuerza hercúlea de las mandíbulas, la vida exuberante y los espíritus de aquellos lejanos días.[20]

—*Edmondo De Amicis*, College Friends
(Amigos universitarios)

Sugerencias para el uso de la descripción

Al comenzar una descripción, decide qué punto de vista deseas que tomen tus oyentes. No se puede ver una montaña o un hombre por todos lados a la vez. Establece un punto de vista, y no cambies sin dar aviso.

Elige una actitud hacia tu sujeto: ¿Será idealizado? ¿Caricaturizado? ¿Ridiculizado? ¿Exagerado? ¿Defendido? ¿O descrito imparcialmente?

Asegúrate también de tu estado de ánimo, ya que él matizará el sujeto que describirás. La melancolía hará que un jardín de rosas se vea gris.

Adopta un orden según el cual procederás—no te desplaces

[19.] *En la Academia Militar de Módena.*

[20.] *Esta figura de retórica se conoce como «visión».*

hacia atrás ni hacia adelante, ni de cerca a lejos, del pasado al presente, de general a particular, de grande a pequeño, de importante a no importante, de concreto a abstracto, de físico a mental; sino sigue el orden que has elegido. Las observaciones aleatorias y cambiantes producen impresiones nebulosas, al igual que una cámara en movimiento arruina una fotografía de exposición larga.

No te ocupes con minucias innecesarias. Algunos detalles identifican a una cosa con su clase, mientras que otros detalles la diferencian de su clase. Elige solo las características significativas y sugestivas, y bríndalas con vivacidad y palabras breves. Aprende una lección de las pocas pinceladas utilizadas por el artista.

Al determinar qué describir y qué simplemente nombrar, trata de percibir el conocimiento de tu audiencia. La diferencia entre lo desconocido y lo conocido para ellos también es vital para ti. Elimina sin piedad todas las ideas y palabras que no sean necesarias para producir el efecto que deseas. Cada elemento en una imagen mental ayuda o dificulta. Asegúrate de que no te obstaculicen, ya que no pueden estar pasivamente presentes en ningún discurso.

Las interrupciones de la descripción para hacer observaciones laterales son tan capaces de destruir la unidad como lo son las frases descriptivas dispersas. La única impresión visual que puede ser efectiva es aquella que está unificada.

Al describir, intenta recordar las emociones que sentiste cuando primero viste la escena, y luego intenta reproducir esas emociones en tus oyentes. La descripción es principalmente emocional en su reclamo; no hay nada más aburrido que un relato frío y sin emociones, mientras que nada deja una impresión más cálida que una descripción brillante y enérgica.

Presenta un punto de vista general rápido e intenso al final de la descripción. Las primeras y últimas impresiones permanecen más tiempo. La mente puede ser entrenada para recibir los puntos característicos de un sujeto, a fin de ver en una sola escena, acción, experiencia o carácter, una impresión unificada del todo. Para describir una cosa como un todo, primero debes verla como un todo. Domina ese arte y dominarás la descripción en su totalidad.

SELECCIONES PARA LA PRÁCTICA

Los hogares del pueblo

Fui a Washington el otro día, y me paré en la Colina del Capitolio; mi corazón latía rápidamente mientras miraba el imponente mármol del Capitolio de mi país, y mis ojos se nublaron al pensar en su tremenda importancia, y los ejércitos y la tesorería, y los jueces y el Presidente, y el Congreso y los tribunales y todo lo que estaba reunido allí. Y sentí que el sol, en todo su recorrido, no podría presenciar una vista mejor que la majestuosa casa de una república que le había enseñado al mundo sus mejores lecciones de libertad. Y sentí que si el honor, la sabiduría y la justicia permanecían en él, el mundo finalmente le debería su elevación final y su regeneración a aquella gran casa en la que está alojado el arca del pacto de mi país.

Dos días después, fui a visitar a un amigo en el campo, un hombre modesto, con una tranquila casa de campo. Era simplemente una casa sencilla y sin pretensiones, rodeada de grandes árboles, praderas y un campo rico con la promesa de la cosecha. La fragancia de las rosas y la malvarrosa en el patio delantero se mezclaban con el aroma de la huerta y de los jardines, y resonó con el cloqueo de las aves de corral y el zumbido de las abejas.

Adentro había tranquilidad, limpieza, frugalidad y comodidad. Estaba el viejo reloj que había acogido, en constante medida, a todos los recién llegados a la familia, que había marcado el solemne réquiem de los muertos, y había acompañado al que hacía vigilia al lado de la cama. Allí estaban las camas grandes y relajantes, la vieja chimenea abierta y la vieja Biblia familiar, manoseada con los dedos de manos desde hace ya mucho tiempo inmóviles, y húmeda con las lágrimas los ojos desde hace ya mucho tiempo cerrados, conteniendo las simples historias de la familia, y el corazón y la conciencia del hogar.

Afuera, estaba mi amigo, el amo, un hombre sencillo y recto, sin hipoteca sobre su techo, sin gravámenes sobre sus cultivos; dueño de su tierra y dueño de sí mismo. Estaba su padre anciano, un hombre viejo y tembloroso, pero contento con el corazón y el hogar de su hijo. Y cuando comenzaron a llegar a su hogar, las manos del anciano se posaron en el hombro del joven, dejando allí la indescriptible bendición del honrado y agradecido padre, y ennobleciéndolo con el título de caballero del Quinto Mandamiento.

Y cuando llegaron a la puerta, la anciana madre apareció con la puesta de sol cayendo sobre su rostro, iluminando sus ojos profundos y pacientes, mientras que sus labios, temblando con la música rica de su corazón, le daban la bienvenida a su esposo e hijo. Más allá estaba la ama de casa, ocupada con sus tareas domésticas, de corazón y conciencia limpia, el escudo y la ayuda idónea de su esposo. Por la calle llegaron los niños, regresando a casa detrás de las vacas, buscando la tranquilidad de su nido como lo hacen las aves itinerantes.

Y vi la noche caer sobre esa casa, cayendo suavemente como las alas de una paloma invisible. Y el anciano— mientras un pájaro asustado llamaba desde el bosque, y los árboles sonaban con el grito del grillo, y las estrellas pululaban en el cielo—juntó a la familia alrededor de él, y tomando la vieja Biblia de la mesa, los llamó a ponerse de rodillas, el pequeño bebé escondido en los pliegues del vestido de su madre, mientras cerraba el registro de ese simple día al invocar la bendición de Dios sobre esa familia y ese hogar.

Y mientras yo miraba, la visión de ese Capitolio de

mármol se desvaneció. Olvidados estaban sus tesoros y su majestad, y dije: «Oh, seguramente aquí, en los hogares del pueblo, están finalmente alojadas la fuerza y la responsabilidad de este gobierno, la esperanza y la promesa de esta república».

—Henry W. Grady

Escenas sugestivas

Una cosa en la vida requiere otra; hay una aptitud en eventos y lugares. La vista de una pérgola agradable pone en nuestra mente la idea de sentarse allí. Un lugar sugiere trabajo, otro sugiere ociosidad, y un tercero levantarse temprano y dar largos paseos en el rocío.

El efecto de la noche, de cualquier agua que fluye, de ciudades iluminadas, del amanecer, de los barcos, del mar abierto, despierta en la mente un ejército de deseos y placeres anónimos. Sentimos que algo debería suceder; no sabemos qué, y, sin embargo, procedemos en su búsqueda. Y muchas de las horas más felices de la vida nos pasan de largo en esta vana asistencia al genio del lugar y el momento. Es así que tramos de abetos jóvenes y rocas bajas que alcanzan sondeos profundos particularmente me deleitan y torturan. Algo le debe haber sucedido a miembros de mi raza en tales lugares, y tal vez hace siglos atrás; y cuando era niño, traté de inventar juegos apropiados para ellos, como sigo haciéndolo hoy, esperando en vano poder encajarlos con la historia correcta.

Algunos lugares hablan claramente. Ciertos jardines húmedos claman en voz alta por un asesinato; ciertas casas antiguas exigen ser embrujadas; ciertas costas se reservan para naufragios. Otros lugares parecen aceptar su destino, sugestivo e impenetrable, con travesuras furtivas. La posada en Burford Bridge, con sus pérgolas y su jardín verde y su río silencioso y revoltoso—aunque ya se conoce como el lugar donde Keats escribió parte de su poema *Endymion* y Nelson se despidió de su amante Emma—todavía parece esperar la llegada de la leyenda apropiada. Dentro de estas paredes cubiertas de hiedra, detrás de estas viejas persianas verdes, otros eventos están al acecho, esperando su hora.

La vieja posada Hawes Inn en Queensferry, Escocia, también mueve mi imaginación. Allí está, separada de la ciudad, al lado del muelle, en un clima propio, mitad tierra adentro, mitad marino—en el frente, el ferry burbujea con la marea y el buque de guardia se balancea anclado; detrás, el viejo jardín con los árboles. Los estadounidenses ya lo buscan por su amor por los personajes Lovel y Oldbuck, que cenaron allí en el comienzo de la novela *El anticuario*. Pero no es necesario que me lo digas—eso no es todo; existirá alguna historia, no registrada o aún no completada, que deberá expresar más plenamente el significado de esa posada.

He vivido, tanto en Hawes como en Burford, en un revuelo perpetuo, pisando los talones, según parecía, de alguna aventura que justificaría el lugar; pero, aunque la sensación me hacía acostarme por la noche y volvía a llamarme por la mañana en un ciclo ininterrumpido de placer y suspenso, nada me sucedió en ambos lugares. El hombre o la hora aún no habían llegado; pero algún día, creo yo, un barco zarpará del ferry de la Reina, portando un querido cargamento, y una noche helada, un jinete en un trágico recado golpeará su látigo contra las persianas verdes de la posada de Burford.

—*R.L. Stevenson, A Gossip on Romance (Un chisme sobre el romance)*

De «Medianoche en Londres»

¡Clang! ¡Clang! ¡Clang! ¡Las campanas de los bomberos! ¡Bing! ¡Bing! ¡Bing! ¡La alarma! En un instante, la tranquilidad se convierte en alboroto—un estallido de ruido, excitación, clamor—y se desató la confusión. ¡Bing! ¡Bing! ¡Bing! Traqueteos, choques y ruidos. Se abren las puertas; hombres valientes montan sus carretas.

¡Bing! ¡Bing! ¡Bing! ¡Ya salen! Los caballos van corriendo por la calle como locos. «¡Bing! ¡Bing! ¡Bing!», suena la campana.

«¡Salgan del camino! ¡Vienen los carros de bomberos! ¡Por el amor de Dios, quiten a ese niño del camino!»

Sin pausa, enloquecida y resueltamente, vuelan locamente los corceles. «¡Bing! ¡Bing!», dice la campana. Los caballos se apresuran con alas de la furia enfebrecida. Los carros siguen avanzando, recorriendo calles, doblando esquinas, subiendo por esta avenida y cruzando aquella, metiéndose en las entrañas de la oscuridad, silbando, resollando, disparando un millón de chispas de sus chimeneas, allanando el camino de la noche sobresaltada con una galaxia de estrellas.

Sobre los tejados del norte, un estallido volcánico de llamas explota, eructando con efecto cegador. El cielo está en llamas. Un edificio de apartamentos está ardiendo. Quinientas almas están en peligro. ¡Dios misericordioso! ¡Rescata a las víctimas! ¿Vienen los bomberos? Sí, aquí están, corriendo por la calle. ¡Mira! Los caballos cabalgan sobre el viento; ojos abultados como bolas de fuego; fosas nasales bien abiertas. Una oleada de fuego palpitante, rodando, arrojándose, saltando, subiendo, cayendo, hinchándose, jadeando, y con loca pasión reventando sus costados al rojo vivo, extendiendo sus brazos—rodeando, apretando, arrebatando, tragándose todo lo que tiene por delante con la boca caliente y codiciosa de un monstruo atroz.

¡Cómo doblan la esquina los caballos! Instinto animal, ¿dices tú? Sí, y algo más. Razonamiento bruto.

«¡Suban las escaleras, hombres!»

El imponente edificio está enterrado en bancos hinchados de elementos salvajes y mordaces. Lenguas bifurcadas son disparadas, entrando y saliendo, esquivando de aquí para allá, arriba y abajo, y enrollando sus bordes cortantes alrededor de cada objeto. Un choque, un sonido sordo y explosivo, y una nube de humo salta.

En el punto más alto sobre el tejado se encuentra una figura oscura en un estrecho desesperado, las manos haciendo gestos frenéticos, los brazos balanceándose frenéticamente—y luego el cuerpo se lanza hacia el espantoso vacío, cayendo sobre la acera con un golpe seco y repugnante. El brazo del hombre golpea a un espectador al caer. La multitud se estremece, se balancea y profiere un murmullo de lástima y horror. Los espectadores pusilánimes ocultan sus rostros. Una mujer se desmaya.

«¡Pobre hombre! ¡Está muerto!» exclama un trabajador, mientras mira el cuerpo del hombre.

«¡Sí, Joe! ¡Yo lo conocía bien! Él vivía al lado mío, en el quinto tramo de escaleras hacia atrás. Él deja una madre viuda y dos pequeños huérfanos. Lo ayudé a enterrar a su esposa hace quince días. ¡Ah, Joe! Qué mala suerte para esos huérfanos».

Pasa una hora espantosa, arrastrando a su regimiento de pánico en su rastro y dejando manchas carmesíes de crueldad a lo largo del trayecto de la noche.

«¿Ya han salido todos, bomberos?».

«¡Sí, señor!».

«¡No, no todos! Hay una mujer en la ventana de arriba sosteniendo a un niño en sus brazos—¡allá en la esquina derecha! ¡Las escaleras, allí! ¡Cien libras esterlinas para el hombre que la rescata!»

Una docena se moviliza. Un hombre, más flexible que

los demás e imprudente en su valentía, sube al peldaño más alto de la escalera.

«¡No alcanza la escalera!», él grita. «¡Alcen otra!»

Ahí se eleva la otra escalera. Él se sube a la ventana, sujeta la soga, amarra a la madre y al bebé, los mueve hacia el vacío terrible y los hace bajar para ser rescatados por sus camaradas.

«¡Bravo, bombero!» grita la multitud.

Un estruendo suena entre el rugido de maderas crepitantes. «¡Cuidado ahí arriba! ¡Dios mío! ¡El techo ha caído!»

Las paredes se mueven, se balancean y se desploman con un rugido ensordecedor. Los espectadores dejan de respirar. La fría verdad se revela. El bombero ha sido arrebatado por el horno hirviente. Una anciana, doblada por el peso de la edad, se precipita a través de la línea de fuego, chillando, delirando, retorciéndose las manos y abriendo su corazón de dolor.

«¡Pobre John! ¡Él era lo único que yo tenía! ¡Y era un muchacho valiente también! Pero ahora ya no está. Perdió su vida salvando a otras dos, y ahora—¡ahora está ahí, ahí adentro!» repite la mujer, señalando hacia el cruel horno.

Los bomberos hacen su trabajo. Las llamas desaparecen. Una espeluznante penumbra cuelga sobre las ruinas como un paño mortuorio formidable y ennegrecido.

Y pasa el mediodía de la noche.

—*Ardennes Jones-Foster*

Capítulo 21

Influyendo por medio de la narración

El arte de la narración es el arte de escribir con ganchos y ojos. El principio consiste en hacer que un pensamiento apropiado se enganche a otro pensamiento apropiado, que un hecho apropiado se enganche a otro hecho apropiado; primero preparando la mente para lo que está por venir y luego dejando que llegue.

—Walter Bagehot, Estudios literarios

Nuestra misma habla es curiosamente histórica. La mayoría de los hombres, como podrás observar, hablan solo para narrar; no impartiendo lo que han pensado, que de hecho a menudo es algo muy pequeño, sino que al exhibir lo que han experimentado o visto, que es bastante ilimitado, los oradores se explayan. ¡Desconéctennos de la Narrativa y la corriente de conversación, incluso entre los más sabios, languidecerá en puñados separados, y entre los necios se evaporará por completo! Por lo tanto, como no hacemos más que representar la Historia, decimos poco más que recitarla.

—Thomas Carlyle, On History (Acerca de la historia)

Solo un pequeño segmento del gran campo de la narración le ofrece sus recursos al orador público, y eso incluye la anécdota, los hechos biográficos y la narración de los eventos en general.

La narración—más fácilmente definida que dominada—es el relato de un incidente, o un grupo de hechos y ocurrencias, de tal manera que produce un efecto deseado.

Las leyes de la narración son pocas, pero su práctica exitosa involucra más arte de lo que al principio parecería—tanta, de hecho, que no podemos siquiera cubrir su técnica aquí, sino que debemos contentarnos con examinar algunos ejemplos de narración utilizados en discursos públicos.

De manera preliminar, observa cuán radicalmente el uso de la narrativa por parte del hablante en público difiere del escritor de historias, pues lo que caracteriza la narrativa de plataforma es un ámbito más limitado, la ausencia de diálogos extendidos y desarrollo de personajes, y la ausencia de elaboración de detalles. Por otro lado, hay varias similitudes de método: la combinación frecuente de narración con exposición, descripción, argumentación y súplica; el cuidado ejercido al organizar el material para producir un fuerte efecto final (clímax); la práctica muy general de ocultar el «punto» (desenlace) de una historia hasta el momento efectivo; y la supresión cuidadosa de detalles innecesarios, y, por lo tanto, perjudiciales.

Entonces vemos que, ya sea para una revista o sobre una plataforma, el arte de la narración implica mucho más que recitar historias; la sucesión de eventos registrados requiere un *plan* para sacarlos con efecto real.

Se notará también que el estilo literario en la narración de plataforma suele ser menos pulido y más vigorosamente dramático que el que se pretende publicar, o más ferviente y elevado en tono. En este último aspecto, sin embargo, el mejor estilo de narración de plataforma que se usa hoy difiere de los modelos de la generación anterior, donde se pensaba que un estilo altamente digno, y a veces pomposo, era él único estilo apropiado para el uso público. Por más grandes, nobles y conmovedores que eran estos viejos maestros con su apasionada elocuencia, a veces nos sentimos oprimidos cuando leemos sus discursos por un largo período de tiempo—incluso teniendo en cuenta todo lo que perdemos al no contar con la presencia del orador, su voz y su fuego. Por lo tanto, tomemos como modelo para nuestra narración de plataforma, así como nuestras otras formas de expresión, los discursos efectivos de oradores modernos, sin disminuir nuestra admiración por la vieja escuela.

La anécdota

Una anécdota es una narración breve de un solo evento, contada de una forma lo suficientemente impactante como para hacer hincapié en un punto. Cuanto más agudo es el punto, más se condensa, y cuanto más rápidamente impacta al oyente, mejor es la historia.

Considerar una anécdota como una ilustración—una imagen interpretativa—nos ayudará a mantener en mente su verdadero propósito, ya que una historia sin sentido es la ofensa más estúpida sobre una plataforma. Un chiste perfectamente bueno no tendrá reacción si no tiene relevancia alguna con el tema en discusión. Por otro lado, una buena anécdota ha salvado a muchos discursos del fracaso.

No hay mejor oportunidad para exhibir el tacto que en la introducción de historias ingeniosas o humorísticas en un discurso. El ingenio es agudo y como un estoque, penetra profundamente—a veces hasta el corazón. El humor es de buen carácter y no lastima. El ingenio se funda en el descubrimiento repentino de una relación insospechada que existe entre dos ideas. El humor trata con cosas no relacionadas—con lo incongruente. Fue ingenioso en Douglass Jerrold replicar sobre el ceño fruncido de un desconocido cuyo hombro él había tocado familiarmente, confundiéndolo con un amigo: «Perdón, pensé que te conocía, pero me alegro de que no te conozco». Era el humor del orador sureño John Wise que lo hizo comparar el placer de pasar una tarde con una chica puritana con sentarse sobre un bloque de hielo en invierno, crujiendo granizo entre los dientes.[21]

[21.] *How to Attract and Hold an Audience (Cómo atraer y retener la atención de una audiencia), J. Berg Esenwein.*

La cita anterior se ha introducido principalmente para ilustrar la primera y más simple forma de anécdota: una oración única que incorpora un dicho incisivo. Otra especie de anécdota simple es la que transmite su significado sin necesidad de «elaboración», como solían decir los viejos predicadores. El siguiente es un ejemplo clásico de un chiste que no precisa explicación:

> *Dos caballeros de aspecto serio viajaban juntos en un tren. Uno de los caballeros le dijo al otro: «¿Qué tal? ¿Está nervioso?». «Sí, un poco», le respondió el otro. «¿Es su primera vez?» volvió a preguntar el primer caballero. Entonces el otro caballero respondió: «No, ya había estado nervioso antes».*

Otras anécdotas necesitan ser relacionadas a la verdad particular que el orador desea transmitir en su charla. Algunas veces el lazo se establece antes de que se cuente la historia, y la audiencia está preparada para hacer la comparación, punto por punto, según se cuenta la ilustración.

Henry W. Grady usó este método con una de las anécdotas que contó mientras pronunciaba su gran discurso extemporáneo, «El nuevo sur».

> *La edad no les otorga fuerza y virtud a todas las cosas, ni todas las cosas nuevas son despreciables. El zapatero que escribió sobre su puerta: «La tienda de John Smith, fundada en 1760», fue más que igualado por su joven rival al otro lado de la calle que colgó este cartel: «Bill Jones. Establecido en 1886. No se guarda mercancía antigua en esta tienda».*

En dos anécdotas, contadas también en «El nuevo sur», el Sr. Grady ilustró otra forma de reforzar el uso de las mismas: en ambos casos, dividió la idea que deseaba transmitir, presentando primero una parte y luego la otra, después de contar la historia. El hecho de que el orador citó erróneamente las palabras del libro de Génesis en las que se describe el Arca no pareció desvirtuar el humor burlesco de la historia.

Les solicito su máxima cortesía esta noche. No estoy preocupado por aquellos de quienes vengo. Recordarán al hombre cuya esposa lo envió a llevarle una jarra de leche a un vecino. El hombre se tropezó en el escalón de arriba y cayó—interrumpidamente—hasta el sótano, y al levantarse, tuvo el placer de escuchar a su esposa gritar: «John, ¿rompiste la jarra?». «No», dijo John, «solo mi cara».

Entonces, aunque aquellos que me llaman por detrás pueden inspirarme con energía, si no con valor, les pido que me presten su atención como audiencia. Les ruego que tengan presente toda su fe en la imparcialidad y la franqueza estadounidense al juzgar lo que voy a decir.

Hubo un viejo predicador que les contó a algunos muchachos cuál lección bíblica iba a leer la siguiente mañana. Los chicos, encontrando el lugar en la biblia, pegaron las dos páginas consecutivas.

*A la mañana siguiente, él leyó en la parte inferior de una página: «Cuando Noé tenía 120 años, tomó para sí mismo una mujer, que»—y luego dio vuelta la página— «medía ciento cuarenta codos de largo, cuarenta codos de ancho, construida de madera de **gofer**, y cubierta con brea por dentro y por fuera». Naturalmente, quedó confundido al leer esto. Lo leyó de nuevo, lo verificó y luego dijo: «Amigos, esta es la primera vez que me encuentro con esto en la Biblia, pero lo acepto como una evidencia de la afirmación de que somos creados temerosa y maravillosamente». Si yo pudiera hacerte tener semejante fe esta noche, podría proceder alegremente a la tarea que de otro modo abordaría con un sentido de consagración.*

De vez en cuando un orador se lanzará sin introducción en una anécdota, dejando la aplicación para después. Lo siguiente ilustra este método:

Un afroamericano grande y zancajoso estaba apoyado

contra la esquina de la estación de ferrocarril en un pueblo en Texas. Cuando sonó el silbato del mediodía en la fábrica de conservas, los obreros salieron apresurados, llevando sus cestos de comida. El hombre escuchó, con la cabeza inclinada hacia un lado, hasta que el eco se disipó. Luego lanzó un profundo suspiro y se dijo a sí mismo: «¡Ahí va! Es hora del almuerzo para algunas personas—¡pero solo las 12 en punto para mí!».

Esa es la situación en miles de fábricas estadounidenses, grandes y pequeñas, en la actualidad. ¿Y por qué? Etc.

Sin duda, el uso más frecuente de la anécdota en la plataforma ocurre en el púlpito. La «ilustración» de un sermón, sin embargo, no siempre es estrictamente narrativa en su forma, sino que tiende a optar por una comparación extendida, como la siguiente del Dr. Alexander Maclaren:

Los hombres se pararán como los faquires indios, con sus brazos elevados sobre sus cabezas hasta que les queden rígidos. Se posarán sobre pilares como Simeon Stylites, por años, hasta que los pájaros construyan sus nidos en su pelo. Medirán toda la distancia desde Cabo Comorín hasta el templo de Jaganatha con sus cuerpos a lo largo del camino polvoriento. Usarán camisas de cabello y se azotarán a sí mismos. Ellos ayunarán y se negarán a sí mismos. Construirán catedrales y dotarán iglesias. Harán lo mismo que muchos de ustedes, trabajando por sus propios medios durante todas sus vidas en la interminable tarea de prepararse para el cielo y ganarlo mediante la obediencia y la rectitud.

Harán todas estas cosas y las harán con gusto, en lugar de escuchar el humillante mensaje que dice: «No necesitas hacer nada—lávate». ¿Será el lavado o el agua lo que te limpiará? ¡Lávate y sé limpio! La limpieza de Naamán fue solo una prueba de su obediencia y una señal de que fue Dios quien lo limpió. No había poder en las aguas del Jordán para quitar la mancha de la lepra. Nuestra limpieza está en la sangre de Jesucristo, que tiene el poder de quitar todo pecado y hacer que los más inmundos de nosotros sean puros y limpios.

Queda una última palabra por decir sobre la introducción de la anécdota. Una introducción torpe e inapropiada es fatal, mientras que una sola oración acertada o ingeniosa despertará el interés y preparará una audiencia favorable. La siguiente ilustración extrema, del humorista inglés, el Capitán Harry Graham, satiriza la forma torpe de hacerlo:

> *El mejor cuento que alguna vez escuché fue uno que me contaron en el otoño de 1905 (o pudo haber sido en 1906), cuando estaba visitando Boston; al menos, creo que era Boston—puede haber sido Washington (mi memoria es tan mala).*

> *Me encontré con un hombre muy entretenido cuyo nombre olvido—Williams, Wilson o Wilkins, algún nombre así—y él me contó esta historia mientras esperábamos un tranvía.*

> *Todavía puedo recordar lo mucho que me reí en ese momento y nuevamente esa noche después de haberme acostado cómo me reí hasta quedarme dormido, recordando el humor de esta historia increíblemente chistosa. Fue realmente extraordinariamente divertida. De hecho, puedo afirmar con sinceridad que es el cuento más divertido que he tenido el privilegio de escuchar. Lamentablemente, lo he olvidado.*

Datos biográficos

Hablar en público tiene mucho que ver con las personalidades; naturalmente, por lo tanto, la narración de una serie de detalles biográficos, inclusive anécdotas entre el relato de hechos interesantes, juega un papel importante en elogios, discursos conmemorativos, discursos políticos, sermones, conferencias y otras presentaciones orales de plataforma. Discursos enteros pueden estar compuestos por detalles biográficos, tales como un sermón sobre «Moisés» o una conferencia sobre «Lee».

El siguiente ejemplo es en sí mismo una anécdota expandida, siendo así un eslabón en una cadena:

MARIO EN LA CÁRCEL

La peculiar sublimidad de la mente romana no se expresa, ni debe buscarse, en su poesía. La poesía, según el ideal romano de la misma, no era un órgano adecuado para los movimientos más grandes de la mente nacional. La sublimidad romana debe buscarse en los actos romanos, y en los dichos romanos. Repito, ¿dónde encontrarás una expresión más adecuada de la majestad romana que en el dicho de Trajano—*Imperatorem oportere stantem mori*—que César debería morir de pie? ¡Un discurso con una grandeza imponente! Trajano está insinuando que César, que era «el hombre más importante de todo este mundo»—y con respecto a todas las demás naciones, el representante de la Roma—debería expresar su virtud característica en su acto de despedida; César debería morir preparado para la batalla, enfrentando a su último enemigo como el primero, con semblante romana y con actitud de soldado. Si este relato es imponente, el siguiente está envuelto en una majestuosidad consular, y es casi el relato más grande de la historia.

Cayo Mario, el hombre que llegó a ser siete veces cónsul, estaba en un calabozo, y un esclavo fue enviado con la comisión de darle muerte. Estas eran las personas—los dos extremos de la humanidad exaltada y abandonada; su hombre vanguardista y su hombre retrógrado, el cónsul romano y esclavo abyecto. Pero sus relaciones naturales entre sí estaban, por el capricho de la fortuna, monstruosamente invertidas: El cónsul estaba encadenado, y el esclavo fue por un momento el árbitro de su destino. ¿Con qué hechizos, qué magia, logró Mario reincorporarse a sus prerrogativas naturales? ¿Con qué maravillas sacadas del cielo o la tierra logró Mario, en un abrir y cerrar de ojos, volver a vestirse de púrpura, y colocar entre él y su asesino a una hueste de lictores sombríos? Lo hizo a través de la simple supremacía de las mentes grandes sobre las débiles. Él fascinó al esclavo, como una serpiente de cascabel fascina a un pájaro. Parado como un monte, le clavó la mirada y le dijo: «¿*Tune, homo, audes occidere C. Marium?*»—«¿Tú, hombre, te atreves a matar a Cayo Mario?». A lo cual este lagarto, temblando ante su voz y sin atreverse a desafiar los ojos del cónsul, descendió suavemente al suelo—girando sobre sus manos y pies—y escurriéndose de la prisión como cualquier otra sabandija, dejó a Mario solo, parado tan firme e inamovible como el capitolio.

—*Thomas De Quincy*

Aquí hay un ejemplo similar, prologado por una declaración histórica general y que concluye con detalles autobiográficos:

UN RECUERDO DE LEXINGTON

Una mañana primaveral—hará ya ochenta años el día 19 de este mes—Hancock y Adams, los Moisés y Aarón de esa Gran Liberación, estaban en Lexington. Ellos habían «obstruido a un oficial» con palabras valientes. Un millar de soldados británicos vinieron a apoderarse de ellos y llevarlos a través del mar para ser juzgados, y así cortar el capullo de la Libertad que estaba floreciendo propiciamente en esa primavera temprana. La milicia de la ciudad se juntó antes del amanecer «para entrenar». Un hombre alto y grande, con una cabeza grande y una frente alta y ancha, su capitán—un veterano—les ordenó que formaran líneas. Eran solo setenta en total, y le ordenó a «cada hombre cargar su fusil con pólvora y bala». «Ordenaré que fusilen al hombre que huya», dijo él cuando algunos vacilaron. «No disparen a menos que les disparen, pero si ellos quieren una guerra, que empiece aquí». Caballeros, ya saben lo que sucedió; esos granjeros y mecánicos «dispararon el tiro escuchado alrededor del mundo». Un pequeño monumento cubre los huesos de los que antes habían prometido su fortuna y su honor sagrado a la Libertad de los Estados Unidos, y ese día, ellos también dieron sus vidas. Nací en esa pequeña ciudad y me crie en medio de los recuerdos de ese día. Cuando era niño, un domingo mi madre me levantó en sus brazos religiosos y patrióticos, y me sostuvo mientras leí la primera línea monumental que vi: «Sagrado para la Libertad y los Derechos de la Humanidad». Desde entonces he estudiado los mármoles conmemorativos de Grecia y Roma, en muchas otras ciudades antiguas; es más, en los obeliscos egipcios he leído lo que estaba escrito antes de que el Eterno levantara a Moisés para sacar a Israel de Egipto. Pero ninguna piedra cincelada me ha conmovido hasta tal punto como estos rústicos nombres de hombres que cayeron «en la sagrada causa de Dios y de su País».

Caballeros, el Espíritu de la Libertad y el Amor a la Justicia se convirtieron en una llama en mi corazón infantil. Ese monumento cubre los huesos de mis propios parientes; fue su sangre la que enrojeció el pasto verde y largo en Lexington. Era mi propio apellido el que está cincelado en esa piedra; ese capitán alto que reunió a sus colegas granjeros y mecánicos seriamente y pronunció palabras tan valientes y peligrosas como las que desataron la Guerra de Independencia de los Estados Unidos—el último en abandonar el campo—fue el padre de mi padre. Aprendí a leer con su Biblia, y con un mosquete que él ese día capturó del enemigo, aprendí otra lección religiosa: que «La rebelión contra los tiranos es obediencia a Dios». Conservo ambas cosas como algo «sagrado para la libertad y los derechos de la humanidad», para usarlas a ambas «en la sagrada causa de Dios y mi país».

—*Theodore Parker*

Narración de eventos en general

En esta narración más amplia y emancipada encontramos

mucho mezclar de otras formas de discurso, en gran medida beneficiando el discurso, porque esta verdad no se puede enfatizar demasiado: El orador eficaz se suelta de la forma por el bien de un efecto grande y libre.

El presente análisis no tiene otro objetivo que el de familiarizarte con la forma; no permitas que ninguno de esos modelos cuelgue como un peso sobre tu cuello.

La siguiente narración de acontecimientos, del «Paul Revere's Ride» de George William Curtis, se aleja del relato biográfico en otras partes de su famosa oración:

> *Esa tarde, a las diez en punto, ochocientas tropas británicas, bajo el teniente coronel Smith, se embarcaron al pie del Común y cruzaron a la orilla de Cambridge. Gage pensó que su secreto había sido guardado, pero Lord Percy, que había escuchado a la gente en el Común decir que las tropas no darían en su objetivo, lo desengañó. Gage ordenó al instante que nadie saliera de la ciudad. Pero mientras las tropas cruzaban el río, Ebenezer Dorr, con un mensaje para Hancock y Adams, cabalgaba hacia Roxbury; asimismo, Paul Revere estaba remando por el río hacia Charlestown después de haber acordado con su amigo, Robert Newman, mostrar linternas desde el campanario de la Vieja Iglesia del Norte: «Una si vienen por tierra y dos por mar», como señal de la marcha de los británicos.*

Lo siguiente, de la misma oración, bellamente mezcla la descripción con la narración:

> *Era una noche brillante. El invierno había sido inusualmente templado y la primavera muy avanzada. Las colinas ya estaban verdes. El grano ondeaba en los campos, y el aire era dulce con los huertos en flor. Ya silbaban los petirrojos, los pájaros azules cantaban, y la bendición de la paz descansaba sobre el paisaje.*

> *Bajo la luna sin nubes, los soldados marchaban*

silenciosamente, y Paul Revere rápidamente cabalgó,
galopando por Medford y West Cambridge, despertando
cada casa mientras avanzaba espoleando hacia Lexington
y Hancock y Adams, evadiendo a las patrullas británicas
que habían sido enviadas para detener las noticias.

En el siguiente extracto de otro de los discursos del Sr. Curtis,
tenemos un uso gratuito de la alegoría como ilustración:

EL LIDERAZGO DE LOS HOMBRES EDUCADOS

Hay una pintura inglesa moderna que podría haber
sido inspirada por el genio de Hawthorne. El pintor la
llama «Cómo se conocieron a sí mismos».

Un hombre y una mujer, demacrados y cansados,
deambulando perdidos en un bosque sombrío, de
repente se encuentran con las figuras borrosas de un
joven y una doncella. Una misteriosa fascinación fija la
mirada e inmoviliza los corazones de los caminantes,
y su sorpresa se convierte en asombro a medida que
se reconocen gradualmente a sí mismos como una vez
lo fueron; el suave florecer de la juventud sobre sus
redondeadas mejillas, la luz húmeda de la esperanza
en sus ojos confiados, exultando con confianza en sus
pasos, alegres y radiantes con la gloria del amanecer.

Hoy, y aquí, nos encontramos a nosotros mismos.
No es solo a estas escenas familiares—al césped verde
de la universidad con sus tradiciones reverenciadas; la
tranquila cala del río Seekonk, sobre la cual el recuerdo de
Roger Williams se revuelca como un ave de calma; la bahía
histórica, que late para siempre con los remos sordos de
Barton y de Abraham Whipple; aquí, la ciudad zumbante
de los vivos; allí, la ciudad sosegada de los muertos—
no es sola o principalmente a estas que regresamos,
sino a nosotros mismos como lo fuimos alguna vez. No
son los estudiantes de primer año sonrientes que miran
desde las ventanas de University Hall y Hope College, son
vuestros propios rostros, imberbes y sin arrugas.

Bajo de los árboles en la colina, son ustedes mismos quienes ven caminando, llenos de esperanzas y sueños, brillando con poder consciente, y «nutriendo una juventud sublime»; y en este templo familiar, que seguramente jamás ha hecho eco con una elocuencia tan ferviente e inspiradora como la de sus discursos de graduación; no son los jóvenes en los pasillos quienes, como creen ingenuamente, les susurran a las doncellas de allí; son sus yoes más jóvenes quienes, en los días que ya no existen, les están murmurando a las más bellas madres y abuelas de esas doncellas.

Felices el hombre y la mujer, gastados y cansados en la pintura, de poder haber sentido sus ojos más viejos todavía brillando con esa luz anterior, y sus corazones aún latiendo con una simpatía y aspiración sin límites. Felices seamos, hermanos, de lo que sea que se haya logrado, lo que sea que se haya dejado de hacer si, al regresar al hogar de nuestros primeros años, traemos la esperanza ilimitada, la resolución no apagada, la fe inextinguible de la juventud.

—*George William Curtis*

Capítulo 22

Influyendo por medio de la sugestión

A veces, la sensación de que una forma determinada de mirar las cosas es indudablemente correcta impide que la mente piense en absoluto. En vista de los obstáculos que ciertos tipos o grados de sentimiento le imponen a la forma de pensar, podría inferirse que el pensador debe suprimir el elemento de sentimiento en la vida interior. No se puede cometer un error mayor. Si el Creador dotó al hombre con el poder de pensar, sentir y querer, estas diversas actividades de la mente no están diseñadas para estar en conflicto, y siempre y cuando ninguna de ellas quede pervertida o no se abuse de ellas, ayudan y fortalecen de manera necesaria a las demás en sus funciones normales.

—Nathan C. Shaeffer, *Pensando y aprendiendo a pensar*

Cuando sopesamos, comparamos y decidimos sobre el valor de cualquier idea, nosotros razonamos; cuando una idea produce en nosotros una opinión o una acción, sin antes ser debatida, la sugerencia nos conmueve.

Anteriormente se creía que el hombre era un animal de razonamiento, basando sus acciones en las conclusiones de la lógica natural. Se suponía que antes de formar una opinión o decidir un curso de conducta, sopesaba al menos algunas de las razones a favor y en contra del asunto, y realizaba un proceso más o menos simple de razonamiento. Pero la investigación moderna ha demostrado que todo lo contrario es cierto.

La mayoría de nuestras opiniones y acciones no se basan en un razonamiento consciente, sino que son el resultado de la sugestión. De hecho, algunas autoridades declaran que un acto de razonamiento puro es muy raro en la mente promedio. Se toman decisiones importantes y se determinan acciones trascendentales principalmente por la fuerza de la sugestión.

Presta atención a esa palabra «principalmente», porque el pensamiento simple, e incluso el razonamiento maduro, a menudo sigue una sugerencia aceptada en la mente, y el pensador ingenuamente supone que su conclusión está de principio a fin basada en una lógica fría.

La base de la sugestión

Debemos pensar en la sugestión como un efecto y como una causa. Considerándola como un efecto, u objetivamente, debe haber algo en el oyente que lo predispone a recibir sugestiones; considerándola como una causa, o subjetivamente, debe haber algunos métodos por los cuales el hablante puede aprovechar esa actitud particularmente susceptible del oyente. Cómo hacer esto de manera honesta y justa es nuestro problema; hacerlo de manera deshonesta y engañosa, utilizar la sugerencia para generar convicción y acción sin una base de razón y verdad y por una mala causa, es asumir la terrible responsabilidad que debe recaer sobre el campeón del error. Jesús no desdeñó usar sugestiones para que pudiera mover a los hombres en su beneficio, pero cada tramposo vicioso ha adoptado los mismos medios para alcanzar fines malvados. Por lo tanto, los hombres honestos examinarán bien sus motivos y la verdad de su causa antes de tratar de influenciar a personas con sugestiones.

Hay tres condiciones fundamentales que nos hacen susceptibles a la sugerencia:

Por naturaleza, respetamos a la autoridad. En todas las mentes, esta es solo una cuestión de grado, desde el sujeto que es fácilmente hipnotizado hasta la mente obstinada que se fortalece más fuertemente con cada ataque a su opinión. El último tipo es casi inmune a la sugestión.

Una de las cosas más singulares sobre la sugestión es que raramente es de una cantidad fija. La mente que es receptiva a la autoridad de cierta persona puede resultar inflexible a otra; los estados de ánimo y los ambientes que producen hipnosis fácilmente en un caso pueden ser completamente inoperantes en otro, y algunas mentes apenas pueden ser movidas así. Sin embargo, sabemos que el sentimiento del sujeto de que la autoridad—influencia, poder, dominación, control, como quiera llamarlo—reside en la persona del que sugiere, es la base de toda sugestión.

La fuerza extrema de esta influencia se demuestra en el hipnotismo. Al sujeto hipnotizado se le dice que está en el agua; él acepta la declaración como verdad y hace movimientos de natación. Le dicen que una banda está marchando por la calle, tocando "*The Star-Spangled Banner*"; él declara que escucha la música, se levanta y se para con la cabeza descubierta.

Del mismo modo, algunos oradores pueden lograr un efecto hipnótico modificado sobre sus audiencias. Los oyentes aplaudirán medidas e ideas que, después de una reflexión individual, repudiarán a menos que dicha reflexión los deje convencidos de que la primera impresión es correcta.

Un segundo principio importante es que ***nuestros sentimientos, pensamientos y voluntades tienden a seguir la línea de menor resistencia.*** Una vez que la mente se abre a la influencia de un sentimiento, se requiere un mayor poder de sentimiento, pensamiento o voluntad—o incluso los tres—para destronarlo. Nuestros sentimientos influyen en nuestros juicios y voliciones mucho más de lo que nos gusta admitir. Tan cierto es esto que lograr que una audiencia razone honestamente sobre un tema que siente profundamente resulta ser una tarea sobrehumana, y cuando se consigue este resultado, el éxito es notable, como en el caso del discurso de Henry Ward Beecher en Liverpool. Una vez aceptadas, las ideas emocionales son pronto apreciadas, y finalmente se convierten en parte de nuestro ser más íntimo. Las actitudes basadas únicamente en los sentimientos son prejuicios.

Lo que es cierto de nuestros sentimientos, en este respecto, se aplica a nuestras ideas: Todos los pensamientos que entran en la mente tienden a ser aceptados como verdad, a menos que surja un pensamiento más fuerte y contradictorio.

El orador experto en movilizar las personas para que actúen logra dominar las mentes de su audiencia con sus pensamientos, al prohibir sutilmente que ellos entretengan ideas hostiles a las suyas. La mayoría de nosotros somos captivados por el más reciente ataque fuerte, y si se nos puede inducir a actuar bajo el estrés de ese último pensamiento insistente, perdemos de vista las influencias contrarias. Lo cierto es que casi todas nuestras decisiones—si es que implican algún tipo de pensamiento—son de este tipo: En el momento de la decisión, la línea de acción que se está contemplando usurpa la atención, y las ideas en conflicto se descartan.

El director de una editorial grande comentó recientemente que el 90 por ciento de las personas que compraron libros por suscripción nunca los leyeron. Compran porque el vendedor presenta sus productos tan hábilmente que cada consideración, excepto el atractivo del libro, se pierde de la mente, y ese pensamiento impulsa la acción. Toda idea que entre a la mente dará como resultado una acción a menos que surja un pensamiento contradictorio que la prohíba. Piensa en cantar la escala musical y como resultado, la cantarás, a menos que el pensamiento en contra de su inutilidad o ridiculez inhiba tu acción. Si vendas y «cuidas» el pie de un caballo, él se volverá cojo. No se puede pensar en tragar, sin que los músculos utilizados en ese proceso se vean afectados. No se puede pensar en decir «hola» sin un ligero movimiento de los músculos del habla. Advertirles a los niños que no deben meterse frijoles en la nariz es el método más seguro para conseguir que lo hagan. Cada pensamiento invocado en la mente de tu audiencia funcionará en tu favor o en tu contra. Los pensamientos no son materia muerta; irradian energía dinámica—todos los pensamientos suelen pasar a la acción. «El pensamiento es otro nombre para el destino.» Domina los pensamientos de tus oyentes, limita todas las ideas contradictorias y los influenciarás como desees.

Las voliciones, tanto como los sentimientos y pensamientos, suelen seguir la línea de menor resistencia. Eso es lo que forma el hábito. Sugiérele a un hombre que es imposible que alguien le cambie su opinión y en la mayoría de los casos, vuelve más difícil hacerlo—la excepción es el hombre que naturalmente se inclina hacia lo contrario.

La sugerencia contraria es la única forma de conectarse a él. Sugiérele de manera sutil y persistente que las opiniones de aquellos en la audiencia que se oponen a tus puntos de vista están cambiando; se requiere un esfuerzo de la voluntad— de hecho, una invocación de las fuerzas del sentimiento, pensamiento y voluntad—para frenar la ola de cambio que se ha establecido inconscientemente.

Pero no solo nos mueve la autoridad, y buscamos canales de menor resistencia, *sino que también todos estamos influenciados por nuestros entornos.* Es difícil elevarse por encima del dominio de una multitud: Sus entusiasmos y sus miedos son contagiosos porque son sugestivos. Lo que muchos sienten, nos decimos a nosotros mismos, debe tener alguna base en la verdad. Diez veces diez hace más de cien. Pone a diez hombres a hablar ante diez audiencias de diez hombres cada una, y compara el poder agregado de esos diez oradores con el de un hombre hablándole a cien hombres. Lógicamente, los diez oradores pueden ser más convincentes que el orador único, pero las posibilidades están fuertemente a favor de que un hombre alcance un efecto total mayor, ya que los cien hombres irradiarán convicción y resolución como diez grupos pequeños no podrían. Todos conocemos la verdad sobre el entusiasmo de los números. (Consulta el Capítulo 25 «Influyendo a la multitud»).

El medio ambiente nos controla a menos que se sugiera fuertemente lo contrario. Un día sombrío, en una habitación gris, con un público escaso, invita un desastre sobre la plataforma. Todos lo pueden palpitar en el aire. Pero deja que el orador emprenda el discurso de lleno y sugiera, mediante todos sus sentimientos, su forma de ser y palabras, que esta será una gran reunión en todo sentido, y verás cómo el poder sugestivo del ambiente retrocede ante el avance de una sugerencia más poderosa—si el orador es capaz de hacerlo. Ahora bien, estos tres factores—respeto a la autoridad, tendencia de seguir líneas de menor resistencia y susceptibilidad al medio ambiente—en conjunto ayudan a que el auditor se encuentre en un estado de ánimo favorable para las influencias sugestivas, pero también reaccionan en el orador, y ahora debemos considerar esas fuerzas personalmente causativas o subjetivas que le permiten usar la sugestión de manera eficaz.

Cómo el orador puede hacer que la sugestión sea eficaz

Hemos visto que, bajo la influencia de una sugestión acreditada, la audiencia suele aceptar la afirmación del orador sin argumentos ni críticas. Pero la audiencia no está en este estado mental a menos que tenga confianza implícita en el orador. Si carecen de fe en él, cuestionan sus motivos o su conocimiento, o incluso objetan contra sus modales, no se conmoverán por su conclusión por más lógica que sea, y dejarán de ser una audiencia justa. *Todo es una cuestión de su confianza en él.* Ya sea que el orador lo encuentre en la mirada cálida y expectante de sus oyentes, o que deba ganársela contra la oposición o la frialdad, él debe obtener ese gran punto de ventaja antes de que sus sugerencias tomen poder en los corazones de sus oyentes. La Confianza es la madre de la Convicción.

Observa cómo Henry W. Grady trató de ganarse la confianza de su audiencia en la apertura de su discurso de pos-cena. Creó una atmósfera receptiva con una historia chistosa; expresó su deseo de hablar con seriedad y sinceridad; reconoció «los vastos intereses involucrados», desaprobó su «brazo no probado» y profesó su humildad. ¿Una introducción así no te daría confianza en el orador, a menos que estuvieras firmemente opuesto a él? Y, aun así, ¿acaso no desarmaría parte de tu antagonismo?

Sr. Presidente: Llamado por su invitación a una discusión sobre el problema de la raza—y prohibido por la ocasión hacer un discurso político—hoy comprendo, al tratar de conciliar las órdenes con el decoro, la confusión de la doncella a quien le mandaron a aprender a nadar, le dijeron: «Ahora, ve, cariño, cuelga tu ropa en una rama de nogal, y no te acerques al agua».

Dicen que el apóstol más fuerte de la Iglesia es el misionero, y el misionero, dondequiera que despliegue su bandera, nunca se encontrará con más necesidad de unción y habilidad que yo, llamado esta noche a plantar el estandarte de un demócrata del sur en una sala de banquete en Boston, y para discutir el problema de las razas en el hogar de Phillips y Sumner.

Pero, Sr. Presidente, si puedo contar con el propósito de hablar con perfecta franqueza y sinceridad; si puedo contar con un entendimiento serio de los vastos intereses involucrados, y si puedo contar con un sentido consagrado de qué desastre puede resultar de más malentendido y desafección, si puedo contar con estos para estabilizar un discurso indisciplinado y para fortalecer un brazo no probado—entonces, señor, yo hallaré el coraje de proceder.

Nótese también el intento del Sr. Bryan de ganarse la confianza de su audiencia en la siguiente introducción de su discurso «Cruz de Oro», presentado ante la Convención Nacional Demócrata en Chicago, 1896. Él afirma su propia incapacidad para oponerse al «distinguido caballero»; mantiene la santidad de su causa; y declara que hablará en interés de la humanidad—sabiendo muy bien que es probable que la humanidad confíe en el que defiende sus derechos. Esta introducción dominó por completo a la audiencia, y el discurso hizo famoso al Sr. Bryan.

Sr. Presidente y caballeros de la Convención: Sería presuntuoso en verdad presentarme contra los distinguidos caballeros a quienes ustedes han escuchado si esto fuera una mera medición de habilidades; pero esto no es una competencia entre personas. El ciudadano más humilde en todo el país, cuando está vestido con la armadura de una causa justa, es más fuerte que todas las huestes del error. Vengo a hablarles en defensa de una causa tan santa como la causa de la libertad—la causa de la humanidad.

Algunos oradores pueden generar confianza a través de su propia forma de ser, mientras que otros no.

Para ganar la confianza, ten confianza. ¿Cómo puedes esperar que otros acepten un mensaje en el que tú careces, o pareces carecer, fe? La confianza es tan contagiosa como la enfermedad. Napoleón reprendió a un oficial por usar la palabra «imposible» en su presencia. El orador que no se permite ideas de derrota engendra en sus oyentes la idea de su victoria. Lady Macbeth estaba tan confiada del éxito que Macbeth cambió de opinión acerca de emprender el asesinato. Colón estaba tan confiado en su misión que la reina Isabel empeñó sus joyas para financiar su expedición. Afirma tu mensaje con seguridad implícita, y tu propia convicción actuará como pólvora para recalcarlo.

Los publicistas han utilizado este principio durante mucho tiempo. «La máquina que eventualmente comprarás», «Pregúntale al dueño de una», y «Tiene la fuerza de Gibraltar» son lemas publicitarios tan llenos de confianza que de hecho generan confianza en la mente del lector.

Debería—pero puede que no—ser evidente que la confianza debe tener una base sólida de mérito, o habrá un derrumbe ridículo. Está muy bien que el «hechicero» reclame todos los precintos—el recuento oficial está justo por delante. La reacción contra el exceso de confianza y la sugestión exagerada debería servir de advertencia para aquellos cuyo principal recurso es simplemente engañar.

Hace poco tiempo, un orador se presentó en un club de hablar en público y afirmó que el césped podía brotar de las cenizas de madera salpicadas sobre la tierra, sin la ayuda de semillas. Esta idea fue recibida con risas, pero el orador estaba tan seguro de su posición que reiteró la declaración enérgicamente varias veces y citó su propia experiencia personal como prueba.

Uno de los hombres más inteligentes del público, que al principio se había burlado de la idea, finalmente llegó a creer en ella. Cuando se le preguntó el motivo de su repentino cambio de actitud, respondió: «Porque el hablante tiene tanta confianza». De hecho, estaba tan seguro de eso que hizo falta una carta del Departamento de Agricultura de EE. UU. para desalojar su error.

Si la confianza de un orador puede hacer que los hombres inteligentes crean teorías tan descabelladas como ésta, ¿dónde cesará el poder de la autosuficiencia cuando se propongan proposiciones plausibles con todo el poder del habla convincente?

Presta atención a la absoluta confianza en estas selecciones:

No sé qué rumbo tomarán otros, pero en cuanto a mí, dame libertad o dame la muerte.

—*Patrick Henry*

Nunca te pediré cuartel, y nunca seré tu esclavo; sino nadaré en el mar de la matanza, hasta que me hunda bajo su ola.

—*Patten*

Venga uno, vengan todos. Esta roca volará desde su base firme tan pronto como yo.

—*Sir Walter Scott*

INVICTUS

Desde la noche que me cubre,
Negra como el abismo de polo a polo,

Doy gracias a los dioses que puedan existir
Por mi alma inconquistable.

En las garras mortales de las circunstancias
No he gemido ni llorado en alto;

Sometido a los golpes del azar
Mi cabeza está ensangrentada, pero erguida.

Más allá de este lugar de rabia y lágrimas
Yace el horror de la sombra,

Y, sin embargo, la amenaza de los años
Me encuentra y me encontrará sin miedo.

No importa cuán estrecho sea la puerta,
Cuán cargada de castigos la sentencia.

Soy el amo de mi destino;
Soy el capitán de mi alma.
—*William Ernest Henley*

La autoridad es un factor en la sugestión. Generalmente aceptamos como verdad, y sin crítica, las palabras de una autoridad. Cuando esa persona habla, rara vez surgen ideas contradictorias en la mente para inhibir la acción que él o ella sugiere. Un juez de la Corte Suprema tiene el poder de sus palabras multiplicado por la virtud de su posición.

Las ideas del Comisionado de Inmigración de EE. UU. sobre su especialidad son mucho más efectivas y poderosas que las de un fabricante de jabón, aunque este último puede ser un economista capaz.

Este principio también se ha utilizado en el ámbito publicitario. Las propagandas nos dicen que los médicos de dos Reyes han recomendado Sanatogen. Se nos informa que el banco más grande en EE. UU., la joyería Tiffany and Co., y los Departamentos de Estado, de Guerra y de la Armada usan la Enciclopedia Británica. El promotor astuto les da acciones en su compañía a banqueros influyentes o hombres de negocios en la comunidad para que así pueda usar sus ejemplos como argumento de venta.

Si deseas influenciar a tu audiencia mediante sugestión, si deseas que tus declaraciones sean aceptadas sin críticas ni argumentos, entonces debes aparecer a la luz de una autoridad—y ser una. La ignorancia y la credulidad seguirán sin ser cambiadas a menos que la sugerencia de autoridad sea seguida prontamente por hechos. No proclames autoridad a menos que tengas tu licencia en tu bolsillo. La razón debería respaldar la posición que la sugestión ha asumido.

La publicidad te ayudará a establecer tu reputación— mantenerla dependerá de ti. Un orador descubrió que su reputación como escritor de revistas era una ventaja espléndida como orador. La publicidad del Sr. Bryan, obtenida mediante tres nominaciones a la presidencia y su posición como Secretario de Estado, le ayuda a cobrar grandes honorarios como orador. Pero, sobre todo, él es un gran orador. Los anuncios en los periódicos, todo tipo de publicidad, formalidades, presentaciones impresionantes, todos tienen un gran efecto en la actitud de la audiencia. ¡Pero qué ridículo sería todo esto si una pistola de juguete fuera promocionada como un cañón de 16 pulgadas!

Presta atención cómo se usa la autoridad en las siguientes selecciones para respaldar la contundencia del argumento siendo presentado por el orador:

El profesor Alfred Russell Wallace acaba de celebrar su 90mo cumpleaños. Compartiendo con Charles Darwin el honor de haber descubierto la evolución, el profesor Wallace recientemente ha recibido numerosos y notables honores de parte de sociedades científicas. En la cena que le organizaron en Londres, su discurso estaba compuesto en gran parte por reminiscencias. Él repasó el progreso de la civilización durante el siglo pasado e hizo una serie de contrastes brillantes y sorprendentes entre la Inglaterra de 1813 y el mundo de 1913. Afirmó que nuestro progreso es solo aparente y no real. El profesor Wallace insiste en que los pintores, los escultores, los arquitectos de Atenas y Roma eran tan superiores a los hombres modernos que los mismos fragmentos de sus mármoles y templos son las pesadillas de los artistas actuales. Él nos dice que el hombre ha mejorado su telescopio y sus gafas, pero que está perdiendo la vista; que el hombre está mejorando sus telares, pero endureciendo sus dedos; mejorando su automóvil y su locomotora, pero perdiendo sus piernas; mejorando sus alimentos, pero perdiendo su digestión. Él añade que el tráfico moderno de esclavos blancos, los asilos de huérfanos y la vida cotidiana en viviendas precarias en las ciudades fabriles representan una marca negra en la historia del siglo XX.

Las opiniones del profesor Wallace se ven reforzadas por el informe de la comisión del Parlamento sobre las causas del deterioro de las personas de clase industrial. En nuestro país, el profesor Jordan nos advierte contra la guerra, la intemperancia, el exceso de trabajo, la falta de alimentación de los niños pobres y perturba nuestra satisfacción con su obra «Cosecha de sangre».

—Newell Dwight Hillis

De todos lados le llegan advertencias al pueblo estadounidense. Nuestras publicaciones médicas están llenas de señales de peligro; nuevos libros y revistas, recién salidos de la imprenta, nos dicen claramente que nuestro pueblo está enfrentando una crisis social. El Sr. Jefferson, que alguna vez fue considerado como una buena autoridad Democrática, parece haber diferido en su opinión del caballero que nos habló a nosotros por parte de la minoría. Quienes se oponen a esta proposición nos dicen que la cuestión del papel moneda es una función del banco, y que el gobierno debería salir del negocio bancario. Me paro con Jefferson en vez de con ellos, y les digo, como lo hizo él, que la cuestión del dinero es una función del gobierno, y que los bancos deberían salir del negocio de gobernar.

—William Jennings Bryan

La autoridad es la gran arma contra la duda, pero incluso su fuerza rara vez puede prevalecer contra los prejuicios y el error persistente. Si algún orador ha sido capaz de forjar una espada que está garantizada para poder perforar dicha armadura, que bendiga a la humanidad compartiendo su secreto con sus hermanos de plataforma en todas partes, porque hasta ahora, está solo en su gloria.

Hay un término medio entre la sugestión de autoridad y la confesión de debilidad que ofrece una amplia gama de tacto en el orador. Nadie puede aconsejarte cuándo debes «meterte en el ring» y decir desafiante desde el principio: «Caballeros, ¡estoy aquí para luchar!». Theodore Roosevelt era capaz de hacer eso; a Beecher lo hubieran acosado si hubiera comenzado con ese estilo en Liverpool. Depende de tu propio tacto el decidir si utilizarás la gracia encantadora de la introducción de Henry W. Grady recién citada (hasta la broma conocida fue ingenua y pareció decir: «Caballeros, vengo ante ustedes sin truco alguno»), o si la gravedad solemne del Sr. Bryan ante la Convención demostrará ser más efectiva.

Solo asegúrate de que, durante tu introducción, tu actitud esté bien pensada, y si cambia a medida que te acercas a tu tema, no permitas que el cambio te exponga a una repugnancia de sentimientos en tu público.

El ejemplo es un poderoso medio de sugestión. Como vimos al pensar sobre los efectos del medio ambiente sobre una audiencia, nosotros hacemos lo que otros están haciendo, sin la cantidad habitual de vacilación y crítica. En París se usan ciertos sombreros y vestidos; el resto del mundo los imita. El niño imita las acciones, los acentos y las entonaciones del padre. Si un niño nunca oyera a nadie hablar, nunca adquiriría el poder del habla, a menos que recibiera el entrenamiento más arduo, y, aun así, solo de manera imperfecta. Una de las tiendas más grandes de los Estados Unidos gasta fortunas en un solo eslogan publicitario: «Todos están yendo a la gran tienda». Eso hace que todos quieran ir.

Puedes reforzar el poder de tu mensaje demostrando que ha sido ampliamente aceptado. Las organizaciones políticas subvencionan aplausos para crear la impresión de que las ideas de sus oradores están siendo cálidamente recibidas y aprobadas por la audiencia. Los que avalan la comisión como modelo para el gobierno de las ciudades, y los que abogan el voto para las mujeres, reservan como argumentos más contundentes el hecho de que varias ciudades y estados ya han aceptado con éxito sus planes. Los anuncios usan testimonios por su poder de sugestión.

Observa cómo se ha aplicado este principio en las siguientes selecciones y utilízalo en todas las ocasiones posibles en sus intentos de influir a través de la sugerencia:

La guerra realmente ha comenzado. El siguiente vendaval que llegue desde el Norte traerá a nuestros oídos el choque resonante de armas. Nuestros hermanos ya están en el campo de batalla. ¿Por qué se quedan aquí inactivos?

—Patrick Henry

Con un celo acercándose al celo que inspiró a los cruzados que siguieron a Pedro el Ermitaño, nuestros Demócratas de plata salieron de victoria en victoria hasta que ahora están reunidos, no para discutir, no para debatir, sino para entrar en el juicio ya dado por la gente sencilla de este país. En esta contienda, se han enfrentado hermano contra hermano, padre contra hijo. Los lazos más cálidos de amor, conocimiento y asociación han sido ignorados; los viejos líderes han sido desechados cuando se negaron a expresar los sentimientos de aquellos a quienes quisieran liderar, y han surgido nuevos líderes para orientar esta causa de la verdad. Así se libró la contienda, y nos hemos reunido aquí bajo las más solemnes y obligatorias instrucciones jamás impuestas sobre los representantes del pueblo.

—William Jennings Bryan

El lenguaje figurado e indirecto tiene una fuerza sugerente, porque no hace afirmaciones que puedan ser directamente cuestionadas. No despierta ideas contradictorias en la mente de la audiencia, cumpliendo así uno de los requisitos básicos de la sugestión. Al *insinuar* una conclusión en lenguaje indirecto o figurativo, a menudo se afirma con suma contundencia.

Observa cómo en el siguiente párrafo, el Sr. Bryan no dijo que el Sr. McKinley sería derrotado. Él lo insinuó de una manera mucho más efectiva:

El Sr. McKinley fue nominado en St. Louis sobre una plataforma que avalaba el mantenimiento del patrón oro hasta que pudiese ser cambiado por el bimetalismo mediante un acuerdo internacional. El Sr. McKinley era el hombre más popular entre los republicanos, y hace tres meses todos en el partido republicano profetizaban su elección. ¿Y hoy qué pasa? Pues, el hombre que una vez se sintió complacido de pensar que se parecía a Napoleón— ese hombre hoy se estremece cuando recuerda que fue nominado en el aniversario de la batalla de Waterloo. No solo eso, sino que a medida que escucha, puede oír con creciente nitidez el sonido de las olas mientras golpean las orillas solitarias de Santa Elena.

Si Thomas Carlyle hubiera dicho: «Un hombre falso no puede fundar una religión», sus palabras no habrían sido tan sugestivas ni tan poderosas o tan recordadas como su insinuación en estas llamativas palabras:

¿Un hombre falso fundar una religión? ¡Pero un hombre falso ni siquiera puede construir una casa de ladrillo! Si él no sabe y sigue fielmente las propiedades del mortero, el barro fundido y en qué más trabaja, no es una casa lo que él construye, sino un montón de chatarra. No perdurará por doce siglos, no albergará a ciento ochenta millones; caerá enseguida. Un hombre debe conformarse a las leyes de la Naturaleza, estar en verdadera comunión con la Naturaleza y la verdad de las cosas, o si no, la Naturaleza le responderá: «¡No, absolutamente no!».

Observa cómo la imagen que Webster nos presenta aquí es mucho más enfática y contundente que cualquier afirmación jamás pudiese ser:

Señor, no sé cómo se sentirán los demás, pero en cuanto a mí, cuando veo a mi alma máter rodeada, como César en la casa del Senado, por aquellos que reiteran puñalada tras puñalada, no permitiré que ella me mire y diga: «¡Y tú también, hijo mío!», aunque me cueste esta mano derecha.

—*Webster*

Un discurso debe basarse en fundamentos lógicos sólidos, y ningún hombre debe atreverse a hablar en nombre de una falacia. Discutir un tema, sin embargo, necesariamente despertará ideas contradictorias en la mente de tu audiencia. Cuando se desea una acción o persuasión inmediata, la sugestión es más eficaz que el argumento—cuando ambos se mezclan juiciosamente, el efecto es irresistible.

Capítulo 23

Influyendo por medio
del argumento

El sentido común es el sentido común de la humanidad.
Es el producto de la observación y experiencia comunes.
Es modesto, simple y sencillo. Ve con los ojos de todos
y escucha con los oídos de todos. No tiene distinciones
caprichosas, ni perplejidades ni misterios. Nunca es
ambiguo, y nunca trata a la ligera. Su lenguaje es siempre
inteligible. Es conocido por su claridad de discurso y
determinación de propósito.

—George Jacob Holyoake, Public Speaking and Debate *(La oratoria y*
el debate público)

El mismo nombre de la lógica es imponente para la mayoría de los oradores jóvenes, pero tan pronto como se den cuenta de que sus procesos—incluso los más complejos—son solo declaraciones técnicas de las verdades impuestas por el sentido común, ellos le perderán el miedo. De hecho, la lógica[22] es un tema fascinante, y muy merecedor del estudio del orador público, ya que explica los principios que rigen el uso del argumento y la evidencia.

La argumentación es el proceso de producir convicción por medio del razonamiento. Existen otras formas de producir

[22.] Logic (La lógica), *de McCosh, es un libro útil y no demasiado técnico para un principiante.* How to Attract and Hold an Audience (Cómo atraer y retener la atención de una audiencia), *de J. Berg Esenwein, contiene un resumen breve de los principios lógicos del oratorio.*

convicción, la sugestión en particular, como acabamos de mostrar, pero ningún medio es tan elevado y tan digno de respeto como la aducción de razones sólidas en apoyo de una afirmación.

Como debemos considerar más de un solo lado de un tema antes de que podamos afirmar que lo hemos deliberado de manera justa, deberíamos pensar en la argumentación bajo dos aspectos: construir un argumento y derribar un argumento. Es decir, no solo debes examinar la estabilidad de la estructura de tus argumentos, para que pueda apoyar la proposición que intentas sondear y al mismo tiempo, sea tan sólida que no pueda ser derrocada por los oponentes, sino que también debes ser tan capaz de detectar defectos en el argumento que podrás demoler los argumentos más débiles de quienes discuten en tu contra.

Podemos abordar el tema de la argumentación solo de manera general, dejando las discusiones minuciosas y técnicas en manos de obras tan excelentes como *Principles of Argumentation,* de George P. Baker, y *Public Speaking and Debate*, de George Jacob Holyoake. Cualquier buena retórica universitaria también brindará ayuda sobre el tema, especialmente las obras de John Franklin Genung y Adams Sherman Hill. El estudiante debería familiarizarse con al menos uno de estos textos.

Se espera que la siguiente serie de preguntas tenga un triple propósito: el de sugerir las clases de evidencia junto con las formas en que pueden usarse; el de ayudar al orador a probar la fuerza de sus argumentos; y el de permitirle al orador atacar los argumentos de su oponente con incisividad y justicia.

PROBANDO UN ARGUMENTO

I. La cuestión bajo discusión

1. ¿Está claramente expresada?

(a) ¿Los términos de la declaración significan lo mismo para cada disputante? (Por ejemplo, tal vez no todos estén de acuerdo sobre el significado del término «caballero»).

(b) ¿Es probable que surja confusión en cuanto a su propósito?

2. ¿Está justamente expresada?

(a) ¿Incluye suficiente?

(b) ¿Incluye demasiado?

(c) ¿Está formulado para contener una trampa?

3. ¿Es una cuestión discutible?

4. ¿Cuál es el punto crucial en toda la cuestión?

5. ¿Cuáles son los puntos subordinados?

II. La evidencia

1. Los testigos de los hechos

(a) ¿Es imparcial cada testigo? ¿Cuál es su relación con el tema en cuestión?

(b) ¿Es mentalmente competente?

(c) ¿Es moralmente creíble?

(d) ¿Está en posición de conocer los hechos? ¿Es un testigo ocular?

(e) ¿Es un testigo voluntario?

(f) ¿Su testimonio es contradicho?

(g) ¿Su testimonio está corroborado?

(h) ¿Su testimonio es contrario a hechos bien conocidos o principios generales?

(i) ¿Es probable?

2. Las autoridades citadas como evidencia

(a) ¿La autoridad está bien reconocida como tal?

(b) ¿Qué lo hace una autoridad?

(c) ¿Su interés en el caso es imparcial?

(d) ¿Expresa su opinión de manera positiva y clara?

(e) ¿Las autoridades no personales citadas (libros, etc.) son confiables y sin prejuicios?

3. Los hechos citados como evidencia

(a) ¿Son suficientes en número para constituir una prueba?

(b) ¿Tienen suficiente peso en cuanto a carácter?

(c) ¿Están en armonía con la razón?

(d) ¿Son mutuamente armoniosos o contradictorios?

(e) ¿Son admitidos, dudados o disputados?

4. Los principios citados como evidencia

(a) ¿Son axiomáticos?

(b) ¿Son verdades de la experiencia general?

(c) ¿Son verdades de una experiencia especial?

(d) ¿Son verdades alcanzadas a través de experimentación? ¿Tales experimentos fueron especiales o generales? ¿Los experimentos fueron definitivos y concluyentes?

III. El razonamiento

1. Inducciones

(a) ¿Son los hechos lo suficientemente numerosos como para justificar la aceptación de la generalización como algo concluyente?

(b) ¿Concuerdan los hechos solo cuando se los considera a la luz de esta explicación como una conclusión?

(c) ¿Has pasado por alto cualquier hecho contradictorio?

(d) ¿Se pueden explicar lo suficiente los hechos contradictorios cuando se acepta esta inferencia como verdadera?

(e) ¿Se demuestra que todas las posiciones contrarias son relativamente insostenibles?

(f) ¿Has aceptado simples opiniones como hechos?

2. Deducciones

(a) ¿La ley o el principio general está bien establecido?

(b) ¿La ley o principio incluye claramente el hecho que deseas deducir de él, o has forzado la inferencia?

(c) ¿La importancia de la ley o principio justifica una inferencia tan importante?

(d) ¿Se puede demostrar que la deducción comprueba demasiado?

3. Casos paralelos

(a) ¿Son los casos paralelos en suficientes puntos como para garantizar una inferencia de causa o efecto similar?

(b) ¿Son los casos paralelos en el punto vital en cuestión?

(c) ¿El paralelismo se ha exagerado?

(d) ¿No hay otros paralelismos que apunten a una conclusión contraria más fuerte?

4. Inferencias

(a) ¿Son las condiciones antecedentes tales como que harían probable la acusación? (Carácter y oportunidades del acusado, por ejemplo).

(b) ¿Los signos que apuntan a la inferencia son claros o lo suficientemente numerosos como para justificar su aceptación como un hecho?

(c) ¿Son los signos acumulativos y concuerdan el uno con el otro?

(d) ¿Podrían los signos indicar una conclusión contraria?

5. Silogismos

(a) ¿Se han omitido algunos pasos en los silogismos? (Como en un silogismo *truncado*.) Si es así, prueba cualquiera de ellos rellenando los silogismos.

(b) ¿Has errado al decir una conclusión que realmente no tiene sentido? (Un *non sequitur*).

(c) ¿Puede tu silogismo reducirse a una absurdidad? (*Reductio ad absurdum*).

Capítulo 24

Influyendo por medio de la persuasión

Tiene arte triunfadora cuando actúa con razones y palabras, y sabe convencer.
—Shakespeare, Medida por medida

Llamamos artista a aquel que maneja una asamblea de hombres como un maestro domina las teclas de un piano; aquel que, viendo a la gente furiosa, los ablandará y los compondrá, los llevará, cuando él quiera, a la risa y al llanto. Traigan a su audiencia, y, sean lo que sean—groseros o refinados, complacidos o disgustados, malhumorados o salvajes, con sus opiniones al cuidado de un confesor o con sus opiniones en sus cajas fuertes bancarias—él los complacerá y los entretendrá como él elija; y ellos harán y ejecutarán lo que él les llame a hacer.
—Ralph Waldo Emerson, Ensayo sobre la elocuencia

Más bien y más mal se ha generado por la persuasión que por cualquier otra forma de expresión. **Es un intento de influir por medio de apelar a algún interés particular que el oyente considera importante.** Su motivo puede ser alto o bajo, justo o injusto, honesto o deshonesto, tranquilo o apasionado, y por lo tanto su alcance es inigualable en la oratoria.

Esta «inculcación de convicción», por usar la expresión de Matthew Arnold, es naturalmente un proceso complejo en el

233

sentido de que generalmente incluye argumentación y a menudo emplea sugestión, como lo ilustrará el próximo capítulo. De hecho, hay poco discurso público digno de ese nombre que no sea en parte persuasivo, ya que la gente rara vez habla exclusivamente para alterar las opiniones de otras personas— el propósito subyacente es casi siempre la acción.

La naturaleza de la persuasión no es únicamente intelectual, sino que es en gran parte emocional. Utiliza todos los principios de la oratoria y cada «forma de discurso», por usar la expresión de un retórico, pero el argumento complementado por un reclamo especial es su cualidad peculiar. Esto lo podemos ver mejor examinando:

Los métodos de persuasión

Los oradores de nobles pensamientos buscan impulsar a sus oyentes hacia la acción apelando a sus motivos más nobles, como el amor a la libertad. El senador Hoar, reclamando acción en la cuestión filipina, usó este método:

¿Cuál ha sido la diplomacia práctica que proviene de sus ideales y sus sentimentalismos? Han desperdiciado casi 600 millones de dólares. Han sacrificado casi 10.000 vidas estadounidenses, la flor de nuestra juventud. Han devastado las provincias. Han matado a innumerables miles de las personas que desean beneficiar. Han establecido campos de concentración. Sus generales vuelven a casa después de la cosecha, trayendo gavillas con ellos, en la forma de otros miles de enfermos y heridos y locos para arrastrar vidas miserables, destruidas en cuerpo y mente. Han hecho de la bandera estadounidense un emblema del sacrilegio en las iglesias cristianas y los ojos de numerosas personas, y de la quema de viviendas humanas, y del horror de la tortura del agua. Su habilidad política práctica, que desdeña tomar a George Washington y Abraham Lincoln o los soldados de la Revolución o de la Guerra Civil como modelos, en algunos casos ha mirado a España como ejemplo. Yo creo—no, mejor dicho—yo sé, que, por lo general, nuestros oficiales y soldados son

compasivos. Pero en algunos casos han llevado a cabo su guerra con una mezcla de ingenio estadounidense y crueldad castellana.

Su diplomacia práctica ha logrado convertir a un pueblo que hace tres años estaba listo para besar el dobladillo de la vestimenta de los estadounidenses y darle la bienvenida como libertadores, que abarrotó a sus hombres, cuando desembarcaron en esas islas, con bendición y gratitud, en enemigos hoscos e irreconciliables, poseídos de un odio que los siglos no pueden erradicar.

Sr. Presidente, esta es la ley eterna de la naturaleza humana. Puedes luchar contra ella, puedes tratar de escapar de ella, puedes persuadirte de que tus intenciones son benevolentes, que tu yugo será fácil y tu carga será ligera, pero volverá a reafirmarse. El gobierno sin el consentimiento de los gobernados— una autoridad que jamás fue otorgada por el cielo— solo puede ser apoyado por medios que el cielo nunca podrá aprobar.

El pueblo estadounidense tiene que responder esta pregunta. Ellos pueden responder ahora; pueden tomarse diez años, o veinte años, o una generación, o un siglo para pensarlo. Pero no desaparecerá. Al final deberán responder: ¿Podemos legalmente comprar con dinero, o conseguir con la fuerza bruta de las armas, el derecho de subyugar a un pueblo contra su voluntad e imponerles la constitución que ustedes, y no ellos, piensan es la mejor para ellos?

Luego, el Senador Hoar hizo otro tipo de reclamo—un reclamo a los hechos y la experiencia:

Hemos respondido esta pregunta muchas veces en el pasado. Los padres fundadores respondieron en 1776 y fundaron la República con su respuesta, que ha sido la piedra angular. John Quincy Adams y James Monroe respondieron de nuevo en la Doctrina Monroe, que John Quincy Adams declaró que era solo la doctrina del consentimiento de los gobernados. El partido republicano respondió cuando se apoderó del gobierno al comienzo del período más brillante de toda la historia legislativa. Abraham Lincoln respondió cuando, en ese fatídico viaje a Washington en 1861, lo anunció como la doctrina de su credo político, y declaró, con visión profética, que estaba listo para ser asesinado por ello si fuera necesario. Ustedes mismos la han vuelto a contestar cuando dijeron que Cuba, que no tenía más derecho que el pueblo de las Filipinas a su independencia, debería ser libre e independiente.

—George F. Hoar

Apelar a las cosas que la humanidad aprecia es otra forma potente de persuasión. Joseph Story, en su gran discurso de Salem (1828), utilizó este método de la manera más dramática:

Invoco a ustedes, padres, por las sombras de sus antepasados—por las queridas cenizas que reposan en este suelo precioso, por todo lo que ustedes son, y todo lo que esperan ser—a resistir cada objeto de desunión, a resistir toda intromisión sobre sus libertades, a resistir cualquier intento de encadenar sus conciencias o sofocar sus escuelas públicas o extinguir sus sistemas de instrucción pública.

Invoco a ustedes, madres, por lo que nunca falla en la mujer, el amor por sus hijos; enseñadles, mientras se suben a sus rodillas o se apoyan en sus pechos, las bendiciones de la libertad. Juradlos en el altar, como con sus votos bautismales, para que sean fieles a su país, y nunca olvidarlo o abandonarlo.

Invoco a ustedes, jóvenes, que recuerden de quién son hijos; qué herencia poseen. La vida nunca puede ser demasiado corta, que solo trae deshonra y opresión. La muerte nunca llega demasiado pronto si es necesaria en defensa de las libertades de su país.

Invoco a ustedes, ancianos, por sus consejos, sus oraciones y sus bendiciones. Que no desciendan sus canas con dolor a la tumba, con el recuerdo de que han vivido en vano. Que su último sol no se hunda en el oeste sobre una nación de esclavos.

No; yo leo en el destino de mi país esperanzas mucho mejores, visiones mucho más brillantes. Nosotros, que ahora estamos reunidos aquí, pronto debemos congregarnos en la congregación de otros días. El momento de nuestra partida está cerca, para dar paso a nuestros hijos en el teatro de la vida. Que Dios los acelere a ellos y a sus hijos. Que aquel quien, con la distancia de otro siglo, se pare aquí para celebrar este día, todavía pueda ver un pueblo libre, feliz y virtuoso. Que él tenga razones para regocijarse como lo hacemos nosotros. Que él, con todo el entusiasmo de la verdad y de la poesía, exclame que aquí todavía está su país.

—Joseph Story

Apelar a los prejuicios es un método efectivo—aunque rara vez, o quizás nunca, es justificable; sin embargo, mientras persista el argumento especial, se recurrirá a este tipo de persuasión. Rudyard Kipling usa este método—como muchos otros de ambos lados—para cubrir la gran guerra europea. Mezclado con la apelación al prejuicio, el Sr. Kipling utiliza la apelación al interés propio; aunque no es el motivo más noble, sí es un motivo poderoso en todas nuestras vidas. Observa cómo al final el suplicante apela al método más alto que puede. Este es un ejemplo notable del reclamo progresivo, que comienza con un motivo bajo y termina con uno noble, de tal manera que puede incorporar toda la fuerza del prejuicio y ganar todo el valor del fervor patriótico.

No por culpa ni deseo nuestro, estamos en guerra con Alemania, la potencia que le debe su existencia a tres guerras bien pensadas; la potencia que, durante los últimos veinte años, se ha dedicado a organizar y prepararse para esta guerra; la potencia que ahora está luchando para conquistar el mundo civilizado.

Durante las últimas dos generaciones, a los alemanes, en sus libros, conferencias, discursos y escuelas, se les ha enseñado cuidadosamente que el objetivo de sus preparativas y sus sacrificios es nada más y nada menos que esta conquista del mundo. Se han preparado cuidadosamente y se han sacrificado mucho.

Necesitaremos hombres, hombres y hombres si es que nosotros, junto con nuestros aliados, deberemos frenar la embestida de la barbarie organizada.

No se hagan ilusiones. Estamos tratando con un enemigo fuerte y magníficamente equipado, cuyo objetivo declarado es nuestra destrucción total. La violación de Bélgica, el ataque a Francia y la defensa contra Rusia, son solo pasos por el camino. El verdadero objetivo de Alemania, como ella siempre nos ha dicho, es Inglaterra, y la riqueza, el comercio y las posesiones mundiales de Inglaterra.

Si suponemos, por un instante, que el ataque tendrá éxito, Inglaterra no se verá reducida, como algunos dicen, al rango de una potencia de segundo nivel, sino que dejaremos de existir como nación. Nos convertiremos en una provincia periférica de Alemania, que será administrada con la severidad que la seguridad y el interés alemán requerirán. Ese es el destino que estamos enfrentando. Estamos entrando en una nueva vida en la cual todos los hechos bélicos que habíamos postergado u olvidado durante los últimos cien años han vuelto al frente, y hoy nos han puesto a prueba como también probaron a nuestros padres. Será un camino largo y difícil, plagado de dificultades y desalientos, pero lo recorremos juntos y lo recorreremos hasta el final.

Nuestras pequeñas divisiones y barreras sociales han sido barridas al comienzo de nuestra enorme contienda. Todos los intereses de nuestra vida de hace seis semanas están muertos. Ahora tenemos un solo interés, y eso toca el corazón de cada hombre en esta isla y en el imperio.

*Si queremos ganar para nosotros y para la libertad
el derecho de existir en la tierra, cada hombre debe
ofrecerse a sí mismo para ese servicio y ese sacrificio.*

A partir de estos ejemplos, se verá que la forma particular en
que los oradores apelaron a sus oyentes *fue acercándose a sus
intereses y mostrando emoción*—dos principios muy importantes
que deberás tener en cuenta constantemente.

Para lograr lo anterior, se requiere un profundo conocimiento
de los motivos humanos en general y un entendimiento de la
audiencia particular a la que se dirige.

¿Cuáles son los motivos que despiertan acción en la gente?
Piensa seriamente en ellos, grábalos en las páginas de tu
mente, estudia cómo apelar a ellos dignamente. Entonces, ¿qué
motivos podrían apelar a tus oyentes? ¿Cuáles son sus ideales e
intereses en la vida? Un error en tu estimación puede costarte tu
caso. Apelar al orgullo en la apariencia simplemente generaría
risas en un grupo de hombres; tratar de despertar simpatía
por los judíos en Palestina sería un esfuerzo desperdiciado,
entre otros. Estudia a tu audiencia, ve palpitando la situación y
cuando hayas logrado encender una chispa, aviva la llama con
cada recurso honesto que poseas.

Cuanto mayor sea tu audiencia, más seguro estarás de
encontrar una base de apelación universal. Una pequeña
audiencia de solteros no se entusiasmará con la importancia del
seguro de muebles; la mayoría de los hombres sí se interesaría
en la defensa de la libertad de prensa.

Las publicidades de medicamentos por lo general comienzan
hablando de tus dolores—comienzan con tus intereses. Si
primero se enfocaran en el tamaño y la calificación de su
establecimiento, o la eficacia de su remedio, nunca leerías el
«anuncio». Si pueden hacerte pensar que tienes problemas
nerviosos, tú mismo les solicitarás un remedio—ellos no
tendrán que tratar de vendértelo. Los vendedores de medicinas
patentadas están suplicando—pidiéndote que inviertas tu
dinero en su producto—pero no lo parecen estar haciendo.

Cruzan hacia tu lado de la valla y despiertan el deseo de sus panaceas al apelar a tus propios intereses.

Recientemente, un vendedor de libros ingresó a la oficina de un abogado en New York y le preguntó: «¿Quiere comprar un libro?». Si el abogado hubiera querido un libro, probablemente lo habría comprado sin esperar que un vendedor de libros le viniera a visitar. El vendedor cometió el mismo error del representante que empezó diciendo: «Quiero venderte una máquina de coser». Ambos hablaron solo en términos de sus propios intereses.

El suplicante exitoso debe convertir sus argumentos en términos que ofrecen ventajas para sus oyentes. La humanidad sigue siendo egoísta; está interesada en lo que les servirá. Borra tu propia preocupación personal de tu discurso y presenta tu apelación en términos del bien general; para hacerlo, no tienes que ser insincero, ya que es mejor que no abogues ninguna causa que no sea para el bien de los oyentes. Observa cómo el Senador Thurston, en su petición de intervención en Cuba, y el Sr. Bryan, en su discurso llamado "Cruz de Oro", se presentaron a sí mismos como apóstoles de la humanidad.

La *exhortación* es una forma de reclamo muy apasionada utilizada con frecuencia desde el púlpito en esfuerzos para despertar en los hombres un sentido del deber e inducirlos a decidir sus cursos personales, y por abogados que buscan influenciar a un jurado. Los grandes predicadores, como los grandes abogados, siempre han sido maestros de la persuasión.

Observa la diferencia entre estas cuatro exhortaciones y analiza los motivos a los cuales apelaron:

¡Venganza! ¡Media vuelta! ¡Buscad! ¡Quemad! ¡Inciendad!
¡Matad! ¡Degollad! ¡Que no quede vivo un traidor!

—Shakespeare, Julio César

¡Ataca—hasta que el último enemigo armado muera,
Ataca—por tus altares y tus fuegos,

Ataca—por las tumbas verdes de tus padres,
Dios—y tu tierra natal!

—Fitz-Greene Halleck, Marco Bozzaris

Créanme, caballeros, si no fuera por esos niños, él no vendría aquí hoy a buscar tal remuneración; si no fuera que, según su veredicto, podrían evitar que esos pobres inocentes defraudados se conviertan en mendigos vagabundos, y huérfanos en la faz de la tierra. Oh, sé que no necesito pedirle este veredicto a su misericordia; no necesito extorsionarlo de su compasión; lo recibiré de su justicia. Les suplico, no como padres, sino como esposos; no como esposos, sino como ciudadanos; no como ciudadanos, sino como hombres; no como hombres, sino como cristianos. Por todas sus obligaciones—públicas, privadas, morales y religiosas—por el hogar profanado; por el hogar desolado; por los cánones del Dios viviente vilmente despreciados; ¡salven, oh, salven sus hogares tiernos del contagio, su país del crimen, y a tal vez miles aún no nacidos de la vergüenza, y del pecado, y la tristeza de este ejemplo!

—Charles Phillips, Apelación al jurado en representación de Guthrie

Así que, apelo a todos, desde los hombres con medias de seda que bailaban al compás de música creada por esclavos y lo llamaban libertad; a los hombres con sombreros de campana que llevaron a Hester Prynne a su vergüenza y lo llamaron religión; hasta ese americanismo que extiende sus brazos para azotar el mal con razón y verdad, confiado en el poder de ambas. Apelo a todos, desde los patriarcas de Nueva Inglaterra a los poetas de Nueva Inglaterra; desde Endicott a Lowell; desde Winthrop a Longfellow; desde Norton a Holmes; y apelo en nombre y por los derechos de esa ciudadanía común—de ese origen común, de puritanos y caballeros, a quienes todos les debemos nuestro ser. Dejad el pasado muerto, consagrado por la sangre de sus mártires, y no

*por sus odios salvajes—oscurecido por los reyes y los
sacerdotes—dejad que el pasado muerto entierre sus
muertos. Dejad que el presente y el futuro suenen con la
canción de los cantantes. Benditas sean las lecciones que
enseñan, las leyes que hacen. Bendito sea el ojo para ver,
la luz para revelar. Bendita sea la tolerancia, sentada
siempre a la diestra de Dios para guiar el camino con
palabras amorosas, como también bendito sea todo lo que
nos acerca a la meta de la verdadera religión, verdadero
republicanismo y verdadero patriotismo, desconfianza
de lemas y etiquetas, imposturas y héroes, confianza en
nuestro país y en nosotros mismos. No fue Cotton Mather,
sino John Greenleaf Whittier, quien clamó:*

*Querido Dios y Padre de todos nosotros,
Perdona nuestra fe en mentiras crueles,
Perdona la ceguera que niega.
Derriba nuestros ídolos—vuelca
Nuestros altares sangrientos—haznos verte
¡A Ti mismo en tu humanidad!*

*—Henry Watterson, Puritan and Cavalier (Puritano
y caballero)*

Goethe, al ser reprochado por no haber escrito canciones
de guerra contra los franceses, respondió: «En mi poesía nunca
he fingido. ¿Cómo podría haber escrito canciones de odio sin
odio?». Tampoco es posible abogar con total eficacia por una
causa que no sientes profundamente.

El sentimiento es contagioso, de la misma manera que
la convicción es contagiosa. El orador que suplica con
sentimientos reales de sus propias convicciones inculcará sus
sentimientos en sus oyentes. Sinceridad, fuerza, entusiasmo y,
sobre todo, sentimiento—estas son las cualidades que mueven
a las multitudes y hacen que los llamamientos sean irresistibles.
Son mucho más importantes que los principios técnicos de
presentación, la elegancia del gesto o la enunciación pulida—
por más importantes que todos estos elementos sin duda deben
considerarse. Basa tu apelación en la razón, pero no termines

en el sótano—deje que la construcción vaya elevándose, llena de profunda emoción y noble persuasión.

Capítulo 25

Influyendo a la multitud

El éxito en los negocios, en el último análisis, depende de poder tocar la imaginación de las multitudes. La razón por la cual los predicadores de esta generación actual tienen menos éxito en conseguir que la gente desee la bondad comparado al éxito de los hombres de negocios en conseguir que deseen automóviles, sombreros y pianolas, es que los hombres de negocios son estudiantes más astutos y desesperados de la naturaleza humana, y se han enfocado más en el arte de tocar la imaginación de las multitudes.

—Gerald Stanley Lee, Multitudes

En la primera parte de julio de 1914, un grupo de franceses en París, o alemanes en Berlín, no era una multitud en un sentido psicológico. Cada individuo tenía sus propios intereses y necesidades especiales, y no había una idea común y poderosa que los unificara. En ese momento, un grupo representaba solo una colección de individuos. Un mes después, cualquier colección de franceses o alemanes formaba una multitud: El patriotismo, el odio, un miedo común, o un dolor generalizado habían unificado a los individuos.

La psicología de la multitud es muy diferente a la psicología de los miembros personales que la componen. La multitud es una entidad distinta. Los individuos refrenan y someten muchos de sus impulsos a los dictados de la razón. La multitud nunca razona, solo siente. Como personas, hay un sentido de responsabilidad adjunto a nuestras acciones que controla muchas de nuestras incitaciones, pero el sentimiento de responsabilidad se pierde en la multitud debido a sus números. La multitud es sumamente sugestionable y actuará sobre las ideas más salvajes y extremas. La mente de la multitud es primitiva e hinchará por planes y realizará acciones que sus miembros repudiarían por completo.

Una turba es solo una multitud altamente enardecida. La descripción de Ruskin es apropiada: «Uno puede convencer a una multitud a que haga cualquier cosa; sus sentimientos pueden ser—y suelen ser—por lo general, generosos y correctos, pero no tienen fundamento; la multitud no tiene control sobre ellos. Puedes motivarla o tentarla a hacer cualquier cosa a tu gusto. Piensa por medio de infección, y por lo general, se contagia de opiniones como un resfrío; no hay nada tan pequeño que no la haga rugir, y cuando se desata su rabia, no hay nada más grande, pero se olvidará de ello en una hora cuando pase el ataque de ira».[23]

La historia nos mostrará cómo funciona la mente colectiva. La mente medieval no era propensa a razonar; el hombre medieval atribuía gran importancia a la expresión de la autoridad; su religión tocaba principalmente las emociones. Estas condiciones proporcionaron un suelo rico para la propagación de la mente de la multitud cuando, en el siglo XI, los monjes predicaron la flagelación, una forma de autocastigo corporal voluntario. La sustitución de la flagelación en lugar de recitar salmos penitenciales fue defendida por los reformadores. Se trazó una escala, haciendo 1.000 azotes equivalentes a diez salmos, o 15.000 a todo el libro de Salmos. Esta locura se propagó a pasos agigantados—y en multitudes. Surgieron fraternidades de flagelantes. Sacerdotes que llevaban pancartas encabezaban grandes procesiones por las calles, repletas de personas que recitaban oraciones y azotaban sus cuerpos ensangrentados con correas de cuero con cuatro puntas de hierro. El Papa Clemente denunció esta práctica y varios de los líderes de estas procesiones tuvieron que ser quemados en la hoguera antes de que el frenesí pudiera ser desarraigado.

---

[23] *Sesame and Lilies (Sésamo y lirios).*

Toda Europa occidental y central se convirtió en una multitud por la predicación de los cruzados, y millones de seguidores del Príncipe de Paz se apresuraron a la Tierra Santa para matar paganos. Hasta los niños comenzaron una cruzada contra los sarracenos. El espíritu de la turba era tan fuerte que los afectos caseros y la persuasión no podían prevalecer contra él y miles de niños murieron en sus intentos de alcanzar y redimir al Sagrado Sepulcro.

En la primera parte del siglo XVIII, la South Sea Company se formó en Inglaterra. Gran Bretaña se convirtió en una multitud especulativa. Las acciones en la South Sea Company subieron de 128.5 puntos en enero a 550 en mayo, y alcanzaron 1.000 en julio. Se vendieron cinco millones de acciones con este precio elevado. La especulación se desenfrenó. Se organizaron cientos de compañías. Una se formó «para crear una rueda de movimiento perpetuo». Otra nunca se molestó en dar ninguna razón para tomar el dinero de sus suscriptores—simplemente anunció que estaba organizada «por un proyecto que sería revelado más adelante». Los propietarios comenzaron a vender, la turba se contagió con la sugestión, se produjo un pánico, las acciones de South Sea Company cayeron 800 puntos en pocos días, y más de mil millones de dólares se evaporaron en esta era de especulación frenética. La quema de las brujas en Salem, la locura del oro en Klondike y las 48 personas que fueron asesinadas por las turbas en los Estados Unidos en 1913 son ejemplos familiares para nosotros en los EE. UU.

La multitud necesita un líder

El líder de la muchedumbre o turba es su factor determinante. Él queda hipnotizado con la idea que une a sus miembros; su entusiasmo es contagioso—y el de ellos también. La multitud actúa como él sugiere. La gran masa de personas no tiene conclusiones muy definidas sobre ningún tema fuera de sus propias pequeñas esferas, pero cuando se convierten en una multitud, están perfectamente dispuestas a aceptar opiniones ya formuladas y heredadas. Seguirán a un líder a toda costa: En problemas laborales, a menudo siguen a un líder antes que obedecer a su gobierno; en la guerra, se olvidan de su autopreservación y seguirán a un líder frente a las armas que disparan catorce veces por segundo. La turba pierde su fuerza de voluntad y obedece ciegamente a su dictador. El gobierno ruso, reconociendo la amenaza de la mente colectiva contra su autocracia, anteriormente prohibió las reuniones públicas. La historia está llena de instancias similares.

Cómo se crea la multitud

Hoy la multitud es un factor tan real en nuestra vida socializada como lo son los magnates y los monopolios. Es un problema demasiado complejo solo para condenarlo o alabarlo—debe tenerse en cuenta y dominarse. El problema actual es cómo extraer al máximo lo mejor del espíritu de la multitud, y el orador público descubre que esta es su propia cuestión particular. Su influencia se multiplica si tan solo puede convertir su público en una multitud. Las afirmaciones de él deben ser las conclusiones de ellos.

Esto se puede lograr unificando las mentes y las necesidades de la audiencia y despertando sus emociones. Se debe jugar con sus sentimientos, no su razonamiento; le corresponde a él hacer esto noblemente. El argumento tiene su lugar en la plataforma, pero incluso sus mismos poderes deben cumplir el plan de ataque del orador para ganarse su audiencia.

Vuelve a leer el capítulo sobre «Sentimiento y entusiasmo». Es imposible convertir a un público en una multitud sin apelar a sus emociones. ¿Te imaginas a un grupo común de personas convirtiéndose en una multitud mientras escuchan un discurso sobre la pesca con mosca o sobre el arte egipcio?

Por otro lado, no se hubiera requerido una elocuencia de fama mundial para convertir a cualquier audiencia en el Ulster, en 1914, en una multitud al discutir la Ley de Autonomía. El espíritu de la multitud depende en gran medida del tema utilizado para fusionar sus individualidades en un todo brillante.

Observa cómo Antonio jugó con los sentimientos de sus

oyentes en la famosa oración fúnebre dada por Shakespeare en *Julio César*. De unos pequeños grupos murmurantes, los hombres se convirtieron en una unidad—una turba.

LA ORACIÓN DE ANTONIO SOBRE EL CUERPO DE CÉSAR

¡Amigos, romanos, compatriotas! Prestadme vuestros oídos;
Vengo a enterrar a César, no a alabarlo.
El mal que hacen los hombres les sobrevive;
El bien a menudo es enterrado con sus huesos:
¡Que así sea con César! El noble Bruto
Os dijo que César era ambicioso.
Si lo fue, fue una falla grave,
Y gravemente César lo ha pagado.
Aquí, con el permiso de Bruto, y los demás—
Porque Bruto es un hombre honrado,
Como lo son todos, todos hombres honrados—
Vengo a hablar en el funeral de César.
Él era mi amigo, conmigo fiel y justo,
Pero Bruto dice que era ambicioso;
Y Bruto es un hombre honrado.
Él trajo muchos cautivos a Roma,
Cuyos rescates llenaron el tesoro público.
¿Pareció esto ambición en César?
Cuando los pobres lloraban, César lloraba;
La ambición debería ser hecha de cosas más duras.
Sin embargo, Bruto dice que era ambicioso;
Y Bruto es un hombre honrado.
Todos habéis visto que, en las Lupercales,
Tres veces le presenté una corona real,
La cual él tres veces rechazó. ¿Era esto ambición?
Sin embargo, Bruto dice que era ambicioso;
Y claro, él es un hombre honrado.
No hablo para refutar lo que Bruto habló,
Pero estoy aquí para decir lo que sé.
Todos ustedes lo amaron una vez, y no sin causa;
¿Qué causa os impide ahora llorar por él?
Oh, juicio, te has refugiado con bestias salvajes,
¡Y los hombres han perdido su razón!—Toleradme,

> Mi corazón está allí en el ataúd con César,
> Y debo detenerme hasta que vuelva a mí. [Él llora.]

1er Ciudadano: *Creo que tiene mucha razón en lo que dice.*

2do Ciudadano: *Si lo consideras detenidamente, César ha sufrido una gran injusticia.*

3er Ciudadano: *¿Eso pensáis, señores? Temo que vendrá algo peor en su lugar.*

4to Ciudadano: *¿Habéis oído sus palabras? Él no aceptó la corona. Por lo tanto, es cierto que no era ambicioso.*

1er Ciudadano: *Si es así, a algunos les pesará.*

2do Ciudadano: *Pobre alma, sus ojos están enrojecidos como fuego del llanto.*

3er Ciudadano: *No hay un hombre más noble en Roma que Antonio.*

4to Ciudadano: *Escuchémoslo ahora, va a hablar de nuevo.*

Antonio: *Ayer, la palabra de César podría*
Haberle hecho frente al mundo. Ahora yace allí,
Y no hay nadie tan humilde que le reverencie.
Oh, ¡señores! Si estuviera dispuesto a agitar
Motín y furia en sus corazones y mentes,
Sería injusto con Bruto, y con Casio,
Quienes, como todos sabéis, son hombres honrados.
No seré injusto con ellos. Prefiero
Ser injusto con los muertos, con vosotros y conmigo,
Antes que con estos hombres tan honrados.
Pero aquí hay un pergamino, con el sello de César;
Lo encontré en su armario; Es su testamento:
Deje que los comunes oigan este testamento—
Lo cual, perdóname, no es mi intención leer—
E irían y besarían las heridas del difunto César,
Y sumergirían sus servilletas en su sangre sagrada;
Sí, rogarían un pelo para memoria,
Y, en sus muertes, lo mencionarían dentro de sus testamentos,
Legándolo como un rico legado
A su descendencia.

4to Ciudadano: *Queremos escuchar el testamento. Léelo, Marco Antonio.*

Todos: *¡El testamento! ¡El testamento! Queremos oír el testamento de César.*

Antonio: *Tened paciencia, amables amigos. No debo leerlo.*

No es bueno que sepáis cómo César os amaba.
No sois madera, ni piedras, sino hombres;
Y, siendo hombres, oír el testamento de César,
Os llenará de furia y os volverá locos.
Es bueno que no sepáis que os ha hecho sus herederos,
Porque si lo supierais, oh, ¡qué sucedería!

4to Ciudadano: *Lea el testamento, ¡queremos oírlo, Antonio! ¡Usted*
nos leerá el testamento! ¡El testamento de César!

Antonio: *¿Seréis pacientes? ¿Os quedaréis aquí un tiempo?*
Ya he dicho demasiado al contaros esto.
Temo que seré injusto con los hombres honorados
Cuyos puñales han apuñalado a César. Lo temo.

4to Ciudadano: *Fueron traidores. ¡Hombres honrados!*

Todos: ¡El testamento! ¡El testamento!

2do Ciudadano: *¡Eran villanos, asesinos! ¡El testamento! ¡Lea*
el testamento!

Antonio: *¿Me obligaréis entonces a leer el testamento?*
Entonces, formad un circulo alrededor del cadáver de César,
Y dejadme mostraros al que hizo el testamento.
¿Descenderé? ¿Me daréis permiso?

Todos: Descienda.

2do Ciudadano: *Descienda. [Antonio baja de la plataforma].*

3er Ciudadano: *Tiene nuestro permiso.*

4to Ciudadano: *Formad un circulo; acercaos.*

1er Ciudadano: *Apartaos del féretro, apartaos del cuerpo.*

2do Ciudadano: *¡Lugar para Antonio, el muy noble Antonio!*

Antonio: *No, no os apiñéis sobre mí; apartaos.*

Todos: *¡Un paso atrás! ¡Hagan lugar! ¡Más atrás!*

Antonio: *Si tenéis lágrimas, preparaos para derramarlas ahora;*
Todos conocéis este manto. Recuerdo
La primera vez que César se lo puso;
Era una tarde de verano, en su tienda,
El día que venció a los Nervi.
Mirad, aquí penetró el puñal de Casio;
Mirad, qué tajo le asestó el envidioso Casca.
Por aquí lo apuñaló vuestro muy amado Bruto;
Y al retirar su maldito acero,
¡Mirad cómo la sangre de César lo siguió!
Como si se hubiese lanzado por una puerta para Asegurarse
si fue o no Bruto quien tan cruelmente había golpeado;

Porque Bruto, como sabéis, era el ángel de César:
¡Juzgad, oh dioses, cómo César lo amaba!
¡Ese fue el corte más cruel de todos!
Porque cuando el noble César lo vio apuñalar,
La ingratitud, más fuerte que las armas de los traidores,
Lo derrotó por completo. Luego estalló su poderoso corazón;
Y tapando su cara con su manto,
Y a los pies de la estatua de Pompeyo,
Bañada de sangre, el gran César cayó.
¡Oh, qué caída hubo allí, mis compatriotas!
En ese momento yo y todos vosotros caímos,
Y la traición sangrienta prevaleció sobre nosotros.
¡Oh! Ahora lloráis; y percibo en vosotros
Un toque de piedad; esas son lágrimas generosas.
¡Almas bondadosas! ¡Por qué lloráis, si solo habéis
Visto la vestimenta triturada de nuestro César?
¡Mirad aquí!
Aquí está él mismo, herido, como veis, por los traidores.

1er Ciudadano: *¡Oh, lastimoso espectáculo!*

2do Ciudadano: *¡Oh, noble César!*

3ro Ciudadano: *Oh, ¡día lamentable!*

4to Ciudadano: *¡Oh, traidores, villanos!*

1er Ciudadano: *¡Oh, qué imagen sangrienta!*

2do Ciudadano: *¡Seremos vengados!*

Todos: *¡Venganza! ¡Pronto! ¡Buscad! ¡Quemad! ¡Incendiad!*
¡Degollad! ¡Que no quede vivo un traidor!

Antonio: *Alto, compatriotas.*

1er Ciudadano: *¡Silencio! Escuchemos al noble Antonio.*

2do Ciudadano: *Le escucharemos, le seguiremos, moriremos con él.*

Antonio: *Buenos amigos, dulces amigos, no dejéis que*
Yo os incite a una inundación repentina de motín.
Los que han hecho este acto son hombres honorados:
Qué tristezas privadas tienen, ¡ay! Yo no sé
Qué los hizo hacerlo. Ellos son sabios y honorados
Y sin duda os responderán con razones.
No vengo, amigos, para robar vuestros corazones;
No soy un orador, como lo es Bruto;
Sino como todos vosotros sabéis, soy un hombre sencillo
y directo,
Que amaba a mi amigo, y eso lo saben muy bien

Aquellos que me dieron permiso público para hablar de él.
No tengo ingenio, ni palabras, ni valor,
Ni acción, ni elocuencia, ni el poder de la oratoria,
Para enardecer la sangre de los hombres. Hablo solo lo
Que vosotros ya sabéis.
Os muestro las heridas del dulce César, estas pobres, pobres
bocas mudas,
Y les pido que hablen por mí.
Pero si yo fuera Bruto,
Y Bruto fuera Antonio, ese Antonio
Agitaría vuestros espíritus y pondría una lengua
En cada herida de César, capaz de levantar
Las piedras de Roma en motín.

Todos: *¡Nos amotinaremos!*

1er Ciudadano: *Quemaremos la casa de Bruto.*

3er Ciudadano: *¡Vamos, entonces! Venid, busquemos a*
los conspiradores.

Antonio: *Oídme, compatriotas, oídme.*

Todos: *¡Silencio! Escuchad a Antonio, el más noble Antonio.*

Antonio: *Amigos, ¡no sabéis lo que vais a hacer!*
¿Qué ha hecho César para merecer vuestro amor?
¡Ay! ¡Aún no lo sabéis! Debo decíroslo entonces.
Os habéis olvidado del testamento que mencioné.

1er Ciudadano: *Es cierto, ¡el testamento! Quedémonos y escuchemos*
el testamento.

Antonio: *Aquí está el testamento, con el sello de César.*
A cada ciudadano romano,
A cada hombre individual, él le ha dejado setenta y
cinco dracmas.

2do Ciudadano: *¡Noble César! Vengaremos su muerte.*

3er Ciudadano: *¡Regio César!*

Antonio: *Escuchadme con paciencia.*

Todos: *¡Silencio!*

Antonio: *Además, él os ha legado todos sus paseos,*
sus quintas privadas y huertos nuevos,
En este lado del Tíber. Él los ha legado en perpetuidad,
A vosotros y a vuestros herederos, como placeres comunes,
Para que podáis caminar afuera y divertiros.
¡Este era un César! ¿Cuándo tendremos otro como él?

1er Ciudadano: *¡Nunca, nunca! ¡Vamos, salgamos, salgamos!*

Quemaremos su cuerpo en el lugar santo,
Y con los hierros quemaremos las casas de los traidores.
Tomad el cuerpo.
2do Ciudadano: *Buscad fuego.*
3er Ciudadano: *Arrancad los bancos.*
4to Ciudadano: *Romped bancos, ventanas, cualquier cosa.*

[Salen los ciudadanos con el cadáver].

Antonio: *Que ahora se lleve a cabo.*
   Maldad, ya estás en marcha.
   ¡Toma el curso que quieras!

Para unir a los oyentes individuales en una multitud, expresa sus necesidades, aspiraciones, peligros y emociones comunes, y presenta tu mensaje de tal modo que los intereses de uno parezcan ser los intereses de todos. La convicción de un hombre se intensifica a medida que descubre que otros comparten su convicción—y sentimiento. Antonio no se detiene al decirle al pueblo romano que César ha muerto—él hace que la tragedia sea universal:

En ese momento yo y todos vosotros caímos,
Y la traición sangrienta prevaleció sobre nosotros.

Los aplausos, que generalmente son un signo de sentimiento, ayudan a unificar a una audiencia. La naturaleza de la multitud se ilustra con el contagio de aplausos. Recientemente, una multitud en teatro de New York había estado aplaudiendo varias canciones, y cuando un anuncio de faldas a medida apareció en la pantalla, alguien comenzó a aplaudir, y la multitud, como ovejas, le imitó ciegamente—hasta que alguien entendió el chiste y se rio. La multitud luego volvió a seguir a un líder y se rio de y aplaudió su propia estupidez.

Los actores a veces generan aplausos para sus líneas chasqueando los dedos. Alguien en las primeras filas lo confundirá con un débil aplauso, y pronto todo el teatro aplaudirá.

A un oyente perspicaz le interesaría observar los diversos

recursos que un orador humorístico usa para obtener la primera ronda de risas y aplausos. Él se esfuerza tanto porque sabe que una audiencia de individuos es una audiencia de críticos indiferentes, pero una vez que logra hacerlos reír juntos, cada persona que ríe contagia risas en otros, hasta que todo el teatro se ríe a carcajadas y el orador ha ganado. Estos son esquemas aparatosos, sin duda, y no tienen el más mínimo sabor de inspiración, pero la naturaleza de las multitudes no ha cambiado en mil años y la misma ley rige tanto para el predicador más grande como el orador más pequeño—debes fusionar tu audiencia o no se sentirán cómodos con tu mensaje. Los recursos de un gran orador quizá no sean tan obvios como los de un actor de vodevil, pero el principio es el mismo—él trata de generar un sentimiento universal que haga a todos sus oyentes sentirse de la misma manera y al mismo tiempo.

Un evangelista sabe esto cuando hace que un solista cante una canción conmovedora justo antes de su sermón. O hará cantar a toda la congregación; y esa es la psicología de «¡Ahora canten *todos*!», porque él sabe que los que no se unirán a la canción todavía están fuera de la multitud. Muchas veces, un evangelista popular se ha detenido en medio de su charla cuando sintió que sus oyentes todavía estaban actuando como individuos en vez de una masa fundida (y un orador sensible puede sentir esa condición de manera más deprimente). De repente les exigió que todos se levantaran y cantaran, o que repitieran en voz alta un pasaje familiar, o que leyeran juntos; o tal vez ha dejado sutilmente el hilo de su discurso para contar una historia que, gracias a su larga experiencia, él sabía seguramente infundiría un sentimiento común en sus oyentes.

Estas cosas son recursos importantes para el orador, y feliz es aquel que los usa dignamente y no como un charlatán despreciable. La diferencia entre un demagogo y un líder no es tanto una cuestión de método, sino de principios. Hasta el orador más digno debe reconocer las leyes eternas de la naturaleza humana. De ninguna manera te insto a convertirte en un tramposo sobre la plataforma—¡lejos de eso!—pero no mates tu discurso con dignidad. Ser fríamente correcto es tan tonto como despotricar. No hagas ninguna de las dos cosas, sino apela a aquellos elementos antiguos y universales de tu audiencia que han sido reconocidos por todos los grandes oradores, desde Demóstenes hasta Sam Small, y asegúrate de nunca degradar tus talentos al despertar a tus oyentes indignamente.

Es tan difícil encender el entusiasmo en una audiencia dispersa como construir un fuego con palos dispersos. Para que una audiencia se convierta en una multitud, primero debe parecerse a una multitud. Esto no se puede hacer cuando están ampliamente dispersados en un gran espacio o cuando muchos bancos vacíos separan al orador de sus oyentes. Haz que tu audiencia se siente de manera compacta. ¡Cuántos predicadores se han lamentado del enorme edificio en el cual lo que normalmente sería una gran congregación se ha esparcido en una fría y escalofriante soledad domingo tras domingo! Hasta el mismo obispo Brooks no podría haber inspirado a una congregación de mil almas sentadas en la inmensidad de la basílica de San Pedro en Roma. En ese santuario colosal, la misa se realiza en el altar mayor solo en las grandes ocasiones que atraen multitudes; en otras ocasiones se usan otras capillas más pequeñas.

Las ideas universales repletas de sentimiento ayudan a crear una atmósfera de multitud. Ejemplos: libertad, carácter, rectitud, coraje, fraternidad, altruismo, país y héroes nacionales. George Cohan convirtió la psicología en algo práctico y rentable cuando introdujo la bandera y las canciones de la bandera en sus comedias musicales. Los regimientos de Cromwell rezaron antes de batallar y entraron al campo de batalla cantando himnos. El ejército francés, cantando «la Marsellesa» en 1914, se lanzó contra los alemanes como un solo hombre. Estos recursos unificadores despiertan los sentimientos, convierten a los soldados en turbas fanáticas y, por desgracia, en asesinos más eficientes.

Capítulo 26

Montando el caballo alado

Pensar y sentir constituyen las dos grandes divisiones de hombres de genio—los hombres de razonamiento y los hombres de imaginación.
—Isaac Disraeli, Literary Character of Men of Genius (*Carácter literaria de los genios*)

Y así como la imaginación va dando cuerpo
A objetos desconocidos, la pluma del poeta
Los convierte en formas y da a la nada impalpable
Un nombre y un espacio local.
—Shakespeare, El sueño de una noche de verano

Entre aquellos que se ocupan principalmente de los aspectos prácticos de la vida, es común pensar que la imaginación tiene poco valor en comparación con el pensamiento directo. Sonríen con tolerancia cuando Emerson dice que «la ciencia no conoce su deuda con la imaginación», porque estas son las palabras de un ensayista especulativo, de un filósofo, de un poeta. Pero cuando Napoleón—ese indomable soldador de imperios—declara que «la raza humana está gobernada por su imaginación», su palabra autoritaria impone respeto.

Recordemos que la facultad de formar imágenes mentales es uno de los engranajes más eficientes que se puede encontrar en toda la maquinaria de la mente. Es cierto que debe encajar en ese otro engranaje vital, el pensamiento puro, pero cuando lo hace, puede cuestionarse cuál es más productivo en cuanto a los resultados importantes para la felicidad y el bienestar del hombre. Esto debería hacerse más evidente a medida que avanzamos.

I. ¿Qué es imaginación?

No busquemos una definición, ya que podemos encontrar una veintena de definiciones distintas, pero comprendamos este hecho: Al decir imaginación nos referimos a la facultad o al proceso de formar imágenes mentales.

El tema de la imaginación puede ser realmente existente en la naturaleza, o no real en absoluto, o una combinación de ambos; puede ser físico o espiritual, o ambos. La imagen mental es al mismo tiempo el niño más anárquico y el más respetuoso de la ley que haya nacido de la mente.

En primer lugar, como su nombre lo indica, el proceso de la imaginación—porque ahora estamos pensando en él como un proceso y no como una facultad—es la memoria en funcionamiento. Por lo tanto, debemos considerarlo principalmente como:

1. Visualización Reproductiva

Nosotros vemos, oímos, sentimos, saboreamos u olemos algo y la sensación desaparece. Sin embargo, somos conscientes de una capacidad mayor o menor de reproducir tales sentimientos a voluntad. Dos consideraciones, en general, gobernarán la intensidad de la imagen así evocada: la fuerza de la impresión original y el poder reproductivo de una mente en comparación con otra. Sin embargo, cada persona normal podrá evocar imágenes con cierto grado de claridad.

El hecho de que no todas las mentes poseen esta facultad de formar imágenes en igual medida tendrá una influencia importante en el estudio del orador público sobre esta pregunta. Resulta muy improbable que alguien que no siente al menos algunos impulsos poéticos aspire seriamente a ser un poeta; sin embargo, hay muchas personas, cuyas facultades de imaginación están tan latentes que de hecho parecen estar muertas, y aspiran a ser oradores públicos. A todos ellos, le decimos con la mayor seriedad: Despierta tu don de formar imágenes, ya que demostrará ser una gran ayuda incluso en el discurso más frío y lógico. Es importante que descubras de inmediato cuán completa y confiable es tu imaginación, ya que puede ser cultivada—y también abusada.

Francis Galton[24] dice: «Los franceses parecen poseer la facultad de visualización en alto grado. La peculiar habilidad que ellos demuestran al organizar ceremonias y festejos de todo tipo y su indudable genio para las tácticas y la estrategia demuestran que son capaces de prever efectos con una claridad inusual. Su ingenio en todas las artimañas técnicas es un testimonio adicional en la misma dirección, y también lo es su singular claridad de expresión. Su frase *figurez vous*, que significa "visualiza para ti mismo", parece expresar su modo dominante de percepción. Nuestro equivalente, "imagina", es ambiguo».

Pero las personas difieren en este respecto tan marcadamente como, por ejemplo, los holandeses de los franceses. Y esto es cierto no solo de aquellos que son clasificados por sus amigos como imaginativos o carentes de imaginación, sino de aquellos cuyos dones o hábitos no son bien conocidos.

Tomemos como ejemplo seis de los tipos de visualización más conocidos y veamos en la práctica cómo surgen en nuestras propias mentes.

Indudablemente, el tipo más común es:

(a) La imagen visual. Según los psicólogos, los niños que recuerdan más fácilmente las cosas que se ven que las que se escuchan tienen una «mentalidad visual», y la mayoría de nosotros estamos inclinados hacia esta dirección. Cierra los ojos ahora y vuelve a visualizar la escena alrededor de la mesa del desayuno de esta mañana. Tal vez no hubo nada sorprendente en la situación y, por lo tanto, la imagen no es sorprendente. Luego, imagina cualquier escena de mesa memorable en tu experiencia—nota

---

[24.] *Inquiries into Human Faculty (Investigaciones sobre las facultades humanas).*

cuán vívidamente se destaca, porque en ese momento sentiste la impresión fuertemente. En ese momento puede que no hayas sido consciente de cuán fuertemente la escena te estaba impactando, porque a menudo estamos tan concentrados en lo que vemos que no pensamos en el hecho de que nos está impresionando. Puedes sorprenderte al saber con cuánta precisión puedes imaginar una escena después de que haya transcurrido un tiempo prolongado entre el enfoque consciente de tu atención en la imagen y el momento que viste el original.

(b) La imagen auditiva es probablemente la segunda más vívida en cuanto a nuestras experiencias recordadas. Aquí la asociación es potente para sugerir similitudes. Cierre tus oídos a todo lo demás del mundo y escucha el sonido peculiar de madera contra madera de los fuertes truenos entre montañas rocosas—el ruido de una bola de boliche impactando contra los bolos quizá lo sugiera. O imagina (la palabra es imperfecta, ya que parece sugerir solo el ojo) el sonido de cuerdas rompiéndose cuando un peso precioso está en peligro. O recuerda el aullido de un sabueso que te persigue—elije tu propio sonido y fíjate cuán placentera o terriblemente real se vuelve cuando lo imaginas en tu cerebro.

(c) La imagen motriz compite con la auditiva por el segundo puesto. ¿Alguna vez te has despertado durante la noche, con todos los músculos tensionados y esforzándote, sintiendo que estás empujando contra una fila de jugadores de fútbol americano tan inamovible como una pared de piedra, o tan firme como la cabecera de tu cama? O recuerda voluntariamente el movimiento del bote cuando por dentro gritaste: «¡Ya acabó conmigo!». La peligrosa sacudida de un tren, el repentino hundimiento de un elevador o el inesperado vuelco de una mecedora pueden servir como experimentos adicionales.

(d) La imagen gustativa es bastante común, como la idea de comer limones testificará. A veces, el placentero recuerdo de una deliciosa cena hará que la boca se humedezca años después, o la «imagen» de una medicina particularmente atroz nos hará arrugar la nariz mucho después de habernos hecho pasar un día miserable en la infancia.

(e) La imagen olfativa es aún más delicada. Algunas personas se enferman al recordar ciertos olores, mientras que otros experimentan las sensaciones más deliciosas por el surgir de imágenes olfativas agradables.

(f) La imagen táctil, por no nombrar otras, es casi igual de potente. ¿Te estremeces al pensar en terciopelo siendo frotado por puntas de dedos con uñas cortas? ¿O alguna vez te «quemaste» al tocar una estufa fría? O tal vez en un recuerdo más feliz, ¿todavía puedes sentir el toque de una mano ausente muy querida?

Recordemos que pocas de estas imágenes están presentes en nuestras mentes, excepto en combinación—la vista y el sonido de la avalancha que cae son uno y el mismo; también lo son la llamada y el estallido del arma del cazador que estuvo tan cerca de «acabarnos».

Por lo tanto, la visualización—especialmente la visualización consciente y reproductiva—se convertirá en una parte valiosa de nuestros procesos mentales a medida que la dirijamos y la controlemos.

2. Visualización productiva

Todos los ejemplos anteriores, y sin duda también muchos de los experimentos que tú mismo puedes realizar, son meramente reproductivos. Por más agradables o horribles que sean, son mucho menos importantes que las imágenes evocadas por la visualización productiva, aunque eso no implica una facultad separada.

Recuerda, una vez más para experimentar, alguna situación que viste andando por la calle; quizá viste el comienzo, pero pasaste de largo antes de presenciar el desenlace. Recuérdalo todo—hasta ahí, la imagen es reproductiva. ¿Pero qué sucedió después? Deja que tu fantasía deambule a gusto—las escenas siguientes son productivas, ya que de manera más o menos consciente has inventado lo irreal sobre la base de lo real.

Y es justo aquí que el novelista, el poeta y el orador público verán el valor de las imágenes productivas. Es verdad, los pies del ídolo que construyes están en el suelo, pero su cabeza traspasa las nubes; es un hijo de la tierra y el cielo.

Hay un hecho que es importante señalar aquí: La visualización es un recurso mental valioso en la medida en que está controlada por el poder intelectual superior de la razón pura. El hijo no instruido de la naturaleza piensa en gran medida con imágenes y por lo tanto les atribuye una importancia indebida. Él confunde fácilmente lo real con lo irreal; para él son de igual valor. Pero el hombre entrenado distingue fácilmente el uno del otro y evalúa cada uno con un poco de justicia, aunque esta no sea perfecta.

Por lo tanto, vemos que la visualización desenfrenada puede producir un barco sin timón, mientras que la facultad entrenada es como un velero elegante, navegando por los mares a voluntad de su patrón, su curso estabilizado por el timón de la razón y sus velas ligeras atrapando cada aire del cielo.

El juego de ajedrez, el plan táctico de un cuadillo militar, la evolución de un teorema geométrico, el diseño de una gran campaña comercial, la eliminación del desperdicio en una fábrica, el desenlace de un drama poderoso, la superación de un obstáculo económico, el esquema de un poema sublime, y el asedio convincente de una audiencia puede—o mejor dicho, debe—ser concebido en una imagen y forjado a la realidad de acuerdo con los planes y las especificaciones establecidas en el caballete de algún Hiram imaginativo moderno. El agricultor que estaría contento con la semilla que posee no tendría cosecha. No te quedes satisfecho con la capacidad de recordar imágenes, sino cultiva tu visualización creativa, construyendo «lo que podría ser» sobre la base de «lo que es».

II. Los usos de la visualización en la oratoria pública

En este momento ya habrás hecho una aplicación general de estas ideas al arte de la plataforma, pero ahora debemos referirnos a varios usos específicos.

1. Visualización en preparación del discurso

(a) Establece la imagen de tu público delante de ti mientras te preparas. La decepción puede acechar aquí, y no puedes estar preparado para cada emergencia, pero por lo general, debes conocer a tu audiencia antes de conocerlas en persona: imagina su estado de ánimo y actitud probable con respecto a la ocasión, el tema y el orador.

(b) Concibe tu discurso como un todo mientras preparas sus partes; de lo contrario, no puedes ver—visualizar—cómo sus partes se enmarcarán adecuadamente.

(c) Imagina el lenguaje que usarás, en la medida en que lo dicte el discurso escrito o extemporáneo. El hábito de las imágenes te dará la opción de variadas figuras del habla, ya que un discurso sin nuevas comparaciones es como un jardín sin flores. No te contentes con la primera figura trillada que se te ocurre, sino sigue soñando hasta que la comparación llamativa e inusual, pero vívidamente real, agudice a tu pensamiento como el acero afila la punta de una flecha.

Presta atención a la frescura y la eficacia de la siguiente descripción de la apertura de la historia de O. Henry, *El heraldo*.

> *Mucho antes de que la primavera se sienta en el seno opaco del paleto, el hombre de la ciudad sabe que la diosa verde está sentada sobre su trono. Se sienta a desayunar huevos y pan tostado, rodeado por paredes de piedra, abre su diario matutino y ve que el periodismo ha depositado la primavera en su correo.*

> *Porque, aunque los mensajeros de la Primavera antes eran la evidencia de nuestros sentidos más finos, ahora la Associated Press se encarga de eso.*

> *El trino del primer petirrojo en Hackensack, la agitación de la savia de arce en Bennington, el florecimiento de los sauces en la calle principal de Syracuse, el primer canto del pájaro azul, la ultima cosecha de ostras azules,*

el tornado anual en St. Louis, el llanto del pesimista melocotón de Pompton, New Jersey, la visita regular del domesticado ganso salvaje con una pata rota al estanque cerca de Bilgewater Junction, el intento vil del consorcio farmacéutico para aumentar el precio de la quinina frustrada en la Cámara por el congresista Jinks, el primer álamo impactado por un rayo y los habituales excursionistas aturdidos que se habían refugiado, el primer crujido de la jamba de hielo en el río Allegheny, el hallazgo de una violeta en su lecho cubierto de musgo por el corresponsal en Round Corners—estas son las señales avanzadas de la temporada floreciente que son transmitidas a la ciudad sabia, mientras que el campesino ve solo el invierno en sus lúgubres campos.

Pero estos son meros externos. El verdadero heraldo es el corazón. Cuando Strephon busca a su Chloe y Mike a su Maggie, es solo entonces que llega la Primavera y se confirma el informe del periódico sobre una víbora de un metro y medio abatida en el campo de Squire Pettregrew.

Un escritor manido probablemente habría dicho que el periódico le informó al hombre de la ciudad sobre la primavera antes de que el campesino pudiera ver alguna evidencia de ello, pero que el verdadero heraldo de la primavera era el amor, y que «en la primavera, la fantasía de un jovencito se vuelca en pensamientos de amor».

2. Visualización en la presentación de discursos

Una vez que la pasión del habla está en ti y hayas realizado tu «calentamiento»—tal vez preparándote bien para no fallar cuando llegue la ocasión—tu estado de ánimo será uno de visión.

Entonces *(a)* Vuelve a visualizar emociones del pasado. (Hablaremos más sobre esto después). Un actor recuerda viejos sentimientos cada vez que interpreta sus líneas reveladoras.

(b) Reconstruye con imágenes las escenas que vas a describir.

(c) Imagina los objetos en la naturaleza cuyo tono estás delineando, de modo que la actitud, la voz y el movimiento (los gestos) ayuden a imaginar un todo convincentemente. En lugar de simplemente explicar que el whiskey arruina hogares, el orador que aboga la sobriedad presenta la imagen de un borracho que regresa a casa para abusar de su esposa y golpear a sus hijos. Es mucho más efectivo que decir la verdad en términos abstractos. Para representar la crueldad de la guerra, no afirmes el hecho de manera abstracta—«La guerra es cruel». Muéstrales el soldado, con un brazo amputado por la explosión de un proyectil, tirado sobre el campo de batalla y suplicando por agua; muéstrales los niños con rostros bañados de lágrimas, presionados contra la ventana y orando por el regreso de su padre muerto. Evita los términos generales y prosaicos.

Pinta imágenes. Desarrolla imágenes para que las imaginaciones de tu audiencia puedan tomarlas y formar sus propias.

III. Cómo adquirir el hábito de visualizar

¿Recuerdas al estadista estadounidense que afirmó que «la forma de reanudar es reanudando»? La aplicación es obvia. Comenzando con los primeros análisis simples de este capítulo, evalúa tus propias cualidades de visualización. Uno por uno, practica los diversos tipos de imágenes; luego agrega—o incluso inventa—otras en combinación, ya que muchas imágenes nos llegan de forma compleja, como la combinación de ruido, empujones y el cálido olor de una multitud que está alentando.

Después de practicar la visualización reproductiva, enfócate en lo productivo, comenzando con la reproducción y sumando características productivas para cultivar la invención.

Con frecuencia, dale rienda libre a tus dones innatos, creando marcos imaginarios completos—con vistas, sonidos, escenas. Todo el mundo maravilloso de la fantasía está disponible para los viajes de tu corcel alado.

De la misma manera, entrénate en el uso del lenguaje

figurativo. Aprende primero a distinguir y luego a usar sus formas variadas. Cuando se usa de forma controlada, nada puede ser más efectivo que el tropo; pero una vez que la extravagancia se cuela por la ventana, el poder huirá por la puerta.

En definitiva, domina tus imágenes—no dejes que te dominen.

Capítulo 27

Desarrollando un vocabulario

Los muchachos que vuelan cometas recuperan sus aves de alas blancas; no puedes hacer eso cuando estás volando palabras. Sabemos que «Cuidado con el fuego», es un buen consejo; «Cuidado con las palabras», es diez veces más efectivo. Los pensamientos no expresados a veces pueden caer muertos; Pero hasta Dios mismo no puede matarlos cuando son expresados.
—Will Carleton, The First Settler's Story *(La historia del primer colonizador)*

El término «vocabulario» tiene un significado especial, así como también un significado general. Es cierto que todos los vocabularios se basan en las palabras cotidianas del lenguaje, de las cuales crecen los vocabularios especiales, pero cada grupo especializado posee un número de palabras de valor particular para sus propios objetos. Estas palabras también se pueden utilizar en otros vocabularios, pero el hecho de que están adaptadas a un orden de expresión único las marca con un valor especial para un cierto oficio o llamado.

En este sentido, el orador público no difiere del poeta, el novelista, el científico, el viajero. Debe sumarle a su inventario de palabras cotidianas otras palabras de valor para la presentación pública del pensamiento. «Un estudio de los discursos de oradores efectivos revela el hecho de que tienen una afición por las palabras que significan poder, gran tamaño, velocidad, acción, color, luz y todos sus opuestos. Con frecuencia emplean palabras que expresan las diversas emociones. Ellos emplean libremente palabras descriptivas, epítetos apropiados y adjetivos en relaciones nuevas con los sustantivos. De hecho, la naturaleza del discurso público permite el uso de palabras levemente exageradas que, para cuando hayan llegado al juicio del oyente, dejarán solo una impresión ajustada».[25]

Forma el hábito de tomar notas

Poseer una palabra implica tres cosas: Conocer sus significados especiales y más amplios, conocer su relación con otras palabras, y ser capaz de usarla. Cuando veas o escuches una palabra familiar siendo usada en un sentido desconocido, anótala, búscala y domínala. Tenemos en mente un orador de logros notables que adquirió su vocabulario al anotar todas las palabras nuevas que escuchó o leyó. Él las dominó y las usó. Pronto, su vocabulario se volvió grande, variado y exacto. Usa una nueva palabra con precisión cinco veces y es tuya. El profesor Albert E. Hancock dice: «El vocabulario de un autor es de dos tipos: latente y dinámico. El latente incluye las palabras que él comprende; el dinámico incluye las que puede usar fácilmente. Cada hombre inteligente conoce todas las palabras que necesita, pero tal vez no las tenga todas listas para el servicio activo. El problema de la dicción literaria consiste en convertir lo latente en lo dinámico». Es este vocabulario dinámico el cual debes cultivar especialmente.

En su ensayo «A College Magazine», en el volumen *Memories and Portraits*, Stevenson muestra cómo se elevó de la imitación a la originalidad en el uso de las palabras. Él se refirió en particular a la formación de su estilo literario, pero las palabras son la materia prima del estilo, y su excelente ejemplo puede ser seguido juiciosamente por el orador público. Las palabras *en sus relaciones* son mucho más importantes que las palabras consideradas individualmente.

Cada vez que leía un libro o un pasaje que me agradaba particularmente, en el que se decía algo o se producía un efecto apropiado, en el que había alguna fuerza notable o alguna

---

[25.] *How to Attract and Hold an Audience* (Cómo atraer y retener la atención de una audiencia), J. Berg Esenwein.

distinción feliz en el estilo, debía sentarme de inmediato y prepararme para simular esa calidad. No tuve éxito, y lo supe; intenté de nuevo, y nuevamente fracasé, y seguí fracasando; pero al menos durante estas luchas vanas, tuve algo de práctica en el ritmo, en la armonía, en la construcción y la coordinación de las partes.

De este modo, he emulado diligentemente el estilo de Hazlitt, Lamb, Wordsworth, Sir Thomas Browne, Defoe, Hawthorne, y Montaigne.

Esa, aunque te guste o no, es la forma de aprender a escribir; aunque me haya beneficiado o no, esa es la manera. Así aprendió Keats, y jamás hubo un temperamento más fino para la literatura que el de Keats.

Es el gran punto de estas imitaciones que todavía brilla más allá del alcance del estudiante—su modelo inimitable. Por más que lo intente, seguramente fracasará; y hay un dicho antiguo y muy cierto que declara que el fracaso es la única vía para el éxito.

Formar el hábito del libro de referencia

No te conformes con tu conocimiento general de una palabra: Sigue estudiando hasta dominar sus matices individuales de significado y uso. La mera fluidez seguramente se volverá despreciable, pero la precisión jamás lo será. El diccionario contiene el uso cristalizado de gigantes intelectuales. Ninguna persona que desea escribir efectivamente se atrevería a despreciar sus definiciones y discernimientos. Piensa, por ejemplo, en los diferentes significados de *manto, modelo o cantidad.* Cualquier edición moderna de un diccionario completo es buena, y vale la pena sacrificarse para adquirir una.

Los libros de sinónimos y antónimos—utilizados con cautela, ya que hay pocos sinónimos perfectos en cualquier idioma—serán de gran ayuda. Toma en cuenta los matices de los significados entre los grupos de palabras como *ladrón, malversador, incumplidor, estafador, saqueador, ladrón de cajas fuertes, asaltante, bandido, merodeador, pirata* y muchos más; o las distinciones entre *hebreo, judío, israelita* y *semita*. Recuerda que ningún libro de sinónimos es confiable a menos que se use con un diccionario. Un buen diccionario de sinónimos suele ser costoso, pero completo y autoritario. También hay muchos libros más pequeños de sinónimos y antónimos.

Estudia las conjunciones del idioma español. Hay trampas insospechadas asociadas con el uso de *y, o, por, mientras* y muchas otras conjunciones pequeñas y difíciles.

Las derivaciones de las palabras ofrecen una riqueza de significados. El idioma español le debe mucho a lenguas extranjeras y ha cambiado tanto con los siglos, que pueden surgir ensayos enteros de una sola idea raíz escondida en el origen antiguo de una palabra. La traducción también es un excelente ejercicio de dominio de palabras y es un buen complemento para el estudio de las derivaciones.

Los manuales de conversación que muestran los orígenes de las expresiones familiares nos sorprenderán a la mayoría de nosotros al mostrar cuán descuidadamente se usa el habla cotidiana.

Un prefijo o un sufijo puede cambiar el impacto de la palabra raíz, como *maestro y maestría, desprecio y despreciable, envidia y envidiable*. Por lo tanto, estudiar palabras en grupos, de acuerdo con sus raíces, prefijos y sufijos, nos permite adquirir dominio sobre sus matices de significado y nos presenta otras palabras relacionadas.

No favorecer un conjunto o tipo de palabras más que otro

«Hace más de sesenta años, Lord Brougham, dirigiéndose a los estudiantes de la Universidad de Glasgow, decretó que la parte nativa (anglosajona) de nuestro vocabulario debía ser favorecida por encima de esa otra parte que ha venido del latín y el griego. La regla era imposible de cumplir, y el propio Lord Brougham nunca intentó observarla seriamente; y tampoco lo ha intentado ningún gran escritor. Nuestro lenguaje no solo es altamente compuesto, sino que las palabras que lo componen han sido, como lo explica la frase de De Quincey, «felizmente unidas». Es fácil bromear y decir que palabras que terminan en *-osidad* y *-ación* son "palabras de diccionario" y cosas por el estilo. Pero hasta al mismo Lord Brougham le habría resultado difícil prescindir de las palabras *pomposidad* y la *imaginación*».[26]

El español, breve y vigoroso, siempre será el preferido para los pasajes con un empuje y una fuerza especial, del mismo modo que el latín nos seguirá proporcionando fluidas y suaves expresiones; mezclar todo tipo de palabras, sin embargo, nos dará variedad—y eso es algo muy deseable.

Analiza palabras con aquellos que las conocen

Dado que el lenguaje de la plataforma sigue de cerca la dicción del habla cotidiana, se pueden adquirir muchas palabras útiles en conversaciones con personas cultas, y cuando tal discusión tome la forma de disputa en cuanto a los significados y usos de las palabras, ella resultará doblemente valiosa. El desarrollo del poder de las palabras avanza en paralelo con el crecimiento de la individualidad.

Busca fielmente la palabra correcta

Los libros de referencia triplican su valor cuando a su propietario le apasiona extraer las nueces de sus cáscaras. Diez minutos al día harán maravillas para el adicto a las nueces. «Me estoy volviendo muy irritable en cuanto a mi escritura», dice Flaubert. «Soy como un hombre con un buen oído, pero que toca el violín desafinado. Sus dedos se niegan a reproducir precisamente aquellos sonidos que él siente en su interior. Luego las lágrimas brotan de los ojos del pobre músico y el arco cae de su mano».

El mismo brillante novelista francés le envió este buen consejo a su alumno, Guy de Maupassant: «Sea lo que sea lo que uno quiera decir, solo hay una palabra para expresarlo, solo un verbo para animarlo, solo un adjetivo para calificarlo. Es esencial buscar esta palabra, este verbo, este adjetivo, hasta descubrirlo, y no estar satisfecho con nada más».

[26.] *Composition and Rhetoric (Composición y retórica), J.M. Hart.*

Walter Savage Landor escribió una vez: «Odio las palabras equivocadas, y busco con cuidado, dificultad y seriedad las más apropiadas para la ocasión». Lo mismo hizo el personaje de Sentimental Tommy, según lo relatado por James M. Barrie en su novela del mismo nombre. ¡No es de extrañar que T. Sandys se convirtió en un autor y un león!

Tommy, con otro muchacho, está escribiendo un ensayo sobre el tema «Un día en la iglesia», en competencia por una beca universitaria. Le está yendo bien hasta que hace una pausa por falta de una palabra. Por casi una hora, él busca esa palabra elusiva, hasta que de repente le dicen que el tiempo asignado se acabó, ¡y que ha perdido! Barrie nos puede contar el resto:

> ¡Un ensayo! Si una rama no es un árbol, tampoco lo suyo era un ensayo, porque el tonto se había quedado atascado en el medio de su segunda página. Sí, atascado es la expresión correcta, como su profesor disgustado tuvo que admitir cuando el chico fue interrogado. No había estado «haciendo unas de sus travesuras»; se había quedado atascado, y sus explicaciones, como tú admitirás, simplemente enfatizaron su incapacidad.

> Había caído en el desprecio público por falta de una palabra. «¿Qué palabra?», ellos le preguntaron molestos; pero incluso ahora él no podía decirles. Él había querido usar una palabra escocesa que indicara cuántas personas había en una iglesia, y estaba en la punta de su lengua, pero hasta ahí llegó. "Puckle" era casi la palabra, pero no significaba tanta gente como quería decir. La hora había pasado como un guiño; se había olvidado totalmente del tiempo mientras buscaba en su mente la palabra.

> El Sr. Ogilvy se dijo a sí mismo en éxtasis: «Tuvo que pensar hasta conseguirla—y la consiguió. ¡El joven es un genio!».

> Los otros cinco [examinadores] estaban furiosos. «¡Pequeño bruto!», rugió Cathro, «¿acaso no había una

docena de palabras para usar si no te gustaba "puckle"?
¿Qué problema había con usar "manzy", o…?».

«Pensé en "manzy"», respondió Tommy, lamentándose
y avergonzado de sí mismo, «pero—pero un "manzy"
es un enjambre. Significaría que la gente en la iglesia
estaba zumbando como abejas, en lugar de estar sentada
y quieta».

«Aunque signifique eso», dijo el Sr. Duthie con impaciencia,
«¿cuál era la necesidad de ser tan preciso? Sin duda, el
arte de escribir ensayos consiste en utilizar la primera
palabra que te viene y seguir adelante».

«Así lo hice yo», dijo el orgulloso McLauchlan (el exitoso
competidor de Tommy).

«Veo», interrumpió el Sr. Gloag, «que McLauchlan habla
de que hay un "mask" de personas en la iglesia. "Mask"
es una buena palabra escocesa».

«Pensé en usar "mask"», gimió Tommy, «pero eso
significaría que la iglesia estaba abarrotada, y yo solo
quería decir que estaba medio llena».

«Hubiera sido suficiente decir "flow"», sugirió el
Sr. Lonimer.

«Pero "flow" significa solo un puñado», dijo Tommy.

«¡Entonces di "curran", bruto!»

«"Curran" no es suficiente».

El señor Lorrimer alzó las manos con desesperación.

«Quería algo entre "curran" y "mask"», dijo Tommy,
tenazmente, pero casi a punto de llorar.

El Sr. Ogilvy, que había estado ocultando su admiración

con dificultad, le tendió una red. «Dijiste que querías una palabra que significara medio lleno. Bueno, ¿por qué no dijiste medio lleno—o media "mask"?».

«Sí, ¿por qué no?», exigieron los ministros, inconscientemente atrapados en la red.

«Quería una sola palabra», respondió Tommy, evitándola inconscientemente.

«¡Eres una joya!», murmuró el Sr. Ogilvy en voz baja, pero el Sr. Cathro habría golpeado la cabeza del niño si los ministros no hubieran interferido.

«Es tan fácil encontrar la palabra correcta», dijo el Sr. Gloag.

«No es cierto, es tan difícil como pegarle a una ardilla», exclamó Tommy, y nuevamente el Sr. Ogilvy asintió con aprobación.

Y luego sucedió algo extraño. Mientras se preparaban para abandonar la escuela (Cathro habiendo echado a Tommy por el cuello), la puerta se abrió un poco y apareció en la abertura el rostro de Tommy, con lágrimas en los ojos, pero entusiasmado. «¡Ahora sé la palabra!» gritó él. «Me vino a la mente de inmediato; ¡la palabra es "hantle"!».

Capítulo 28

Entrenando la memoria

Arrullados en las innumerables cámaras del cerebro,
Nuestros pensamientos están vinculados por muchas
cadenas ocultas;
Despierta solo uno, ¡y mira! ¡Qué miríadas surgen!
¡Cada uno estampa su imagen mientras el otro vuela!
¡Salve, memoria, salve! En tu mina inagotable,
¡De edad en edad brillan innumerables tesoros!
El pensamiento y su tenebrosa cría obedecen tu llamada,
¡Y el lugar y el tiempo están sujetos a tu influencia!
— Samuel Rogers, Placeres de la memoria

Muchos oradores, como Thackeray, se han presentado la mejor parte de su discurso a sí mismos—de regreso a casa desde la sala de conferencias. La claridad mental—como Mark Twain observó—es promovida por la ausencia del cuerpo. Un lapso en la memoria es una queja tanto común como angustiante.

Henry Ward Beecher pudo entregar uno de los mejores discursos del mundo en Liverpool debido a su excelente memoria. Al hablar de la ocasión, el Sr. Beecher dijo que todos los eventos, argumentos y apelaciones que alguna vez había escuchado, leído o escrito parecían pasar ante su mente como armas de oratoria, y parado allí, solo tuvo que extender la mano y «aprovechar las armas a medida que iban pasando». Ben Jonson podía repetir todo lo que había escrito. Scaliger memorizó la *Ilíada* en tres semanas. Locke dice: «Sin memoria, el hombre es un infante perpetuo». Quintiliano y Aristóteles la consideraban como una medida de genio.

Ahora, todo esto es muy bueno. Todos estamos de acuerdo en que una memoria confiable es una posesión invaluable para el orador. Nunca disentimos por un momento cuando se nos dice solemnemente que su memoria debería ser un almacén del cual puede extraer hechos, fantasías e ilustraciones a su placer. Pero ¿puede la memoria ser entrenada para actuar como el guardián de todas las verdades que hemos obtenido mediante pensamientos, la lectura y la experiencia? Y si es así, ¿cómo? Veamos.

Hace veinte años, un pobre niño inmigrante, empleado como lavaplatos en New York, entró en la Cooper Union y comenzó a leer un ejemplar de *Progreso y pobreza* escrito por Henry George. Su pasión por el conocimiento se despertó y se convirtió en un lector habitual. Pero descubrió que no podía recordar lo que leía, por eso comenzó a entrenar su memoria, que por naturaleza era pobre, hasta que se convirtió en el mejor experto en memoria del mundo. Este hombre fue el difunto Sr. Felix Berol. El Sr. Berol podía decirte la población de cualquier ciudad en el mundo con más de cinco mil habitantes. Podía recordar los nombres de cuarenta desconocidos que acababa de conocer y podía decir cuál había sido presentado en tercer, octavo, decimoséptimo o en cualquier orden. Conocía la fecha de cada evento importante en la historia, y no solo podía recordar un sinfín de datos, sino que podía correlacionarlos perfectamente.

Parece imposible determinar con exactitud hasta qué punto la notable memoria del Sr. Berol era natural y requería solo atención para su desarrollo, pero la evidencia indica claramente que, por más inútiles que fueran muchas de sus hazañas de memoria, él desarrolló una memoria altamente retentiva donde antes solo existía el olvido.

No vale la pena esforzarse por una memoria anormal, pero definitivamente sí por una buena memoria funcional. Tu poder como orador dependerá en gran medida de tu capacidad para retener impresiones y convocarlas cuando la ocasión lo requiera, y ese tipo de memoria es como un músculo—responde al entrenamiento.

Qué no hacer

Comenzar a memorizar aprendiendo palabras de memoria es un esfuerzo totalmente equivocado, porque eso es como empezar a construir una pirámide desde el ápice. Por años, nuestras escuelas fueron afligidas por este sistema vicioso—vicioso no solo porque es ineficiente, sino por la razón más importante de que daña la mente. Es cierto que algunas mentes están innatamente dotadas de una maravillosa facilidad para recordar cadenas de palabras, hechos y figuras, pero tales mentes raramente son buenas para el razonamiento; para adquirir datos de esta manera artificial, la persona normal tiene que obligar y esforzar la memoria.

Reiteramos, es dañino esforzar la memoria en horas de debilidad física o cansancio mental. La salud es la base de la mejor acción mental y el funcionamiento de la memoria no es una excepción.

Finalmente, no te conviertas en esclavo de algún sistema. El conocimiento de algunos hechos simples de la mente y la memoria te pondrá a trabajar de la forma correcta. Utiliza estos *principios*, ya sean incluidos en un sistema o no, pero no te ates a un método que tiende a poner más énfasis en la manera de recordar que en el desarrollo de la memoria en sí. Es ridículo memorizar diez palabras para recordar un hecho.

Las leyes naturales de la memoria

La *atención concentrada* en el momento en que deseas almacenar algo en la mente es el primer paso de la memorización—y el más importante, por lejos. Olvidaste un cuarto de la lista de artículos que tu esposa te pidió que trajeras a casa principalmente porque permitiste que tu atención flaqueara por un instante cuando te la estaba dictando. La atención puede no ser atención concentrada. Cuando un sifón se carga con gas, se llena lo suficiente con el vapor de ácido carbónico para hacer sentir su influencia; una mente cargada con una idea se carga en un grado suficiente para mantenerla. Demasiada carga hará estallar el sifón; demasiada atención a las pequeñeces conduce a la locura.

La atención adecuada, entonces, es el secreto fundamental de recordar.

En general, no le damos la atención adecuada a un hecho cuando no parece importante. Casi todos han visto cómo apuntan las semillas en una manzana y han memorizado la fecha de la muerte de Washington. La mayoría de nosotros— quizás sabiamente—hemos olvidado ambas cosas. Un pequeño tajo en la corteza de un árbol se cura y desaparece en una temporada, pero las grietas en los árboles alrededor de Gettysburg todavía son evidentes después de 50 años. Las impresiones que se recopilan a la ligera pronto son borradas. Solo las impresiones profundas se pueden recordar a voluntad. Henry Ward Beecher dijo: «Una hora intensa hará más que años de ensueño». Para memorizar ideas y palabras, concéntrate en ellas hasta que se resuelvan firme y profundamente en tu mente y concédeles su verdadera importancia. Escucha con la mente y recordarás.

¿Cómo te concentrarás? ¿Cómo aumentarías la efectividad de combate de un buque de guerra? Un punto clave sería aumentar el tamaño y el número de sus armas. Para fortalecer tu memoria, aumenta tanto el número como la fuerza de tus impresiones mentales, atendiéndolas intensamente. La lectura ligera y los hábitos de lectura distraída destruyen el poder de la memoria. Sin embargo, como la mayoría de los libros y periódicos no merecen ningún otro tipo de atención, no servirá de nada condenar este método de lectura por completo; pero evítalo cuando trates de memorizar algo.

El ambiente tiene una gran influencia sobre la concentración, hasta que no hayas aprendido a estar solo en medio de una multitud y sin ser molestado por el clamor. Cuando te pones a memorizar un hecho o un discurso, es posible que la tarea te resulte más fácil al alejarte de todos los sonidos y objetos en movimiento. Deben eliminarse todas las impresiones ajenas a la que deseas fijar en tu mente.

El siguiente gran paso en la memorización es *seleccionar los elementos esenciales del tema*, organizarlos en orden y pensar en ellos atentamente. Piensa con claridad sobre cada elemento esencial, uno después del otro. El pensar en una cosa, no permitiendo que la mente deambule en cosas no esenciales—es en realidad memorizar.

La asociación de ideas se reconoce universalmente como un factor esencial en el trabajo de memoria; de hecho, se han fundado sistemas completos de entrenamiento de la memoria sobre este principio.

Muchos hablantes memorizan solo el esbozo de sus discursos, rellenando las palabras en el momento de hablar. A algunos le ha resultado útil recordar un esbozo asociando los diferentes puntos con objetos en la sala. Hablando sobre el tema de «paz», es posible que desees hacer hincapié en el costo, la crueldad y el fracaso de la guerra, y así guiar el discurso hacia la justicia del arbitraje.

Antes de subir a la plataforma, si asocias cuatro puntos de tu esbozo con cuatro objetos en la sala, esta asociación puede ayudarte a recordarlos. Quizá sueles olvidar tu tercer punto, pero tal vez recuerdas que una vez cuando estabas hablando, las luces eléctricas fallaron, así que arbitrariamente, la bombilla de luz te ayudará a recordar el «fracaso». Tales asociaciones, por ser únicas, tienden a quedarse en la mente.

Hablando recientemente sobre los seis tipos de imaginación, yo formé con ellos un acróstico—*visual, auditiva, motriz, gustativa, olfativa y táctil.* Esto produjo la palabra sin sentido vamgot, pero me permitió fácilmente recordar los seis puntos.

De la misma manera que se les enseña a los niños a recordar la ortografía de las palabras burlonas—*separarse* tiene raíz en *separ*—y como un conductor de automóvil recuerda que dos C y luego dos H lo conducen a las calles Castor, Cottman, Haynes y Henry, así también los puntos importantes en tu discurso pueden ser grabados en la mente mediante símbolos arbitrarios inventados por ti mismo. El trabajo mismo de diseñar el esquema es una acción de memoria. El proceso psicológico es simple: es uno de señalar atentamente los pasos por los cuales un hecho, o una verdad, o incluso una palabra, te ha llegado. Aprovecha esta tendencia de la mente para recordar por asociación.

La repetición es una poderosa ayuda para la memoria. Thurlow Weed, periodista y líder político, estaba preocupado porque olvidaba tan fácilmente los nombres de las personas que conocía de día a día. Corrigió su debilidad, según nos cuenta el profesor William James, al formar el hábito de prestarle atención a los nombres que había escuchado durante el día y luego repetirlos a su esposa todas las noches. Sin duda, la Sra. Weed tenía una paciencia heroica, pero la estrategia funcionaba admirablemente.

Después de leer un pasaje que deseas recordar, cierra el libro, reflexiona y repite los contenidos—en voz alta, si es posible.

Muchos han descubierto que *leer cuidadosamente en voz alta* es una práctica de memoria útil.

Escribe lo que deseas recordar. Esta es simplemente una forma más de aumentar el número y la fuerza de tus impresiones mentales al utilizar todas tus avenidas de impresión. Te ayudará a grabar un discurso en tu mente si lo hablas en voz alta, lo escuchas, lo escribes y lo miras atentamente. Al hacer eso, lo has grabado en tu mente por medio de impresiones vocales, auditivas, musculares y visuales.

Algunas personas tienen recuerdos auditivos peculiarmente distintos; son capaces de recordar mucho mejor las cosas que escucharon que las que vieron. Otros tienen memoria visual; ellos son más capaces de recordar impresiones visuales. Al recordar una caminata que has realizado, ¿puedes recordar mejor las imágenes o los sonidos? Averigua qué tipo de impresiones retienes mejor en tu memoria y úsalas al máximo. Para grabar una idea en tu mente, usa cualquier tipo de impresión posible.

El *hábito diario* es un gran cultivador de memoria. Aprende una lección del corredor de maratón. El ejercicio regular, por poco que sea, a diario, fortalecerá tu memoria en una medida sorprendente. Trata de describir en detalle la vestimenta, el aspecto y el comportamiento de las personas que pasas en la calle. Observa la habitación en la que te encuentras, cierra los ojos y describe sus contenidos. Mira de cerca el paisaje y escribe una descripción detallada de él. ¿Cuánto olvidaste? Observa el contenido de las vidrieras en la calle. ¿Cuántas características puedes recordar? La práctica continua en esta hazaña puede desarrollar en ti una habilidad tan notable como lo hizo en Robert Houdin y su hijo.

La memorización diaria de un hermoso pasaje de literatura no solo fortalecerá la memoria, sino que almacenará joyas en la mente para luego ser citadas. Pero ya sea por poco o mucho, agrega diariamente a tu poder de memoria mediante la práctica.

Memoriza al aire libre. El optimismo del bosque, la orilla o la noche tormentosa en calles desiertas puede refrescar tu mente como refresca la mente de un sinnúmero de personas.

Por último, echa *afuera el miedo.* Dite a ti mismo que puedes recordar, que vas a recordar, y que de hecho *recuerdas.* Afirma tu dominio por medio de este ejercicio centrado totalmente en ti. Obsesiónate con el miedo al olvido y no podrás recordar. Practica lo contrario. Deshazte de las muletas de tu manuscrito—tal vez tropieces una o dos veces, pero ¿qué importa? Pues aprenderás a caminar, a saltar y a correr.

Memorizando un discurso

Ahora intentemos poner en práctica las sugerencias anteriores. Primero, vuelve a leer este capítulo, señalando las nueve formas en que se puede ayudar a la memorización.

Luego lee la siguiente selección de Beecher, aplicando tantas sugerencias como sea posible.

Incorpora el espíritu de la selección firmemente en tu mente. Haz una nota mental—anótalo, si es necesario—de la *sucesión* de ideas. Ahora memoriza el pensamiento. Luego, memoriza el esquema, el orden en que se expresan las diferentes ideas. Finalmente, memoriza la redacción exacta.

Claro, hacer todo esto, prestando máxima atención a las instrucciones, no significa que la memorización te resultará fácil, a menos que hayas entrenado previamente tu memoria, o que tu memoria sea naturalmente retentiva. Solo mediante la práctica constante se fortalecerá la memoria y solo mediante la observación continua de estos mismos principios se mantendrá fuerte. Sin embargo, tú ya habrás hecho un comienzo, y eso no es nada despreciable.

EL REINADO DE LA GENTE COMÚN

Supongo que, si tuvieras que evaluar el experimento del autogobierno en los Estados Unidos, no tendrías una muy alta opinión al respecto. Yo tampoco, si solo miro el lado superficial de las cosas. La gente diría: «Es lógico que 60,000.000 individuos ignorantes de la ley, ignorantes de la historia constitucional, ignorantes de la jurisprudencia, de las finanzas, y los impuestos y aranceles y formas de moneda—60,000.000 de personas que nunca estudiaron estas cosas—no son aptos para gobernar». Su diplomacia es tan complicada como la nuestra, y es la más complicada del mundo, ya que todas las cosas crecen en complejidad a medida que se van desarrollando más. ¿Qué aptitud hay en estas personas? Bueno, no es solo una democracia; es una democracia representativa. Nuestra gente no vota en masa por nada; eligen capitanes de pensamiento, seleccionan a representantes que sí tienen conocimiento y los envían a la legislatura para que piensen por ellos, y luego la gente los ratifica o los rechaza.

Pero en cuanto a la legislatura, debo confesar que la cosa no pinta mucho mejor por fuera. ¿Realmente seleccionan a las mejores personas? Sí, en tiempos de peligro suelen hacerlo, pero en la mayoría del tiempo, la influencia tiene más peso que el mérito.

Ya sabes cuál es el deber de un legislador republicano-demócrata regular. Es volver a ocupar su puesto el próximo invierno. ¿Cuál es su segundo deber?

Su segundo deber es ponerse bajo esa extraordinaria providencia que son los salarios de los legisladores. El viejo milagro del profeta y la harina y el aceite ha sido inconmensurablemente superado hoy en día, porque llegan a la política pobres, y vuelven a casa ricos; en cuatro años se convierten en prestamistas, todo gracias a esa providencia indulgente que se ocupa de los salarios de los legisladores. Su próximo deber después de eso es servir al partido político que los envió, y luego, si les sobra algo, eso le pertenecerá a su comunidad.

Alguien ha dicho muy sabiamente que, si un viajero desea saborear su cena, es mejor que no vaya a la cocina para ver dónde se cocina; si un hombre desea respetar y obedecer la ley, es mejor que no vaya a la Legislatura para ver dónde se cocina.

—Henry Ward Beecher

De un discurso entregado en Exeter Hall, Londres, 1886, durante su última gira por Gran Bretaña.

En caso de problemas

¿Pero qué vas a hacer si, a pesar de todos tus esfuerzos, olvidas tus puntos y tu mente, por el momento, queda en blanco? Esta es una condición deplorable que a veces surge y debe ser tratada. Obviamente, puedes sentarte y admitir la derrota. Eso es algo que debe ser fuertemente mente rechazado.

Caminar lentamente por la plataforma puede darte tiempo para componerte, organizar tus pensamientos y evitar el desastre. Tal vez el método más seguro y más práctico es comenzar una nueva oración con tu última palabra importante. Este no es un método recomendable para componer un discurso—es simplemente una medida extrema que puede salvarte en circunstancias difíciles. Es como el departamento de bomberos—cuanto menos debes usarlo, mejor. Si sigues apelando a este método por mucho tiempo, es probable que termines hablando de pudín de ciruela o alguna figura histórica de la manera más inesperada, así que por supuesto volverás a tus líneas desde el primer momento en que tus pies hayan tocado la plataforma.

Veamos cómo funciona este plan—obviamente, tus palabras improvisadas carecerán de pulimento, pero en tal caso, la crudeza es mejor que el fracaso.

Ahora te has topado con un muro después de decir: «Juana de Arco luchó por la libertad». Con este método, puedes obtener algo como lo siguiente:

«La libertad es un privilegio sagrado por el cual la humanidad siempre tuvo que luchar. Estas luchas [Un tópico—pero sigue adelante] llenan las páginas de la historia. La historia registra el triunfo gradual del siervo sobre el señor, el esclavo sobre el maestro. El maestro continuamente ha intentado usurpar poderes ilimitados».

«El poder durante las edades medievales se acumuló en las manos del propietario de la tierra, con una lanza y un castillo fuerte; pero el castillo fuerte y la lanza fueron de poco provecho después del descubrimiento de la pólvora. La pólvora fue la mayor bendición que la libertad jamás haya conocido».

Hasta ahora has vinculado una idea con otra de forma bastante obvia, pero ahora estás obteniendo tu segundo aliento y puedes aventurarte a relajar tu agarre sobre la cadena de ideas demasiado obvias; y entonces dices:

«Con la pólvora, el siervo más humilde de toda la tierra podría poner fin a la vida del barón tiránico escondido detrás de los muros del castillo. La lucha por la libertad, con ayuda de la pólvora, destruyó imperios y construyó una nueva era para toda la humanidad».

En un momento más, has vuelto a tu esquema y has salvado el día.

Practicando ejercicios como el anterior no solo te fortalecerá contra la muerte de tu discurso cuando tu memoria falla, sino que también te proporcionará un excelente entrenamiento para la fluidez al hablar. *Abastécete de ideas.*

Capítulo 29

El pensamiento y la personalidad correctos

Cualquier cosa que sofoque la individualidad es despotismo, llámese como se llame.
—John Stuart Mill, Sobre la libertad

El pensamiento correcto encaja para una vida completa al desarrollar el poder de apreciar lo bello en la naturaleza y el arte, el poder de pensar lo verdadero y querer lo bueno, el poder de vivir la vida del pensamiento, la fe, la esperanza y el amor.
—N.C. Schaeffer, Pensando y aprendiendo a pensar

La posesión más valiosa del orador es la personalidad, ese algo indefinible e imponderable que resume lo que somos y nos diferencia de los demás; esa fuerza distintiva del yo que opera apreciablemente en aquellos cuyas vidas tocamos. Solo la personalidad nos hace anhelar cosas más elevadas. Si perdemos nuestro sentido de vida individual, con sus triunfos y derrotas, sus deberes y alegrías, nos arrastramos.

«Pocas criaturas humanas», dice John Stuart Mill, «consentirían que se las convirtiera en alguno de los animales inferiores, a cambio de un goce total de todos los placeres bestiales; ningún ser humano inteligente consentiría en ser un loco, ninguna persona instruida, en ser ignorante, ninguna persona con sentimientos y conciencia en ser egoísta e infame;

aún cuando se les persuadiera de que el loco, el tonto, o el bellaco están más satisfechos con su suerte que ellos con la suya. Es mejor ser un ser humano insatisfecho que un cerdo satisfecho, es mejor ser un Sócrates insatisfecho, que un loco satisfecho. Y si el loco o el cerdo son de distinta opinión, es porque solo conocen su propio lado de la cuestión. La otra parte de la comparación conoce ambos lados».

Ahora bien, es precisamente porque la persona del tipo Sócrates vive según el plan del pensamiento correcto y de sentimientos y deseos refrenados que ella prefiere su estado al del animal. Todo lo que un hombre es, toda su felicidad, su tristeza, sus logros, sus fracasos, su magnetismo, su debilidad, son en gran medida los resultados directos de su pensamiento. El pensamiento y el corazón se combinan para producir el pensamiento *correcto*: «Como el hombre piensa en su corazón, así es él». Como él no piensa en su corazón, jamás podrá ser.

Dado que esto es cierto, la personalidad puede desarrollarse y sus poderes latentes pueden manifestarse mediante un cultivo cuidadoso. Hace mucho tiempo que dejamos de creer que vivimos en un mundo de casualidad. Tan claras y exactas son las leyes de la naturaleza que pronosticamos—decenas de años antes—la aparición de un determinado cometa y predecimos hasta el minuto exacto cuándo ocurrirá un eclipse del sol. Y entendemos esta ley de causa y efecto en todos nuestros ámbitos materiales. No plantamos papas y esperamos cosechar jacintos. La ley es universal: Se aplica a nuestros poderes mentales, a la moralidad, a la personalidad, así como también a los cuerpos celestiales y al grano de los campos. «Todo lo que el hombre siembra, eso también segará», y nada más.

El carácter siempre ha sido considerado como uno de los principales factores del poder del orador. Cato definió al orador como *vir bonus dicendi peritus*—un buen hombre habilidoso para hablar. Phillips Brooks dice: «Nadie puede realmente plantarse como orador ante el mundo, a menos que esté viviendo profundamente y pensando seriamente». Emerson dice: «El carácter es un poder natural, como la luz y el calor, y toda la naturaleza coopera con él. La razón por la que sentimos la presencia de un hombre y no sentimos la de otro es tan simple como la gravedad. La verdad es la cumbre del ser; la justicia es la aplicación de ella a los asuntos. Todas las naturalezas individuales se encuentran en una escala, de acuerdo a la pureza de este elemento en ellas. La voluntad de una persona pura desciende a otras naturalezas, como el agua baja de un vaso superior a uno inferior. Esta fuerza natural no es más resistible que cualquier otra fuerza natural. El carácter es la naturaleza en su máxima expresión».

Es absolutamente imposible que los pensamientos impuros, bestiales y egoístas se conviertan en hábitos amorosos y altruistas. Las semillas de cardo solo producen cardo. Por otro lado, es completamente imposible que los pensamientos continuamente altruistas, comprensivos y serviciales produzcan un carácter bajo y vicioso. O los pensamientos o los sentimientos preceden y determinan todas nuestras acciones. Las acciones se convierten en hábitos, los hábitos constituyen el carácter y el carácter determina el destino. Por lo tanto, vigilar nuestros pensamientos y controlar nuestros sentimientos es forjar nuestros destinos. El silogismo es completo, y por más viejo que sea, sigue siendo cierto.

Dado que «el carácter es la naturaleza en su máxima expresión», el desarrollo del carácter debe seguir líneas naturales. El jardín abandonado producirá malas hierbas y plantas escuálidas, pero los macizos de flores nutridos cuidadosamente florecerán con fragancia y belleza.

Así como el estudiante que ingresa a la universidad determina en gran medida su vocación al elegir entre los diferentes cursos del plan de estudios, también elegimos nuestro carácter al elegir nuestros pensamientos.

Continuamente ascendemos hacia lo que más deseamos, o nos hundimos constantemente hacia el nivel de nuestros viles deseos. Lo que secretamente acariciamos en nuestros corazones es un símbolo de lo que recibiremos. Nuestros trenes de pensamientos nos apremian a nuestro destino. Cuando ves que la bandera ondea hacia el sur, sabes que el viento viene del norte. Cuando ves la paja y los papeles siendo llevados hacia el norte, te das cuenta de que el viento sopla del sur. Es igual de fácil determinar los pensamientos de un hombre al observar la tendencia de su carácter.

Que no se sospeche por un momento que todo esto es solo una prédica sobre la cuestión de morales. Es eso, pero también mucho más, porque afecta al hombre en su totalidad: su naturaleza imaginativa, su capacidad de controlar sus sentimientos, el dominio de sus facultades de pensamiento y—quizás en mayor medida—su poder de voluntad y de convertir su voluntad en acción eficaz.

El pensamiento correcto asume constantemente que la voluntad tiene la autoridad para ejecutar los dictados de la mente, la conciencia y el corazón. *Nunca toleres por un instante la sugerencia de que tu voluntad no es absolutamente eficaz.* La forma de ejercer voluntad es ejercer voluntad, y la primera vez que te sientas tentado a desistir de una resolución digna—y te aseguro que serás tentado—*haz tu lucha allí mismo.* No puedes permitirte perder esa pelea. *Tienes que* ganar—no te desvíes ni un instante, sino mantén esa resolución, aunque te mate. No lo hará, pero debes luchar como si tu vida dependiera de la victoria; y, de hecho, ¡tal vez tu personalidad dependa de eso!

Tu éxito o fracaso como orador dependerá en gran medida de tus pensamientos y tu actitud mental. Yo tuve un estudiante de educación limitada que ingresó a una de mis clases de oratoria. Demostró ser un orador muy pobre, y como instructor, pude hacer poco aparte de señalarle sus fallas. Sin embargo, al joven le advertí que no se desanimara. Con tristeza en su voz y la esencia de seriedad brotando en sus ojos, él respondió: «¡No me desanimaré! ¡Tengo tantas ganas de saber hablar!». Sus palabras eran cálidas, humanas y salieron del corazón mismo. Él siguió intentando, y se convirtió en un orador respetable.

No existe poder alguno que pueda vencer a un hombre con esa actitud. Aquel que en las profundidades de su corazón anhela fervientemente tener la capacidad para hablar, y está dispuesto a hacer los sacrificios necesarios, alcanzará su objetivo. «Pedid, y se os dará; buscad, y hallaréis; llamad, y se os abrirá» es de hecho aplicable a aquellos que quieren adquirir el poder del habla. Con languidez no obtendrás el premio que deseas, pero seguramente alcanzarás la meta que te propones alcanzar con el espíritu de aquella vieja guardia que muere, pero nunca se rinde.

Tu convicción en tu capacidad y tu voluntad de hacer sacrificios por esa convicción, son el doble índice de tus logros futuros.

Lincoln soñó con sus posibilidades como orador. Transmutó ese sueño en realidad únicamente porque caminó muchas millas para tomar prestados libros que leyó de noche bajo la luz de un fuego. Él sacrificó mucho para realizar su visión.

Livingstone tenía una gran fe en su capacidad para servir a las poblaciones analfabetas de África. Para poner en práctica esa fe, abandonó todo. Dejando Inglaterra y viajando al interior del continente oscuro, él infligió el golpe mortal a las ganancias de Europa generadas por la trata de esclavos.

Juana de Arco tenía una gran confianza en sí misma, glorificada por una capacidad infinita de sacrificio. Expulsó a los ingleses más allá del río Loira, y se paró junto al rey Carlos durante su coronación.

Todos estos personajes realizaron sus deseos más fuertes. La ley es universal. Desea mucho, y lo lograrás; sacrifica mucho, y lo obtendrás.

Stanton Davis Kirkham ha expresado bellamente este pensamiento: «Puede que estés tomando cuentas, y en breve saldrás por la puerta que por tanto tiempo te pareció ser la barrera de tus ideales, y estarás ante una audiencia—con la pluma aún detrás de tu oreja, con manchas de tinta en tus dedos—y en ese momento se verterá el torrente de tu inspiración. Tal vez estés pastoreando ovejas, y deambularás por la ciudad, bucólico y con la boca abierta; deambularás bajo la guía intrépida del espíritu hacia el estudio del maestro, y después de un tiempo, él te dirá: "No tengo nada más que enseñarte". Y ahora te habrás convertido en el maestro, que hace poco soñaste con grandes cosas mientras pastoreabas ovejas. Tendrás que dejar de lado la sierra y el cepillo para encargarte de la regeneración del mundo».

Capítulo 30

Discursos después de la cena y en otras ocasiones

La percepción de lo absurdo es una garantía de cordura.
—Ralph Waldo Emerson, Ensayos

Y que se asegure de dejar a otros hombres sus turnos para hablar.
—Francis Bacon, Ensayos morales y civiles

Tal vez el discurso más brillante, y ciertamente el más entretenido, es el que se ofrece después de una cena y en otras ocasiones especiales. El aire de una satisfacción bien alimentada en el primero, y de la expectativa bien preparada en el segundo, proporciona una audiencia que, aunque no se gana fácilmente, está preparada para lo mejor, mientras que está bastante seguro que el propio orador haya sido elegido por sus dones de oratoria.

El primer elemento esencial de un buen discurso para una ocasión especial es analizar la ocasión. ¿Cuál es el objetivo principal de la reunión? ¿Qué tan importante es la ocasión para la audiencia? ¿Qué tan grande será la audiencia? ¿Qué clase de personas son? ¿Qué tan grande es el auditorio? ¿Quién selecciona los temas de los oradores? ¿Quién más debe hablar? ¿De qué están hablando? ¿Precisamente cuánto tiempo debo hablar? ¿Quién habla antes que yo y quién me sigue?

Si quieres dar en el clavo, haz preguntas como estas. Ningún discurso de ocasión especial tendrá éxito a menos que se adapte exactamente a la ocasión.

Muchos hombres prominentes han perdido prestigio porque fueron demasiado descuidados, complicados o seguros de sí mismos y no respetaron la ocasión y la audiencia al no averiguar las condiciones exactas bajo las cuales debían hablar. Dejar que *demasiado* sea decidido en el momento es arriesgarse demasiado y generalmente significa un discurso menos efectivo—si no un fracaso.

La idoneidad es lo más importante en un discurso de ocasión. Cuando Mark Twain habló ante una reunión del ejército de Tennessee en Chicago, en 1877, él respondió al brindis en honor de «los bebés". Hay dos cosas notables en ese discurso después de la cena: la brillante introducción, con la cual él sutilmente *capturó* el interés de todos, y el uso cómico de términos militares a lo largo del discurso:

> *Sr. Presidente y caballeros: «Los bebés». Ahora, esto sí me gusta. No todos hemos tenido la buena fortuna de ser damas; no todos hemos sido generales, ni poetas, ni estadistas; pero cuando el brindis se dedica a los bebés, todos estamos sobre un terreno común—ya que todos hemos sido bebés. Es una pena que, por mil años, los banquetes del mundo hayan ignorado por completo al bebé, ¡como si no significara nada! Si ustedes, señores, se detienen y piensan un minuto—si vuelven a pensar cincuenta o cien años atrás, a sus primeros años de vida casados, y vuelven a contemplar a su primer bebé—recordarán que significó bastante—y mucho más todavía.*

«Como una vasija es conocida por su sonido, ya sea que esté agrietada o no», dijo Demóstenes, «así los hombres son probados por sus discursos, ya sean sabios o tontos». Sin duda, el discurso para una ocasión específica representa una prueba seria de la sabiduría de un orador. Hablar tonterías en una ocasión seria, ser fúnebre en un banquete, hablar demasiado en cualquier ocasión—estas son las señas de la falta de sentido. Algunas almas imprudentes parecen seleccionar las ocasiones más amistosas después de una cena para detonar una bomba de disputas. Alrededor de la mesa, es costumbre, incluso entre enemigos políticos, enterrar las hachas de guerra en cualquier lugar menos que en algún cráneo conveniente. Es el colmo del mal gusto plantear cuestiones que en horas consagradas a la buena voluntad solo pueden irritar.

Los discursos ocasionales ofrecen buenas posibilidades para el humor, particularmente el cuento divertido, porque el humor con un punto genuino no es trivial. Pero no empieces a hilar toda una madeja de anécdotas cómicas sin más conexión que la frase tonta y raída: «Y eso me hace acordar de algo». Una anécdota que no tiene nada que ver puede ser divertida, pero una menos divertida que se ajusta al tema y la ocasión es mucho más preferible. No existe otro método, aparte del puro poder del habla, que tan seguramente conduzca al corazón de la audiencia como un humor rico y apropiado. Los comensales dispersos en una gran sala de banquetes, el letargo después de la cena, la ansiedad porque se aproxima la hora del último tren, la lista repleta de oradores rellenos—todos estos elementos le presentan un desafío al orador para hacer todo lo posible por ganarse una audiencia interesada. Y cuando llega el éxito, generalmente se debe a una mezcla feliz de seriedad y humor, ya que el humor por sí solo rara vez puntúa tan fuertemente como los dos combinados, mientras que el discurso totalmente serio *nunca* triunfa en tales ocasiones.

Si hay un lugar donde las opiniones de segunda mano y los clichés comunes son menos bienvenidos, es en el discurso después de la cena. Sin importar si eres el maestro de ceremonias o el último orador que intente mantener la atención de la multitud menguante a la medianoche, sé lo más original posible. ¿Cómo es posible resumir las cualidades que componen un buen discurso pos-cena, cuando recordamos la inimitable seriedad juguetona de Mark Twain, la dulce elocuencia sureña de Henry W. Grady, la gravedad fúnebre del humorístico Charles Battell Loomis, el encanto de Henry Van Dyke, la genialidad de F. Hopkinson Smith, y el deleite generalizado de Chauncey M. Depew? Estados Unidos literalmente abunda con tales oradores alegres, que interrumpen el sentido real con tonterías, y así hacen que ambos sean efectivos.

Las ocasiones conmemorativas, los desvelos, las graduaciones, las dedicatorias, los elogios y toda la gama de reuniones públicas especiales ofrecen oportunidades excepcionales para demostrar tacto y buen sentido en el manejo de ocasión, tema y audiencia. Cuándo ser digno y cuándo coloquial, cuándo remontarse y cuándo pasear codo a codo con tus oyentes, cuándo enardecer y cuándo calmar, cuándo instruir y cuándo divertirse—en una palabra, la cuestión de qué es lo *apropiado* debe estar constantemente en tu mente para escribir un discurso exitoso.

Finalmente, recuerda la bienaventuranza: Bienaventurado el hombre que hace discursos breves, porque será invitado a hablar nuevamente.

SELECCIONES PARA EL ESTUDIO

Últimos días de la Confederación (Extracto)

> *El río Rapidán sugiere otra escena a la cual se ha aludido a menudo desde la guerra, pero como también ilustra el espíritu de ambos ejércitos, me puedo permitir recordarla en conexión con este tema.*

> *En el suave crepúsculo de un día de abril, los dos ejércitos realizaban sus desfiles formales en las colinas opuestas que bordean el río. Al final del desfile, una magnífica banda de música del ejército de la Unión tocó con gran espíritu los temas patrióticos «Hail Columbia» y «Yankee Doodle». Las tropas federales respondieron con un grito patriótico. La misma banda luego tocó las conmovedoras notas de «Dixie», que fueron recibidas con una poderosa respuesta de diez mil tropas del Sur.*

> *Unos momentos más tarde, cuando salieron las estrellas como testigos y cuando toda la naturaleza estaba en armonía, la misma banda tocó la vieja melodía «Home,*

Sweet Home». A medida que sus notas familiares y penosas rodaron sobre el agua y emocionaban los espíritus de los soldados, las colinas reverberaron con una respuesta estruendosa de las voces unidas de ambos ejércitos.

¿Qué había en esta vieja música que le permitió tocar tan fuertemente los acordes de la simpatía, emocionar a los espíritus y hacer que hombres valientes temblaran de emoción? Era la idea del hogar. Para miles de ellos, sin duda era el pensamiento de ese Hogar Eterno para el cual la próxima batalla quizá podría ser la puerta de entrada. Para miles de otros, era el pensamiento de sus queridos hogares terrenales, donde los seres queridos a esa hora del crepúsculo se inclinaban alrededor del altar de la familia y le pedían a Dios que cuidara al joven soldado ausente.

—General J.B. Gordon, C.S.A.

Bienvenido a Kossuth (Extracto)

Permítanme pedirles que imaginen que la contienda en la que los Estados Unidos afirmaron su independencia de Gran Bretaña hubiera fracasado; que nuestros ejércitos, a través de traición o una alianza de tiranos desplegada contra nosotros, hubieran sido derrotados y dispersados; que los grandes hombres que los comandaron y que influyeron en nuestro gobierno—nuestro Washington, nuestro Franklin y el venerable presidente del Congreso estadounidense—hubieran sido expulsados como exiliados. Si hubiera existido en ese día, en cualquier parte del mundo civilizado, una República poderosa con instituciones fundadas sobre los mismos fundamentos de libertad que nuestros propios compatriotas intentaron establecer, ¿acaso habría surgido en esa República alguna hospitalidad demasiado cordial, alguna simpatía demasiado profunda, algún entusiasmo demasiado ferviente o demasiado activo por su causa gloriosa pero desafortunada, como para ser mostrado hacia estos ilustres fugitivos? Caballeros, el caso que he supuesto está delante *de ustedes. Los Washington, los Franklin, los Hancock de Hungría, expulsados por una tiranía mucho peor de la que jamás se haya sufrido aquí, son vagabundos en tierras extranjeras. Algunos de ellos han buscado refugio en nuestro país—uno de ellos está sentado aquí como nuestro invitado esta noche—y debemos evaluar el deber que les debemos con la misma medida que hubiéramos querido que se aplicara en la historia si nuestros antepasados hubieran tenido un destino como el suyo.*

—*William Cullen Bryant*

La influencia de las universidades (Extracto)

Cuando el entusiasmo del conflicto partidista se acerque peligrosamente a nuestras salvaguardias nacionales, quisiera que el conservadurismo inteligente de nuestras universidades e institutos advierta a los contendientes, en tonos impresionantes, contra los peligros de una brecha imposible de reparar. Cuando el descontento popular y la pasión se vean enardecidas por la generación de fricciones partidarias de un tono peligrosamente cercano al odio entre clases sociales o al enojo divisivo, quisiera que nuestras universidades e institutos tomen la alarma en nombre de la fraternidad estadounidense y la dependencia fraternal.

Cuando se intente engañar a las personas con la creencia de que sus votos pueden cambiar el funcionamiento de las leyes nacionales, quisiera que nuestras universidades e institutos proclamen que esas leyes son inexorables y están muy alejadas del control político.

Cuando el interés egoísta busque beneficios privados indebidos a través de ayuda gubernamental, y los lugares públicos sean reclamados como recompensas por el servicio al partido, quisiera que nuestras universidades e institutos persuadan a la gente a renunciar a la demanda del botín partidario y los exhorten a un amor desinteresado y patriótico de su gobierno, cuyo funcionamiento incorrupto le garantiza a cada ciudadano su justa parte de la seguridad y la prosperidad que guarda para todos.

Quisiera que la influencia de estas instituciones esté del lado de la religión y la moralidad. Quisiera que las personas que ellos envían entre la gente no se avergüencen de reconocer a Dios, y proclamar Su interposición en los asuntos de los hombres, imponiendo tal obediencia a Sus leyes como hace manifiesto el camino de la perpetuidad y la prosperidad nacional.

—Grover Cleveland, discurso en el sesquicentenario de Princeton, 1896

Elogio de Garfield (Extracto)

Habiendo sido grande en la vida, él fue increíblemente grande en la muerte. Sin causa alguna, en el mismo frenesí de desenfreno y maldad, por la mano roja del asesinato fue expulsado de la marea alta del interés de este mundo, de sus esperanzas, sus aspiraciones y sus victorias, a la presencia visible de la muerte—y él no se encogió ante el miedo. No solo durante el breve momento en el que, pasmado y aturdido, podía renunciar a la vida, apenas consciente de su renuncia, sino que, a través de días de languidez mortal, a través de semanas de agonía, que no por su silencio eran menos agónicas, él contempló la tumba abierta con una vista clara y un coraje tranquilo. ¡Quién podrá decir cuáles plagas y ruinas pasaron ante sus ojos angustiados, qué planes brillantes y desgarrados, qué ambiciones desconcertantes, qué estremecimiento de las fuertes y cálidas amistades de hombres, qué amargo desgarro de dulces lazos familiares! Detrás de él, una nación orgullosa y expectante, una gran hueste de amigos que le apoyaban, una madre querida y feliz, que lucía todos los ricos honores de sus primeros labores y lágrimas; la esposa de su juventud, cuya vida entera estaba en la suya; los niños pequeños que aún no emergieron de su alegre infancia; la bella hija joven; los robustos hijos que acababan de iniciar la amistad más íntima, aprovechando *cada día y todos los días recompensando el amor y el cuidado de un padre; y en su corazón el ansioso y regocijante poder para satisfacer todas las demandas. ¡Delante de él hubo desolación y gran oscuridad! Y su alma no fue sacudida. Sus compatriotas quedaron encantados con una simpatía instantánea, profunda y universal.*

Siendo maestro en su debilidad mortal, se convirtió en el centro del amor de una nación, consagrado en las oraciones de un mundo. Pero todo el amor y toda la simpatía no podían compartir con él su sufrimiento. Él pisó la prensa de vino solo. Con frente firme, se enfrentó a la muerte. Con infinita ternura, se despidió de la vida. Sobre el siseo demoníaco de la bala del asesino, escuchó la voz de Dios.

Con simple resignación, se inclinó ante el decreto divino.

—James G. Blaine, pronunciado en el servicio conmemorativo celebrado por el Senado de los Estados Unidos y la Cámara de Representantes

Elogio de Lee (Extracto)

Detrás de todo heroísmo genuino está el altruismo. Su expresión culminante es sacrificio. El mundo desconfía de los héroes aclamados. Pero cuando el verdadero héroe ha llegado, y sabemos que él realmente está aquí, ¡ah, cómo saltan los corazones de los hombres para saludarlo! ¡Con cuánta adoración le damos la bienvenida a la obra más noble de Dios: el hombre fuerte, honesto, intrépido y recto!

En Robert Lee, tuvimos concedido un héroe para nosotros y para la humanidad, y aunque lo recordemos declinando el mando del ejército federal para luchar en las batallas y compartir las miserias de su propio pueblo; proclamando en las alturas frente a Gettysburg que la culpa del desastre fue suya; liderando ataques en la crisis de combate; caminando bajo el yugo de la conquista sin un murmullo de queja; o rehusando la fortuna para venir aquí y entrenar a los jóvenes de su país en los caminos del deber—él sigue siempre siendo el mismo espíritu manso, grandioso y abnegado.

Aquí exhibió cualidades no menos dignas y heroicas que las exhibidas en el amplio y abierto teatro del conflicto, cuando los ojos de las naciones observaban cada una de sus acciones. Aquí, en el tranquilo reposo de los deberes civiles y domésticos, y en la rutina de tareas incesantes, vivió una vida tan noble como cuando, día tras día, maniobraba y conducía sus delgadas y gastadas filas, y dormía de noche en campos que al día siguiente serían nuevamente bañados de sangre.

Y ahora él ha desaparecido de nosotros para siempre. ¿Y acaso es esto todo lo que queda de él, este puñado de polvo debajo de la piedra de mármol? «¡No!» responden los años a medida que se elevan desde los abismos del tiempo, donde yacen los restos de reinos y haciendas, sosteniendo en sus manos como únicos trofeos los nombres de aquellos que han efectuado grandes cambios para el hombre en el amor y temor de Dios, y en amor sin temor por sus semejantes.

«¡No!» responde el presente, hincado al lado de su tumba. «¡No!» responde el futuro mientras el aliento de la mañana aviva su frente radiante, y su alma bebe dulces inspiraciones de la adorable vida de Lee. «¡No!» parecen decir los mismos cielos, a medida que se funden en sus profundidades las palabras de amor reverente que hacen vibrar los corazones de los hombres hacia las estrellas cosquillosas.

Venimos hoy entonces en amor leal, para santificar nuestros recuerdos, para purificar nuestras esperanzas, para fortalecer toda buena intención mediante la comunión con el espíritu de aquel que, estando muerto, aún habla.

Ven, niño, en tu inmaculada inocencia; ven, mujer, en tu

pureza; ven, joven, en tu mejor momento; ven, virilidad, en tu fuerza; ven vejez, en tu sabiduría madura; ven, ciudadano; ven, soldado; esparzamos las rosas y los lirios de junio alrededor de su tumba, porque él, como ellos, exhaló en su vida la beneficencia de la Naturaleza, y la tumba ha consagrado esa vida y nos la ha dado a todos. Coronemos su tumba con el roble, el emblema de su fuerza, y con el laurel, el emblema de su gloria, y dejemos que estas armas, cuyas voces él conoció en el pasado, despierten los ecos de las montañas, que la naturaleza misma pueda unirse en su solemne réquiem.

Ven, porque aquí descansa, y
En esta ribera verde, al lado de este arroyo bello,
Plantamos hoy una piedra votiva,
Para que la memoria pueda redimir sus obras
Cuando, al igual que nuestros padres, nuestros hijos se hayan ido.

—John Warwick Daniel, en la inauguración de la estatua de Lee en Washington y Lee University, Lexington, Virginia, 1883

Capítulo 31

Haciendo que la conversación sea efectiva

En conversación, evita los extremos de presunción y cohibición.

—*Cato*

La conversación es el laboratorio y el taller del alumno.
—*Emerson, Ensayos: Círculos*

El padre de W.E. Gladstone decía que la conversación era tanto un arte como un logro. Alrededor de su mesa familiar se discutía constantemente algún tema de interés local o nacional, o alguna otra cuestión. De esta manera, surgió entre la familia una rivalidad amistosa por la supremacía en la conversación, y un incidente observado en la calle, una idea extraída de un libro, una deducción de la experiencia personal, se almacenaba cuidadosamente como material para el intercambio familiar. Así, sus primeros años de práctica en conversaciones elegantes prepararon al joven Gladstone para su carrera como líder y orador.

Existe un sentido en el que la capacidad para conversar de manera efectiva es una forma eficaz de oratoria pública, ya que muchas personas oyen nuestra conversación, y ocasionalmente, hay decisiones de gran importancia que dependen del tono y la calidad de lo que decimos en privado.

De hecho, la conversación en conjunto probablemente ejerce más poder que la prensa y la plataforma juntas. Sócrates enseñó sus grandes verdades no en foros públicos, sino en conversaciones personales. Los hombres hacían peregrinajes a la biblioteca de Goethe y a la casa de Coleridge para ser cautivados e instruidos por su discurso, y la cultura de muchas naciones fue inconmensurablemente influenciada por los pensamientos que surgían de esos ricos manantiales.

La mayoría de los discursos que cambian el mundo se hacen en el curso de la conversación. Las conferencias de diplomáticos, los argumentos para obtener negocios, las decisiones de las juntas administrativas, las consideraciones de política corporativa, todo lo cual influye en los mapas políticos, mercantiles y económicos del mundo, son generalmente productos de una conversación cuidadosa, aunque informal, y las opiniones que más pesan en tales crisis son las de aquel que primero ha reflexionado cuidadosamente sobre las palabras de tanto el antagonista como el protagonista.

Sin importar cuán importante sea lograr el dominio propio en una conversación social ligera, o sobre la mesa familiar, es innegablemente vital mantenerte controlado mientras participas en una conferencia trascendental. En esa circunstancia, los consejos que hemos tratado sobre la elegancia, estado de alerta, precisión del habla, claridad del enunciado y contundencia de la expresión, con respecto al discurso público, son igualmente aplicables a la conversación.

El egoísmo nervioso—contiene elementos de ambas palabras—que de repente te deja aturdido justo cuando necesitas pronunciar palabras esenciales, es una seña de la derrota venidera, ya que una conversación a menudo es una competencia. Si sientes que esta tendencia te está haciéndote pasar vergüenza, asegúrate de acatar el consejo de Holmes:

Y cuando te quedes enganchado con rebabas conversacionales,
No esparzas tu camino con esas espantosas muletillas.

Aquí pon tu voluntad en acción, ya que tu problema es una atención distraída. Debes *obligar* a tu mente a persistir en el tema de conversación que has elegido y negarte resueltamente a ser distraído por cualquier tema o acontecimiento inesperado que pueda aparecer para distraerte. Fallar aquí significa perder la efectividad por completo.

La concentración es la nota clave del encanto conversacional y la eficacia. El azaroso hábito de expresarse con una nube de perdigones cuando lo que se necesita es una sola bala asegura que uno le errará al blanco, ya que la diplomacia de todo tipo depende de la aplicación precisa de palabras precisas, en particular—si se puede parafrasear a Tallyrand—en esas crisis cuando el lenguaje ya no es usado para ocultar el pensamiento.

Con frecuencia podemos obtener nueva luz sobre temas antiguos al observar derivaciones de palabras. La acepción original de conversación significa un intercambio de ideas contrarias, pero la mayoría de la gente parece considerarla un monólogo. Bronson Alcott solía decir que muchos pueden discutir, pero pocos pueden conversar. Lo primero que debemos recordar en una conversación, entonces, es que escuchar—con respeto, cordialidad y atención—es algo que no solo se lo debemos a nuestro compañero de conversación, sino a nosotros mismos. Muchas respuestas pierden su sentido porque el orador está tan interesado en lo que está a punto de decir que realmente no es una respuesta, sino simplemente una irrelevancia irritante y humillante.

La autoexpresión es emocionante. Esto explica el impulso eterno de decorar tótems y pintar cuadros, escribir poesía y exponer filosofía. Una de las principales delicias de la conversación es la oportunidad que brinda para la autoexpresión. Un buen conversador que monopoliza toda la conversación será catalogado de aburrido porque les niega a otros el deleite de la autoexpresión, mientras que un orador mediocre que escucha con interés puede ser considerado un buen conversador porque permite a sus compañeros complacerse a sí mismos mediante la autoexpresión. Los que complacen a los demás son elogiados; los que escuchan bien caen bien.

El primer paso para remediar los hábitos de confusión en la actitud, el comportamiento incómodo, la vaguedad en el pensamiento y la falta de precisión en la expresión, es reconocer tus fallas.

Si estás serenamente inconsciente de ellos, nadie—y menos tú mismo—puede ayudarte. Pero una vez que diagnosticas tus propias debilidades, puedes superarlas haciendo cuatro cosas:

1. ***Ten la voluntad*** para vencerlos, y persiste en tu voluntad.

2. Mantente en control asegurándote de saber exactamente lo que debes decir. Si no puedes hacer eso, no hables hasta que tengas claro este punto vital.

3. Una vez que estés seguro de esto, echa fuera el temor de los que te escuchan—son solo humanos y respetarán tus palabras si realmente tienes algo que decir y lo dices de manera breve, simple y clara.

4. Ten el coraje de estudiar el idioma español hasta dominar al menos sus formas más simples.

Consejos para la conversación

Elige algún tema que resulte de interés general para todo el grupo. No expliques el mecanismo de un motor de gasolina en una merienda o la cultivación de malvarrosas en una despedida de soltero.

No se considera de buen gusto que un hombre desnude su brazo en público y muestre cicatrices o deformidades. Igualmente, es de mal gusto que él ostente sus propios problemas, o la deformidad del carácter de otra persona. El público exige obras e historias que terminan felizmente. Todo el mundo está buscando la felicidad. No pueden estar interesados por largo tiempo en tus males y problemas. George Cohan se hizo millonario antes de cumplir treinta años escribiendo obras de teatro alegres. Una de sus reglas es generalmente aplicable a la conversación: «Siempre déjalos riendo cuando dices adiós».

Elimina el «yo» de tu conversación. Nadie puede hablar de sí mismo sin ser aburrido. El que puede realizar esa hazaña puede lograr maravillas sin hablar de sí mismo, por lo que el «yo» eterno no es permisible ni siquiera en su charla.

Si habitualmente centras tu conversación en torno a tus propios intereses, puede ser muy cansador para tu oyente. Tal vez esté pensando en perros de caza o en la pesca con mosca seca mientras tú estás discutiendo la cuarta dimensión, o los méritos de una loción de pepino. El conversador encantador está preparado para hablar sobre el interés de su oyente. Si tu oyente pasa su tiempo libre estudiando las vacas de Guernsey o abogando reformas sociales, el conversador perspicaz ajusta sus comentarios en consecuencia.

Richard Washburn Child dice que conoce a un hombre de habilidad mediocre que puede fascinar a hombres con mucha más habilidad que él mismo al hablarle sobre la luz eléctrica. Este mismo hombre probablemente aburriría a los demás, y a sí mismo, si se viera obligado a conversar sobre la música o Madagascar.

Evita las banalidades y frases trilladas. Si te encuentras con un amigo de Keokuk en State Street o en Pike's Peak, no es necesario observar: «¡Qué pequeño es el mundo!». Esta observación sin duda fue hecha antes de la formación de Pike's Peak. «Este viejo mundo está mejorando cada día». «Las esposas de hoy no tienen que trabajar tan duro como antes». «No se trata tanto del alto costo de la vida sino del costo de la vida alta». Las observaciones como estas suscitan el mismo grado de admiración que se obtiene con la aparición de un auto de turismo modelo 1903. Si no tienes nada nuevo o interesante que decir, siempre puedes guardar silencio. ¿Cómo te gustaría leer un periódico con titulares en negrita diciendo: «Qué buen tiempo estamos teniendo», o que en sus artículos diarios trata el mismo material antiguo que has estado leyendo semana tras semana?